SKARB ŚWIĄTYNI

W tym wydaniu

Eliette Abécassis
SKARB ŚWIĄTYNI
QUMRAN

Gonzalo Giner
CZWARTY SOJUSZ

Fredric Lenoir, Violette Cabesos
OBIETNICA ANIOŁA

Julia Navarro
BRACTWO ŚWIĘTEGO CAŁUNU
GLINIANA BIBLIA

Javier Sierra
BRAMY TEMPLARIUSZY
OSTATNIA WIECZERZA

ELIETTE ABÉCASSIS

SKARB ŚWIĄTYNI

Z francuskiego przełożyła
WIKTORIA MELECH

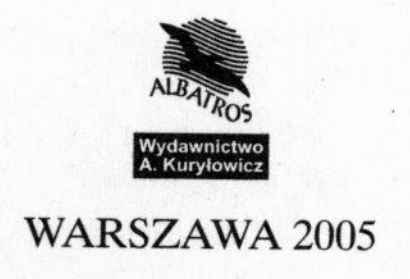

WARSZAWA 2005

Tytuł oryginału:
LE TRÉSOR DU TEMPLE

Redakcja: Beata Słama

Konsultacja historyczna: prof. Zbigniew Mikołejko

Ilustracja na okładce: Jacek Kopalski

Projekt graficzny okładki: Andrzej Kuryłowicz

ISBN 83-7359-200-8

Dystrybucja

Firma Księgarska Jacek Olesiejuk
Kolejowa 15/17, 01-217 Warszawa
tel./fax (22)-631-4832, (22)-632-9155, (22)-535-0557
www.olesiejuk.pl/www.oramus.pl

Wydawnictwo L & L/Dział Handlowy
Kościuszki 38/3, 80-445 Gdańsk
tel. (58)-520-3557, fax (58)-344-1338

Sprzedaż wysyłkowa

Internetowe księgarnie wysyłkowe:
www.merlin.pl
www.ksiazki.wp.pl
www.vivid.pl

WYDAWNICTWO ALBATROS
ANDRZEJ KURYŁOWICZ
adres dla korespondencji:
skr. poczt. 55, 02-792 Warszawa 78

Wydanie I
Skład: Laguna
Druk: B.M. Abedik S.A., Poznań

Mojej matce,
dzięki której napisałam tę książkę.

Zgromadźcie się, a opowiem wam,
co was czeka w czasach późniejszych.

Księga Rodzaju, 49, 1 *

---

* Pismo Święte Starego i Nowego Testamentu, Wydawnictwo Pallotinum, Poznań, Warszawa 1990.

PROLOG

Zdarzyło się to w 5761 roku, 16 dnia miesiąca *nissan* albo, jak kto woli, 21 kwietnia 2000 roku, trzydzieści trzy lata po moim narodzeniu.

Na terenie Izraela, w samym środku Pustyni Judzkiej, w pobliżu Jerozolimy, znaleziono ciało mężczyzny, zamordowanego w przedziwnych okolicznościach.

Przykuto go do kamiennego ołtarza, poderżnięto mu gardło i spalono. Poprzez na pół zwęglone ciało przezierały kości.

Strzępy białej lnianej tuniki i turban, które stanowiły jego ubiór, poplamione były krwią. Na kamiennym ołtarzu widniało siedem krwawych smug, pozostawionych przez zabójcę. Ten człowiek został zabity niczym zwierzę ofiarne. Trwał ze skrzyżowanymi ramionami, z otwartym gardłem.

Shimon Delam, były dowódca armii izraelskiej, obecnie szef Szin Beth, tajnych służb wewnętrznych, przybył do mojego ojca, Davida Cohena, by prosić go o pomoc w tej sprawie. Ojciec, który jako paleograf badał starożytne zwoje, i ja, Ary Cohen, pomagaliśmy Shimonowi dwa lata temu rozwiązać zagadkę zaginionego manuskryptu oraz tajemniczych ukrzyżowań.

— Davidzie — powiedział Shimon, gdy przedstawił mu sytuację — znowu zwracam się do ciebie, bo...

— ...bo nie wiesz, do kogo się zwrócić — wszedł mu w słowo ojciec. — Twoi policjanci niewiele wiedzą o rytualnym składaniu ofiar i o Pustyni Judzkiej.

— A jeszcze mniej o ofiarach z ludzi... Przyznasz, że to nawiązanie do bardzo dawnych czasów.

— Rzeczywiście, do bardzo dawnych. Czego ode mnie oczekujesz?

Shimon wyjął niewielką, czarną, plastikową torbę i podał ją ojcu.

— Rewolwer — stwierdził ojciec, zajrzawszy do środka. — Kaliber siedem sześćdziesiąt pięć.

— Ta sprawa może zaprowadzić nas bardzo daleko. Nie mam na myśli historii Judei. Tu chodzi o bezpieczeństwo Izraela.

— Możesz powiedzieć coś więcej?

— Na granicy panuje ogromne napięcie. Mamy sygnały o ruchach wojsk na południu Syrii. Szykuje się wojna. To morderstwo jest być może pierwszym znakiem.

— Pierwszym znakiem... Nie wiedziałem, że wierzysz w znaki...

— Nie — odrzekł Shimon. — Nie wierzę w znaki. CIA też nie, ale w jednym się zgadzamy. Nasz wywiad uważa, że nóż znaleziony na miejscu zbrodni z całą pewnością został wykonany w Syrii w dwunastym wieku.

— W dwunastym wieku... — powtórzył ojciec.

— Ofiara to archeolog, który prowadził wykopaliska w Izraelu. Szukał skarbu Świątyni, opisanej dokładnie w manuskrypcie znad Morza Martwego...

— Masz na myśli Zwój Miedziany?

— Właśnie.

Ojciec nie zdołał powstrzymać uśmiechu. Jeśli Shimon używa słowa „właśnie", oznacza to, że sytuacja jest poważna.

— Wiemy, że ukrytym celem tego człowieka była budowa Trzeciej Świątyni. Wiemy także, iż miał wrogów... Znasz mnie, jestem tylko wojskowym i nie potrafię domyślić się głębszych motywów tego morderstwa.

— No, to zabierajmy się do pracy — powiedział ojciec.

— To nie jest zadanie takie jak inne. Dlatego potrzebuję człowieka, który doskonale zna Biblię, archeologię, który potrafi walczyć, gdy zajdzie taka konieczność. Potrzebuję kogoś, kto jest jednocześnie uczonym i żołnierzem.

Shimon przez chwilę patrzył na ojca w milczeniu, po czym, żując wykałaczkę, dodał:

— Potrzebny mi jest Ary, lew.

ZWÓJ PIERWSZY

Zwój Zbrodni

Bądźcie mężni i silni! Bądźcie dzielni!
Nie bójcie się i nie lękajcie, i niech nie słabnie serce wasze!
Nie trwóżcie się i nie obawiajcie ich!
Nie cofajcie się wstecz i nie uciekajcie przed nimi,
bo oni są zgromadzeniem niegodziwości
i ciemnością są ich wszystkie czyny,
i do ciemności zmierza wszelkie ich pragnienie.
W kłamstwie ufność swoją złożyli.
A potęga ich jak dym się ulotni.
Boże Izraela, podnieś rękę Swoją w Swojej cudownej mocy
nad wszystkimi niegodziwymi duchami...

Zwoje z Qumran
Reguła wojny *

---

* Witold Tyloch, *Rękopisy z Qumran nad Morzem Martwym*, PWN, Warszawa 1963.

Jestem Ary, skryba. Jestem Ary Cohen, syn Davida.

Wiele lat temu żyłem między wami. Podobnie jak moi przyjaciele podróżowałem do odległych krajów, spędzałem szalone noce w Tel Awiwie i odbyłem służbę wojskową na terenie Izraela.

Aż któregoś dnia porzuciłem miejskie życie i zamieszkałem na Pustyni Judzkiej, niedaleko Jerozolimy, na stromym morskim brzegu, w trudno dostępnym miejscu, które nosi nazwę Qumran.

W spokoju pustyni wiodę surowe życie, dbając o duszę, nie o ciało. Jestem skrybą. Tak jak moi przodkowie noszę u pasa futerał z trzciny, zawierający piórka i pędzelki, a także scyzoryk, służący do skrobania skóry. Wygładzam ją ostrzem, usuwając plamy i nierówności, żeby uzyskać porowatą powierzchnię, w którą tusz wsiąka łatwo, nie tworząc zacieków. Do pisania na tak przygotowanej skórze używam gęsiego pióra, znacznie cieńszego niż pędzelek z trzciny. Wybrałem je starannie z lotek ptaków, hodowanych w kibucu niedaleko Qumran. Zawsze wyrywam pióro z lewego skrzydła, potem rozmiękczam je przez wiele godzin, następnie suszę na słońcu, by stwardniało, a na koniec temperuję scyzorykiem.

Biorę skrzyneczkę, w której znajdują się naczynka z wodą i tuszem; w osobnej buteleczce mieszam wodę z tuszem i zaczynam pisać: *Moje życie zostało uniesione daleko ode mnie niczym namiot pasterza.*

Kaligrafuję litery na pergaminach pożółkłych jak stare księgi ze stronicami często oglądanymi, czytanymi, dotykanymi, przewracanymi rokrocznie przez wieki i tysiąclecia. Piszę tak każdego dnia, również w nocy.

Teraz chciałbym opowiedzieć moją historię, straszne wydarzenia, kiedy byłem tylko igraszką w rękach losu. Nie przez przypadek moje przygody zaczynają się od Biblii, albowiem ujrzałem w niej miłość i ślad Boga, a także przemoc.

O synowie, słuchajcie mnie, a ja zerwę zasłonę z waszych oczu, abyście zobaczyli i poznali dzieła Pana.

Mój ojciec, David Cohen, w ten wieczór 16 miesiąca *nissan* 5761 roku przybył do grot Qumran, gdzie w skryptorium oddawałem się pracy. Była to grota obszerniejsza od pozostałych, znajdowało się w niej mnóstwo kawałków pergaminu różnej wielkości, święte zwoje, wielkie dzbany, skorupy walające się wśród odłamków skał... słowem bezładny wielowiekowy stos starożytnych przedmiotów, którego nigdy nie odważyłem się ruszyć. Ojca nie widziałem już od ponad roku. Miał ciemne gęste włosy, a na jego szerokim czole dawało się odczytać, jak na pergaminie, pojawiające się z biegiem lat litery. Jedną z nich była litera ל, *lamed*, która oznacza „uczyć się i nauczać". Ta litera, najwyższa w całym alfabecie hebrajskim, jedyna, której odnóżka wychodzi poza górną linię, przypomina Drabinę Jakubową ze wstępującymi i zstępującymi aniołami.

Nic nie mówił, ale przecież byłem jego jedynym synem i chociaż szanował mój wybór, wymuszony przez dramatyczne okoliczności, cierpiał z tego powodu, że go opuściłem. Chciał, żebym był bliżej niego, w Jerozolimie, ale ja po służbie wojskowej przeprowadziłem się do ultraortodoksyjnej dzielnicy Mea Szearim, a potem do grot Qumran. Oczywiście ojciec wolałby, żebym, jak nowoczesny Izraelczyk, zamieszkał w Tel Awiwie czy w którymś z kibuców na południu lub północy kraju, gdzie mógłby mnie odwiedzać, a nie w tym tajemniczym, trudno dostępnym miejscu, gdzie wiodłem życie ascety. Widywałem go rzadko i teraz poczułem, jak mimo woli do oczu napływają mi łzy.

— Witaj — powiedział ojciec. — Cieszę się, że cię widzę. Matka przesyła ci ucałowania.

— Jak się czuje?

— Dobrze, znasz ją, jest silna!

Kochałem matkę, ale kiedy stałem się wierzący, wyrósł między nami mur. Pochodziła z Rosji i była ateistką. Ludzi wierzących uważała za nawiedzonych fanatyków.

Przed dwoma laty dołączyłem do tajnej sekty, żyjącej według specyficznych rytuałów — sekty esseńczyków[1]*. W II wieku przed narodzeniem Chrystusa grupa mężczyzn udała się na Pustynię Judzką, na wzgórza Chirbet Qumran, gdzie założyli obóz, w którym uczyli się, modlili i oczyszczali przez chrzest, oczekując końca świata. Jednak koniec świata nie nastąpił. Po śmierci Jezusa i po powstaniu żydowskim obóz w Chirbet Qumran został spalony i opustoszał. Uważano, że esseńczycy zostali wymordowani przez Rzymian lub wywiezieni. W rzeczywistości schronili się w niedostępnych grotach, gdzie żyją do tej pory, w tajemnicy oddając się modlitwom, studiowaniu i przepisywaniu starych ksiąg, ale przede wszystkim szykując się do życia w przyszłym świecie.

— Co tam nowego? — zapytałem.

---

* Słowa z cyframi objaśnione są w słowniczku na końcu książki.

— Na pustyni, kilka kilometrów stąd, popełniono morderstwo. Wygląda to tak, jakby złożono ofiarę z człowieka. Shimon Delam zwrócił się do mnie z prośbą, bym pomówił o tym z tobą, Ary. Chciałby, abyś zajął się tą sprawą. Uważa, że tylko ty nadajesz się do tego, ponieważ jesteś żołnierzem i jednocześnie znasz dobrze stare księgi.

— Przecież wiesz, że moja misja związana jest z grotami w Qumran.

— Jaka misja?

— Wczoraj esseńczycy wybrali mnie na swojego Mesjasza.

— Wybrali ciebie... — powtórzył ojciec, patrząc na mnie dziwnie, jakby nie był zaskoczony tą informacją.

— Sądzą, że jestem Mesjaszem, na którego czekali. Stare księgi mówią: Mesjasz objawi się w pięć tysięcy siedemset sześćdziesiątym roku i będą go nazywali „lew". A przecież imię, które mi dałeś, to właśnie znaczy.

— Czy jesteś gotowy porzucić pracę skryby i wyjść z grot?

— Jestem skrybą, nie detektywem.

— Mówisz, że esseńczycy uznali cię za Mesjasza, a to znaczy, że twoja misja nie polega już na pisaniu, lecz na walce, walce dobra ze złem. W wojnie synów światła z synami ciemności powinieneś odnaleźć mordercę i pokonać go.

W argumentach ojca rozpoznawałem kapłana z rodu Cohenów. Dwa lata temu dowiedziałem się, że ojciec był esseńczykiem, lecz zdecydował się opuścić groty, gdy powstawało państwo Izrael, i prowadzić w nim czynne życie. Wtedy zrozumiałem, dlaczego ten człowiek o imponującej sile charakteru, mądry, odważny, lojalny, z czarnymi oczami, płonącymi jak pochodnie w twarzy rozjaśnionej niezwykłym uśmiechem, ma charyzmę i wygląd patriarchy. Ten uśmiech był odbiciem życia duchowego, które go inspirowało, a do łagodności skłaniały studia nad antycznymi tekstami. Trudno było określić jego wiek, ponieważ nosił w sobie pamięć wszystkich czasów.

— Jesteś młody — powiedział ojciec — potrafisz walczyć. Masz wiedzę i siły konieczne do rozwiązania tej zagadki. Chyba że postąpisz jak prorok Jonasz i uciekniesz przed wyzwaniem.

— To są ich sprawy.

— Nie, to wasza sprawa, nasza. Ten człowiek został złożony w ofierze na tym terenie, ubrany w wasze stroje obrzędowe. Jeśli nie podejmiesz się tej sprawy, to wiedz, że szybko zostaniecie odkryci, może nawet was oskarżą, każą opuścić jaskinie i wtrącą do więzienia. Tu nie chodzi o walkę, tu chodzi o przeżycie!

— Jest napisane, że powinniśmy trzymać się z daleka od złych ludzi.

Ojciec podszedł do zwoju, który właśnie przepisywałem. Jako paleograf, badacz starych tekstów, interesował się kształtem poszczególnych liter i potrafił na tej podstawie określić, kiedy dany tekst został przepisany. Udało mu się wyróżnić postępujące zmiany w kształcie spółgłosek, od najdawniejszych do najnowszych. Zapamiętywał wszystko, co rozszyfrował, dostrzegał bezbłędnie charakterystyczne cechy każdego studiowanego fragmentu, umiał określić jakość skóry, styl pisania skryby, atrament, język i słownictwo. Dzięki umiejętnościom lingwistycznym potrafił biegle czytać teksty greckie i semickie, tabliczki z pismem klinowym, ostre pismo Kananejczyków, inskrypcje na dokumentach fenickich, punickich, hebrajskich, edomickich, aramejskich, nabatejskich, palmyreńskich, tamudejskich, safaickich, samarytańskich i chrześcijańsko-palestyńskich. Palcem wskazał jeden fragment: *Ręka Pana spoczęła na mnie; duch Pana kazał mi wyjść i znalazłem się pośrodku doliny: a była ona pełna kości zmarłych.*

— Już w drugim wieku zostało napisane, że wydarzy się to blisko końca świata — powiedział.

Odprowadziłem ojca do wyjścia z groty. Na zewnątrz czekali ludzie. Była noc. W świetle księżyca widniało strome urwisko, oddzielające nas od reszty świata. W dali, na tle ciemnego nieba odcinały się wapienne skały, tworzące księżycowy pejzaż wybrzeży Morza Martwego. Na skalnej ławie u wejścia do grot rozpoznałem dziesięciu mężczyzn z najwyższej rady. Byli wśród nich: Issachar, Perec i Yov, kapłani z rodu Cohanim, Aszbel, Ehi i Muppim z pokolenia Lewiego, Gera, Naaman i Ard, synowie Izraela, oraz Lewi, kapłan, mój nauczyciel, człowiek w podeszłym wieku, z siwymi jedwabistymi włosami, wąskimi wargami, o dumnej postawie. Podszedł do ojca i powiedział:

— Nie zapomnij, Davidzie Cohenie, że jesteś związany tajemnicą.

Ojciec skinął głową, po czym bez słowa ruszył stromym zboczem ku znanemu światu.

Nazajutrz rano zrzuciłem ceremonialny strój i włożyłem moje stare ubranie chasydzkie[2], którego nie miałem na sobie od ponad dwóch lat — białą koszulę i czarne spodnie. I wyruszyłem w drogę.

Szedłem przez pulsującą upałem pustynię, oślepiony słońcem, odnajdując między skałami, w suchych łożyskach rzek, w szczelinach i parowach, niebezpieczną tajemną drogę, znaną tylko esseńczykom.

Przede mną połyskiwało wielkie słone jezioro, rozciągające się czterysta metrów poniżej poziomu morza, gdzie jest tak gorąco, że woda paruje. Nazwano je Morzem Martwym, ponieważ nie ma w nim ani ryb, ani wodorostów, nie pływają po nim statki i rzadko widuje się ludzi.

Na południe stąd znajduje się zniszczona Sodoma, świadek kataklizmu, którym niegdyś została ukarana ta kraina. Zapach siarki, odstraszające kształty rzeźbione w piasku i skale, to obraz królestwa zniszczenia. Początek końca. Dlatego właśnie dwa tysiące lat temu esseńczycy przybyli na tę pustynię ciągnącą się na wschód od Jerozolimy aż do wielkiej depresji Ghor z rzeką Jordan i Morzem Martwym, na spokojną cichą pustynię, gdzie można uwierzyć w koniec świata. Na południe od naszej pustyni znajduje się jeszcze inna, a na południe od tamtej — kolejna, gdzie Mojżesz otrzymał Tablice Dekalogu. Na każdej z tych pustyń żyją pasterze, świadkowie dawnych czasów, a ludzie opuszczają normalny świat i przybywają, by tu zamieszkać.

Było już południe, gdy dotarłem na miejsce zbrodni. Na marglowym tarasie upał zapierał dech.

Minąłem groty, w których znajdowały się resztki kilku tysięcy manuskryptów, należących niegdyś do naszej sekty. Niektóre z nich pochodziły z III wieku przed Chrystusem. W 1947 roku znaleziono tutaj pierwszy dzban, co zapoczątkowało przedziwną historię manuskryptów znad Morza Martwego. Było to bulwersujące odkrycie archeologiczne. Uważano, że pod słońcem Judei nie ma już niczego nowego. Przez dwa tysiące lat ludzie przechodzili obok tego skarbu, nie wiedząc, że manuskrypty z epoki Jezusa, zachowane cudownym sposobem w dzbanach, znajdowały się tutaj, ukryte w grotach Qumran, na Pustyni Judzkiej, w pobliżu Morza Martwego, trzydzieści kilometrów od Jerozolimy.

Z manuskryptami znad Morza Martwego zetknąłem się po raz pierwszy, gdy w 1999 roku arcykapłan Oze, który był obecny przy wydobyciu na światło dzienne zwojów z Qumran, został ukrzyżowany w świątyni ortodoksyjnej w Jerozolimie. O pomoc w odnalezieniu jednego ze zwojów, ukradzionego przy tej okazji, poprosił mego ojca Shimon Delam, dowódca naczelny armii izraelskiej. A ja towarzyszyłem wtedy ojcu.

Przekonałem się wówczas, że w tych jaskiniach od wielu pokoleń żyją ludzie, ukryci przed światem, przepisując pergaminowe zwoje, które są ich świętymi tekstami.

Po półgodzinnym marszu znalazłem się nad brzegiem Morza Martwego, na rozległym urwisku, gdzie znajdowały się ruiny Chirbet Qumran. Słońce stało w zenicie. Na miejscu zabezpieczonym przez policję nie było nikogo. Przeszedłszy pod sznurem ogradzającym miejsce zbrodni, skierowałem się na cmentarz sąsiadujący z ruinami.

Boże! Wolałbym nie wchodzić do tej doliny łez. Chciałbym móc powiedzieć, że tu nie byłem, nic nie wiem i nie chcę wiedzieć, że niczego nie widziałem. Nigdy nie zdołam zapomnieć tego, co ujrzałem. Było tu tysiąc sto grobów, tysiąc sto sprofanowanych grobów z kośćmi ułożonymi na osi północ—południe. Każdy szkielet leżał na plecach, z głową skierowaną na południe.

Nie dało się wyczuć najlżejszego powiewu wiatru, a mimo to miałem wrażenie, że słyszę jakiś szum — głosy zmarłych, którzy za moimi plecami wychodzą z grobów. Były to głosy przodków zwabionych świętością, czystością aktu i intencji, którzy nawiedzali miejsca swoich pragnień, gdzie ludzie żarliwie strzegli prawa Mojżesza, gdzie esseńczycy, jako ostatni z ostatnich na tej jałowej pustyni, powstawszy z grobów, usiłowali natchnąć Judeę, aby dokonała zmian i narodzili się liczni potomkowie Judy i Beniamina, dokładający starań, by szerzyć nowinę i zachowywać ich historię.

Po chwili zauważyłem niewysoki krzyż w pobliżu stosu kamieni, a kiedy podniosłem głowę, zobaczyłem kamienny ołtarz, wzniesiony na środku zbezczeszczonego cmentarza. Otoczony był czerwoną, plastikową taśmą. Białą kredą narysowano sylwetkę człowieka. Zamordowany został przywiązany do ołtarza niczym baranek ofiarny i tak samo poderżnięto mu gardło, po czym spalono, a dym uniósł jego hańbiący smród ku Panu. Ofiarę przywiązano mocno, by nie mogła się ruszyć, a potem chwycono za szyję i otworzono gardło ostrym nożem. Krew musiała spłynąć, ciało spłonąć, a dym wznieść do góry. Wokół ołtarza widać było ślady ognia. Wszędzie leżał popiół. Na ołtarzu widniało siedem krwawych smug.

Zmrożony przerażeniem, cofnąłem się o kilka kroków. W taki właśnie sposób składał ofiary arcykapłan w Jom Kippur[3] przed wejściem do Świętego Świętych, gdzie miał spotykać się Bogiem. On jednak składał w ofierze byka. Dlaczego więc zabito w ten sposób człowieka? Jaki był sens tego aktu?

Pozostałości Qumran tworzyły czworobok. Podszedłem do ruin domostw, które dobrze znałem, kiedyś zamieszkanych przez moich przodków, żyjących na pustyni, gdzie niezwykle trudno było znaleźć wodę. Głosy wciąż mnie nie opuszczały, coraz bardziej się materializując. Wydawało mi się, że widzę, jak ludzie krzątają się przy dużej rurze, zapewniającej w porze deszczowej dopływ wody, jak niosą dzbany z wodą do picia lub zanurzają się w basenie, by oczyścić duszę i ciało. Widziałem ich ubranych w białe płócienne szaty, jak uroczyście zmierzają do sali zgromadzeń, służącej także za refektarz, by spożyć w niej posiłek, siadają według ustalonej od dawna hierarchii — najpierw kapłani, potem lewici, a następnie Liczni[4], słyszałem niemal głosy kucharzy zajętych przygotowywaniem posiłku i garncarzy wypalających garnki w piecach warsztatów ceramicznych, widziałem skrybów pilnie przepisujących zwoje w skryptorium, zręcznie posługujących się przyborami do pisania, wykonanymi z brązu i gliny. Kopiowali setki tekstów, które nocą i dniem zapisywali na pergaminach. A potem nastał wieczór i ujrzałem, jak członkowie gminy po całodziennych zajęciach udają się do swoich domów. Żyli tak, jak żyjemy dziś my, esseńczycy, spadkobiercy tych, którzy przygotowywali się w tajemnicy do nadejścia innego świata.

Słońce w zenicie oślepiało. Nie dało się wyczuć najlżejszego podmuchu wiatru. Żar buchał jak z paleniska pieca.

Nagle drgnąłem. Poczułem na plecach czyjeś spojrzenie. Nie był to jednak cień z przeszłości, wytwór mojej wyobraźni.

Kiedy odwróciłem głowę, serce podskoczyło mi w piersi i ugięły się pode mną nogi. Przez moment pomyślałem, że to miraż.

Nigdy nie myślałem, że jeszcze kiedyś ją zobaczę. Sądziłem, że wygnałem z serca pokusę. Myślałem, że o niej zapomniałem, lecz myliłem się... Jane Rogers. Dwa cienkie warkoczyki, śliczne usta, drobne zmarszczki na skroniach, zarysowane na kształt liter miłości, oczy ukryte za przeciwsłonecznymi okularami, no i ten nieznany mi ciemniejszy odcień skóry, opalonej sierpniowym słońcem tu, na południe od Qumran, gdzie świeci najsilniej, przyprawiając o szaleństwo.

Jane! Czy nie śniłem o niej każdej nocy, odkąd zamieszkałem w grotach? A wraz z jej wizerunkiem ileż powracało wyrzutów sumienia, żalów... Ileż to razy powtarzałem sobie, że poza nią nie ma niczego, że tylko jej pragnę.

Objąłem wzrokiem jej szczupłą sylwetkę. Ubrana była w szorty khaki i białą bawełnianą podkoszulkę. W końcu udało mi się podnieść wzrok i spojrzeć jej w oczy. Zdjęła okulary.

— Ary.

Na jej twarzy widniała litera י. *Jod*, na dziesiątym miejscu w alfabecie hebrajskim, zawiera w sobie cyfrę 10. *Jod* symbolizuje Królestwo i harmonię form, jest znakiem świata, który ma nadejść. To najmniejsza litera w alfabecie, bo *jod* jest skromna, ale 10 to 1 + 0, początek wszelkiego początku... Jane!

— Minęło dużo czasu — powiedziała.

Zrobiła ruch ręką, jakby chciała mi ją podać, ale zrezygnowała. Stałem bezwolny, nie wiedząc, jak ją powitać. Zapadła pełna zażenowania i zaskoczenia cisza, która każdemu z nas wydawała się wiecznością po tak długiej rozłące.

— Dwa lata — wymamrotałem.

Nasze spojrzenia spotkały się i znowu zadrżałem. Zmieniła się. Nie fizycznie. Wciąż była piękna, ale stało się z nią coś, co sprawiło, że jej rysy stwardniały. Widać to było mimo smutnego nieco tęsknego uśmiechu, na który odpowiedziałem jakby wbrew sobie.

— Dowiedziałeś się o morderstwie?

— Tak. Wiesz, kim był ten człowiek?

Opuściła wzrok. Cofnęła się nieco, przesunęła ręką po twarzy.

— Peter Ericson — szepnęła. — Był kierownikiem naszej ekspedycji. To stało się w nocy, przedwczoraj. Znalazłam go rano.

— Kto jeszcze go widział?

— Członkowie naszej ekipy. Natychmiast pobiegli do obozu, żeby wezwać policję. Ja zostałam na miejscu. Nic nie rozumiałam... Był zalany krwią. Poza tym te siedem krwawych śladów, jak siedem znaków... Miał na sobie dziwną szatę z białego płótna.

Zamilkła.

— Chodźmy stąd, Jane.

— O co tu chodzi?! — wybuchła. — Czy ktoś chce nas przestraszyć, zmusić do odejścia?!

— A czego właściwie tu szukacie? — zapytałem cicho.

— Idziemy za wskazówkami zawartymi w Zwoju Miedzianym.

— Zwój Miedziany?

Zaskoczyła mnie. Spośród wszystkich zwojów znalezionych w Qumran Zwój Miedziany wydawał się najbardziej zagadkowy. Jako jedyny był z metalu, bardzo trudny do odczytania. Zawierał wykaz miejsc, w których mógł znajdować się legendarny skarb.

— Właśnie — powiedziała Jane. — Niektórzy uważają, że ten skarb to jakaś bajka z żydowskiego folkloru epoki rzymskiej. Ale profesor Ericson był zdania, że opis zawarty w zwoju jest zbyt realistyczny.

— Jak to się stało, że w tym uczestniczysz?

— Dwa lata temu, niedługo po twoim odejściu do grot, postanowiłam dołączyć do ekipy profesora Ericsona, który prowadził tutaj wykopaliska.

— Jak udało mu się odczytać Zwój Miedziany? To wyjątkowo zagmatwany tekst.

— Istnieją różne metody odczytywania. Ericsonowi udało się odtworzyć całe zdania. Sądzisz, że jego zabójstwo jest związane z naszymi poszukiwaniami?

— Całkiem możliwe...

Przyglądałem się jej. Stała w pewnej odległości ode mnie, a na jej twarzy malowała się nieufność.

— Kto was sponsoruje?

— Różne żydowskie ugrupowania religijne, ortodoksyjne i liberalne. Otrzymujemy także pomoc finansową z międzynarodowych źródeł prywatnych. Jednak ci, którzy tu pracują, nie są opłacani. Wszyscy jesteśmy wolontariuszami, mamy zapewnione tylko wyżywienie i zakwaterowanie.

— Znaleźliście coś?

— To wymaga czasu, Ary... Po pięciu miesiącach znaleźliśmy pojemnik zawierający ketoryt, kadzidło używane w Świątyni.

Podała mi kawałek papieru, który wyjęła z kieszeni.

— To kopia fragmentu Zwoju Miedzianego. Tekst jest pisany jakby na siatce. Trzeba go czytać po przekątnej.

Przeczytałem tak, jak mi podpowiedziała.

— *Bekever she banahal ha-kippa*... Grób, który znajduje się na zakręcie rzeki...

— Na drodze z Jerycha do Sakkary... Są zaznaczone dwie osie: północ—południe i wschód—zachód — powiedziała, pokazując palcem.

— Skarb powinien więc znajdować się na ich przecięciu...

— W tym punkcie znaleźliśmy małą amforę na oliwę. Ericson sądził, że mogła to być oliwa używana w sanktuarium w Jerozolimie.

— A sam skarb?

— Nie było niczego.

Odeszła kilka kroków i usiadła na kamieniu.

— Och, Ary, już nic nie wiem... Wczoraj było bardzo gorąco. Słońce prażyło niemiłosiernie. Miałam wrażenie, że jesteśmy w piekle. Wyszliśmy jednak, zabierając ze sobą manierki z wodą. Skierowaliśmy się do Chirbet Qumran. Każdy z laską w ręku. Wyglądaliśmy jak grupa patriarchów. Nic nie mogło nas zatrzymać, ani upał, ani węże, ani skorpiony. Tego ranka, gdy opuszczaliśmy obóz, profesora nie było z nami. Sądziliśmy, że dołączy do nas później... Zrobiliśmy sobie przerwę, żeby coś zjeść. Odeszłam na bok... I wtedy go zobaczyłam.

Poprosiłem Jane, żeby zawiozła mnie do obozu archeologów. O nic nie pytając, zaprowadziła mnie do dżipa. Po kilku kilometrach kamienistej drogi dotarliśmy do obozowiska w pobliżu kibucu na obrzeżach Qumran.

Było to prowizoryczne obozowisko — kilka namiotów z grubego płótna, rozstawionych pod skałami — które opuszczono w pośpiechu, jakby w obawie przed nadciągającym niebezpieczeństwem.

Przed jednym z namiotów siedział na krześle mężczyzna około pięćdziesiątki, z siwymi sztywnymi włosami, z przedziałkiem z boku, ze spoconą, zaczerwienioną od słońca twarzą. Wydawało się, że drzemie, obezwładniony upałem.

Skierowaliśmy się do namiotu Petera Ericsona, z którego wyszedł właśnie Shimon Delam w towarzystwie dwóch policjantów. Kiedy mnie zobaczył, ruszył ku mnie szybkim krokiem. Wymieniliśmy spojrzenia, jak robiliśmy to w wojsku, chcąc wzajemnie poznać swoje myśli. Nie zmienił się. Ciemnowłosy, o delikatnych rysach twarzy, niewysoki, krępy, jak zawsze z wykałaczką w zębach, która zastępowała mu papierosa. Na jego czole widniała litera נ. *Nun* symbolizuje wierność, skromność, a w swojej formie finalnej odwołuje się do nagrody obiecanej prawemu człowiekowi. Tak więc *nun* jest literą odpowiadającą sprawiedliwości.

— Ary, cieszę się, że cię widzę — odezwał się Shimon, a potem zwrócił się do Jane: — Jane, jak się pani miewa?

— Dobrze — odrzekła Jane.

Shimon podszedł bliżej.

— Myślałem, że jest pani w Syrii.

— Nie, wolałam zostać tutaj.

— Ary, jestem szczęśliwy, że się zgodziłeś.

— Jeszcze nie wyraziłem zgody...

— Wiesz, jak bardzo jesteś nam potrzebny — przerwał mi — Poprzednim razem świetnie dałeś sobie radę.

— Shimonie, nie masz sobie równego w werbowaniu agentów, ale...

— Nikt poza tobą nie zdołałby rozwiązać tamtej sprawy. Dobrze o tym wiesz. Teraz jest tak samo. Odnoszę wrażenie, że mamy do czynienia z czymś, co ma korzenie w dalekiej przeszłości. To sprawa, którą może rozgryźć tylko archeolog, skryba, esseńczyk, a w dodatku żołnierz.

— Jeszcze się nie zgodziłem.

— Właśnie dlatego tu jestem, żeby cię ostatecznie przekonać — odrzekł, żując spokojnie wykałaczkę.

— A więc słucham.

— Oto jak wygląda sytuacja... — Odwrócił się do Jane, która zamierzała odejść. — Może pani zostać.

Zamilkł na chwilę, wyjął z ust wykałaczkę i rozdeptał ją na ziemi jak niedopałek papierosa.

— Nie będę owijał w bawełnę i powiem wprost — został zabity człowiek, archeolog szukający skarbu na podstawie opisu zawartego w jednym z manuskryptów z Qumran, skarbu, który mógł należeć do esseńczyków...

— Mylisz się — przerwałem mu — esseńczycy niczego nie posiadają. Dlatego nazywają siebie „biedakami".

— No tak — mruknął Shimon ze złośliwym uśmiechem. — Przydałby się więc jakiś niewielki fundusik, prawda?

— Nie widzę żadnego związku — odrzekłem, wzruszając ramionami.

— A my jesteśmy przekonani, że esseńczycy są uwikłani w tę sprawę.

Słysząc to, aż podskoczyłem.

— Jacy „my"? — zapytałem ostro.

— Szin Beth.

— Wiecie o istnieniu esseńczyków?

— Oczywiście.

— Shimonie — szepnąłem przez zaciśnięte zęby — nie powinieneś nikomu o tym mówić.

— Uspokój się, Ary, przecież jesteśmy tajnymi służbami. To, czego dowiaduje się Szin Beth...

— ...nie wychodzi poza jego mury — dokończyłem. — Ale wiesz o tym ty, wie Jane. To może okazać się dla nas niebezpieczne.

— Przypominam ci, że to ja przybyłem, żeby cię uratować

dwa lata temu. I to ja pozwoliłem ci odejść do grot, nie wydałem cię policji, gdy zabiłeś rabbiego.

— Dlaczego nas podejrzewacie?

— Ary, zastanów się choć przez chwilę. Kto inny poza esseńczykami mógł dokonać w tym regionie rytualnego morderstwa, przypominającego złożenie ofiary w Dzień Sądu?

Nie potrafiłem odpowiedzieć na to pytanie.

— Doskonale — powiedział, a jego twarz się rozjaśniła. — Właśnie pod tym kątem należy prowadzić śledztwo. Chyba rozumiesz, o co mi chodzi?

— Tak, zaczynam rozumieć.

— Mógłbyś porozmawiać z córką profesora Ericsona. Mieszka w twojej dawnej dzielnicy.

— Profesor Ericson nie był żydem — odezwała się Jane, jakby odgadując moje myśli. — Ale jego córka przeszła na judaizm... Rozmawiałam z nią dziś rano.

— No to zostawiam was — powiedział Shimon. — Do zobaczenia, Ary.

Odszedł kilka kroków, po czym odwrócił się i dodał poważnie:

— Do szybkiego zobaczenia, jak sądzę.

W tym momencie pojawił się mężczyzna, który, jak nam się wydawało, drzemał przed namiotem. Ciekawe, czy słyszał naszą rozmowę? A może naprawdę spał, gdy go mijaliśmy?

— Ary, to Józef Koskka, archeolog — przedstawiła go Jane.

— To straszne — odezwał się Koskka, wymawiając „r" dźwięcznie, jak wszyscy Polacy. — To naprawdę straszne. Jestem do głębi poruszony tym, co przydarzyło się naszemu przyjacielowi Peterowi. Był naukowcem o międzynarodowej renomie. Prawda, Jane?

Jane usiadła na kamieniu.

— Tak, to straszne.

— Czy miał wrogów? — zapytałem.

— Niewątpliwie — odrzekł z namysłem Koskka. — Dostawał jakieś pogróżki. Któregoś wieczoru został nawet napadnięty. Chciano go przestraszyć. Byli to ludzie w turbanach, jakie noszą Beduini.

— Kto taki?

— Nie wiem. Ale podczas pobytu tutaj zaprzyjaźnił się z samarytańskimi[5] kapłanami z Nablusu, pracował nad tekstem, który sporządzili na podstawie pewnych fragmentów biblijnych.

Jane smutno pokręciła głową.

— Przedwczoraj przyszedł do mojego namiotu. Powiedział, że pędzelkiem i łopatką oczyścił stos naczyń w Chirbet Qumran, w pomieszczeniu przylegającym do refektarza. Między tymi naczyniami znajdował się jeden nietknięty dzban, zawierający fragmenty manuskryptu. Profesor był bardzo podniecony, zupełnie jakby spotkał człowieka sprzed dwóch tysięcy lat, który zamierzał przemówić do niego w swoim starożytnym języku... — Uśmiechnęła się blado. — Nie przypuszczałam, że tego rodzaju poszukiwania są tak trudne. Już same warunki życia mogą zniechęcić — problemy z wodą, upał. A najczęściej znajduje się tylko jakieś skorupy. Potem trzeba je weryfikować, zestawiać, dedukować, do czego służyły. Przypomina to układanie puzzli...

— Powiedziała pani, że znalazł w dzbanie jakiś manuskrypt — odezwał się Koskka, nagle okazując zainteresowanie.

— Tak...

Przyglądałem się Jane. Na jej twarzy widać było zmęczenie i podniecenie. Koskka zdjął kapelusz i otarł chustką pot lśniący w bruzdach jego czoła.

Policzyłem je — jedna, dwie, trzy, ułożone w kształt litery ת. *Taw*, ostatnia litera alfabetu, litera prawdy, ale również śmierci. *Taw* symbolizuje zakończenie jakiegoś działania, a także przyszłość, która stała się już chwilą obecną.

— To dziwne... — powiedziała Jane. — Profesor wspomniał, że ten fragment mówił o jakiejś postaci z „końca świata", o Melchizedeku, co bardzo go zaintrygowało. Wtedy pomyślałam, że to nic ważnego, ale teraz... po tym wszystkim, co się tu wydarzyło po tylu latach...

— Ma pani na myśli czasy Jezusa? — zapytał Koskka.

— I jeszcze te głupie dyskusje o Jezusie i Nauczycielu Sprawiedliwości esseńczyków...

— Ależ my nie mamy z tym nic wspólnego — obruszył się Koskka. — Szukamy skarbu opisanego w Zwoju Miedzianym, a nie Mesjasza esseńczyków.

— Przypuszczamy — ciągnęła Jane — że wartość złota i srebra wspomnianych w zwoju przekracza sześć tysięcy talentów... Dziś jest to równowartość wielu milionów dolarów.

— Choćby dlatego ten skarb nie mógł się ulotnić! — wykrztusiłem. — Jane, chciałbym zobaczyć namiot profesora.

— Zaprowadzę cię.

Namiot Ericsona przylegał do drugiego dużego namiotu, służącego za jadalnię i stało w nim tylko łóżko polowe oraz niewielki składany stolik. Na łóżku rozrzucone były papiery i książki. Niewątpliwie policja dokładnie wszystko przeszukała. Jane z pewnym wahaniem weszła w ślad za mną. Na stole zobaczyłem kopię jakiegoś dokumentu w języku aramejskim.

— To pewnie ten manuskrypt, który znalazł profesor — powiedziała Jane. — Czego on dotyczy?

— To fragment zwoju z Qumran. Rzeczywiście jest w nim mowa o Melchizedeku... Gdy nastanie koniec świata, gdy uwolniony będzie syn światła, Melchizedek zostanie królem sprawiedliwych i władcą ostatnich dni. Melchizedek jest księciem światła, arcykapłanem, który będzie odprawiał modły w dni pokuty.

— Ale dlaczego Ericson zainteresował się właśnie tą postacią?

— Tego nie wiem.

Moją uwagę przyciągnął inny przedmiot, leżący niedaleko stolika. Był to lśniący antyczny miecz z wizerunkiem twarzy na czarnej rękojeści. Kiedy przyjrzałem mu się z bliska, stwierdziłem, że to czaszka. Na końcu rękojeści znajdował się krzyż o szerokich ramionach.

— Co to takiego? — zdziwiłem się.

— Miecz ceremonialny — wyjaśniła Jane. — Profesor był masonem.

— Naprawdę?

— Tak. Nie tylko esseńczycy utrzymują w tajemnicy swoje obrzędy.

— Czy Ericson mógł chcieć odnaleźć skarb Świątyni tylko po to, by się wzbogacić?

— Nie sądzę. Nigdy nie kierował się tak niskimi pobudkami. Spójrz, to jego zdjęcie. Możesz je zatrzymać.

Wyszła z namiotu szybkim krokiem, z opuszczoną głową.

Po powrocie do mojej groty, po długim marszu w zachodzącym słońcu, rzucającym pierwsze cienie na pustynię, obejrzałem zdjęcie profesora Ericsona. Srebrzystosiwe włosy, ciemne oczy, twarz bez zarostu, pobrużdżona od słońca. Wszystko to przydawało mu powagi. Kiedy przybliżyłem do zdjęcia lupę, dostrzegłem, że zmarszczki na jego czole tworzą literę כ. *Kaf*, przypominająca zagłębienie dłoni, symbolizuje umysłowy i fizyczny wysiłek, podejmowany w celu ujarzmienia sił przyrody. Wygięty kształt tej litery jest znakiem pokory, zgody na ciężkie próby oraz odwagi.

Nagle moją uwagę przyciągnął pewien szczegół. Obok profesora stał Józef Koskka. Najwyraźniej tworzyli zespół poszukujący skarbu. Poświęcili temu zadaniu całe swoje życie, prowadząc badania w bardzo trudnych warunkach. Pracowali w upale, nie szczędząc rąk, posługując się łopatami, kilofami i oskardami. Profesor, lekko pochylony, w jednej ręce trzymał fajkę, a w drugiej zwój przypominający Zwój Miedziany, ale srebrnego koloru. Litery na nim nie były hebrajskie. Było to pismo gotyckie i kiedy przyjrzałem się lepiej, odczytałem słowo: ADHEMAR. Co to może znaczyć?

Udałem się do zbiornika ze źródlaną wodą, w którym dokonywaliśmy rytualnych kąpieli. Chciałem się oczyścić, ponieważ miałem kontakt ze śmiercią, cmentarzem i miejscem zbrodni. W skale wykuto basen na tyle głęboki, że można było zanurzyć się całkowicie, jak wymagała tego tradycja.

Zdjąłem okulary, tunikę z białego płótna i wszedłem do basenu z przezroczystą wodą. Odkąd zamieszkałem z esseńczykami, nie przestawałem chudnąć. Niewiele jadłem i pod skórą sterczały mi kości niczym suche gałęzie drzewa. Zanurzyłem się w rytualnej kąpieli trzy razy, przeglądając się w wodzie. Nie mieliśmy tu żadnych luster. Ujrzałem rzadką brodę, ciemne kręcone włosy, okalające twarz o jasnej, niemal przezroczystej cerze, niebieskie oczy i cienkie wargi. Na moim czole widniała litera ק. *Gof*, za pomocą której pisze się słowo *kadoch* — święty. Jej pionowa kreska oznacza, że szukając świętości, można zejść na manowce.

Wyszedłem z basenu, wytarłem się, włożyłem tunikę i skierowałem się do skryptorium, gdzie zamierzałem przystąpić do pracy, którą wcześniej zacząłem.

Na dużym drewnianym stole leżały fragmenty starych zwojów z poczerniałej skóry i święte księgi. Dalej pomieszczenie zwężało się, prowadząc do wnęki wypełnionej kawałkami materiału, skór oraz dzbanami tak wysokimi, że sięgały sufitu groty.

Żeby uspokoić napięte nerwy, usiadłem przy długim stole do pracy i za pomocą scyzoryka zabrałem się do skrobania skóry pergaminu, która wciąż była bardzo chropawa, choć długo ją moczono.

Zaznaczyłem linię poziomą, uważając, żeby zostawić margines na górze, na dole i między stronami, po czym przystąpiłem do pisania, umieszczając każdą literę na kresce, aby pismo było równe. Struktura pergaminu powinna być jednorodna, doskonale jednolita. Wolę pergamin cienki, ale solidny. Podczas pisania lubię czuć, jak skóra reaguje przy kontakcie z moją ręką, atramentem i barwnikami. Pergamin to skóra, która nadal żyje, choć została poddana procesowi obróbki. Dlatego pismo zachowuje się na nim bardzo długo, podczas gdy miedź ulega utlenieniu. Na pergaminie można pisać wielokrotnie, po namoczeniu go w serwatce i ponownym wydrapaniu. Tego rodzaju rękopisy świadczą o bardzo bogatej przeszłości naszego kraju.

Tym razem jednak skóra stawiała opór, a w mojej głowie kłębiły się inne słowa, inne myśli. Nie mogłem skupić się nad tekstem. Nagle to, co robiłem, wydało mi się niegodne uwagi... Niedaleko ode mnie, na Pustyni Judzkiej, rozegrał się dramat. I pojawiła się kobieta... Powtarzałem bezwiednie jej imię, skrobiąc scyzorykiem skórę, żeby ją wygładzić. Próbowałem napisać literę, ale skóra nie poddawała się moim wysiłkom i nic z tego nie wychodziło.

Nie udawało mi się usunąć z umysłu obrazu profesora Ericsona, złożonego w tak przedziwnej ofierze. Myślałem o tym, co przekazują nasze księgi, o ciosach, które wymierzają aniołowie zniszczenia w wiecznej otchłani, o szalonym gniewie Boga zemsty, o przerażeniu i bezgranicznym wstydzie, o hańbie i zagładzie niesionej przez ogień, poprzez wieki, w każdym pokoleniu na całym świecie.

Myślałem też o zabójcy. Czy był to zły człowiek, wysłannik

Beliala, który pojawił się, by jak ptasznik łapać ludzi w sieć i ich niszczyć? Jeśli tak, to znaczy, że zbliża się koniec świata. Czas końca czasu.

Bóg jest ponad całym wojskiem Beliala
i do niego należy sąd nad wszelkim ciałem.
Boże Izraela, podnieś rękę Swoją w Swojej cudownej mocy
nad wszystkimi niegodziwymi duchami,
a mocarze boscy gotują się do wojny
i oddziały świętych zebranych na dzień Boga.

Postanowiłem oderwać się od tego wszystkiego i zastosować metodę, której nauczył mnie mój mistrz, polegającą na skupieniu się nad jedną wybraną literą i kontemplowaniu jej aż do momentu, gdy pęknie otoczka słowa, aż poczuje się pierwotne tchnienie, dające początek zapisowi.

Pochyliłem się nad manuskryptem. Wybrałem literę א — *alef*, pierwszą literę alfabetu hebrajskiego. Przypomina ona głowę bawołu lub byka. Wymawia się ją na lekkim wydechu, poprzez głośnię, która otwiera się tylko przy samogłoskach. *Alef*, litera niematerialna, litera tchnienia i braku tchnienia, litera doskonała. Jej nieobecność w niektórych słowach oznacza brak duchowości i dominację materii. I dlatego Adam, kiedy popełnił grzech, stracił *alef* w swoim imieniu.

Wtedy powstało słowo *dam* — krew.

ZWÓJ DRUGI

Zwój Syjonu

Syjonie, gdy cię wspominam, błogosławię cię.
Z całego serca, z całej duszy, z całej siły,
bo cię kocham, gdy przywołuję cię w pamięci.
Syjonie! Ty jesteś nadzieją.
Ty jesteś pokojem i Zbawieniem.
Z twojego łona zrodzą się pokolenia,
na twym łonie będą się żywić,
w twoim blasku będą się chronić,
będą wspominać twoich proroków.
W tobie nie ma już zła.
Odejdą bezbożni i niegodziwi
i sławić cię będą twoi synowie.
Twoi narzeczeni będą usychać za tobą,
oczekując Zbawienia,
płacząc w twoich murach.
Syjonie, oni spodziewają się nadziei,
czekają na Zbawienie.

Zwoje z Qumran
Psalmy pseudodawidowe

Co mam robić? Zostałem wplątany w tę sprawę wbrew mojej woli. A wszystko zaczęło się tak naprawdę w 1947 roku, gdy w Qumran odkryto manuskrypty. Trzy pergaminowe zwoje, owinięte kawałkiem tkaniny, która rozpadła się w pył, ukryte w owalnych dzbanach.

Szybko zdano sobie sprawę z ich wartości. Przez wiele lat pozostawały złożone w depozycie w jednym z banków w Stanach Zjednoczonych. Potem uczeni amerykańscy potwierdzili oficjalnie odkrycie tych biblijnych tekstów, starszych o tysiąc lat od wszystkich dotychczas znanych. Do Qumran udały się ekspedycje archeologów amerykańskich, izraelskich i europejskich. Dzięki temu odnalezione zostały pozostałe z czterdziestu dzbanów, zawierających tysiące fragmentów tekstów, między którymi znajdowały się Pięcioksiąg, Księga Izajasza, Księga Jeremiasza, Księga Tobiasza, Psalmy, a także szczątki wszystkich pozostałych ksiąg Starego Testamentu i napisane w tym samym okresie apokryfy, z których część należała do wspólnoty esseńczyków, takie jak *Reguła wspólnoty*, *Zwój o Wojnie synów światła przeciw synom ciemności* oraz *Zwój Świątyni*.

Doskonale zdawano sobie sprawę z wagi tego odkrycia.

Było to przecież najstarsze świadectwo tekstów biblijnych w języku oryginału, podczas gdy my znaliśmy je tylko z kopii i przekładów z przekładów. Stanowiły dowód, że teksty, które przetrwały do naszych czasów, nie różnią się od tych czytanych dwa tysiące lat wcześniej. Namacalny dowód, że kontynuujemy tradycję naszych przodków.

Dla mnie była to szansa odnalezienia tradycji esseńczyków, tej niewielkiej grupy, która w II wieku p.n.e. oddzieliła się od reszty ludu i zaczęła żyć według bardzo surowej reguły. Mieli swój własny kalendarz, dnie spędzali na studiowaniu pisma i oczekiwaniu na koniec świata. Uważali, że to oni są prawdziwym ludem bożym, z którego zrodzi się Mesjasz. Głosili pobożność i pragnęli stworzyć Nowe Przymierze. Podczas mesjanistycznego posiłku, spożywanego w czasie Paschy, błogosławili chleb oraz wino i wyznaczali Mesjasza, na którego czekali, Zbawiciela, którego się spodziewali, Nauczyciela sprawiedliwości, którego czcili.

I oto dwa tysiące lat później namaścili mnie. Uznali za Mesjasza. Mnie, który starałem się w tych grotach dotrzeć do sedna prawdy. Dlaczego miałbym stąd wyjść, porzucić spokój pustyni, surową egzystencję, którą karmi się mój umysł, wspólnotę, którą sam wybrałem i która mnie wybrała, w której każdy ma swoje miejsce? Przepisywałem zwoje Tory[6], które są dla nas wizerunkiem samej Świątyni. W tych pismach nie ma ani samogłoski, ani znaków melodycznych, a wszystko jest ukryte w tekście niczym tajemnica Pierwszej Świątyni, gdzie w najświętszym miejscu chronione jest to, co tajemne i do czego nikt nie miał prawa się zbliżać. Poprzez moją pracę usiłowałem zgłębić tajemnicę znaku, którego wytrwale szukałem, z tęsknoty za którym usychało moje serce i którego pragnęła moja dusza.

Co ja mam wspólnego z całą tą historią? I dokąd mnie ona doprowadzi?

Czekali na mnie. Wszyscy Liczni zgromadzili się w sali spotkań, w owalnym pomieszczeniu obszerniejszym od pozostałych, w ciemnej grocie oświetlonej pochodniami i lampami oliwnymi.

Było ich stu, w chybotliwym świetle płomieni czekających na koniec świata, gotowych do walki. Stu mężczyzn, gdyż w 1948 roku, kiedy powstało państwo Izrael, wszystkie kobiety odeszły, chcąc uczestniczyć w życiu kraju, założyć rodziny.

Tego wieczoru byli obecni wszyscy, którzy pragnęli szukać prawdy, ubrani jednakowo w białe płócienne szaty, albowiem nikt z nas nie może posiadać ani domu, ani pola, ani zwierząt domowych, ani ubrań. Każdy ma należeć do wszystkich, a wszyscy do każdego. I dlatego jesteśmy ubodzy w obliczu Przedwiecznego.

Wszedłem ostatni i zobaczyłem ich siedzących na kamiennych ławach, półkolem, według hierarchicznego porządku. Byli w bardzo różnym wieku, od stuletnich starców do takich, którzy mieli zaledwie lat pięćdziesiąt. I wszyscy czekali w milczeniu na to, co im powiem. W pierwszym rzędzie kapłani najstarsi wiekiem, a za nimi najmłodsi, z rodu Cohenów i lewitów, a dalej pozostały lud Izraela, według wieku i urzędu. Było dziesięciu mężczyzn z Rady Najwyższej: Issachar, Perec i Yov, kapłani z rodu Cohenów: Aszbel, Ehi i Muppim, lewici; Gera, Naaman i Ard, synowie Izraela, i Lewi lewita Lewiego. Był także stary Hanok Cohen, Pallu, Hesron. Karmi, Yemuel, Yamin, Cohenowie; Ohad, Yakin, Cohar, Szaul, Gerszon, Qehath, Merari, Tola, Puwa, Yov, Szimron, lewici; Sered, Elon, Yahleel, Cifion, Suni, Esbon, Eri, Arodi, Areli, Yimna, Yiszwa, Yiszwi, Beria, Serah, Heber, Malkiel, Bela, Beker, Aszbel, Gera, Naaman, Rosz, Muppim, Huppim, Ard, Huszin, Yecer, Szillem, Nefeg, Zikri, Uziel, Miszael, Elsafan, Nadav, Avihu, Eleazar, Itamar, Assir, Elkana,

Aviasaf, Amminadaw, Nahszon, Netanel, Kuar, Eliaw, Elisur, Szelumiel, Kuriszaddaj, Eliazaf, Eliszama, Ammihud, Gameliel, Pedahsur, Gideoni, Pagiel, Ahira, Szimej, Yicehar, Hebron, Uziel, Mahli, Muszi, Kuriel, Elifasan, Qehath, Szuni, Yaszuw, Elon, Yahleel i Zerah, najmłodszy, urodzony w 1948 roku.

Wyszedłem więc na środek półkola, a towarzyszył mi nauczyciel Lewi.

— Oto, moi bracia — zacząłem — słowa człowieka, który widział czyn nieczysty, popełniony na naszej pustyni, w naszym sąsiedztwie. Dokonano zbrodni, złożono ofiarę z człowieka, a groby naszych przodków na cmentarzu w Chirbet Qumran zostały sprofanowane!

Wśród zgromadzonych rozszedł się szmer. Niektórzy modlili się, nie kryjąc strachu.

— ...Chodziłem między otwartymi grobami i widziałem wysuszone kości! Ale, jak mówi prorok, przyjdzie dzień, kiedy Pan tchnie ducha w zmarłych, przywróci im ciało i sprawi, że znowu będą żyli. Ja w mojej wizji widziałem ich żywych, widziałem na nich mięśnie i skórę, nasi przodkowie esseńczycy stali jak my teraz, tworząc ogromne zgromadzenie, armię gotową do walki!

W sali ponownie rozległy się szmery i szepty.

Niektórzy wstali i rozłożywszy ramiona, przywoływali imię Pana. Inni płakali.

— Co się dzieje, Ary? — zapytał Lewi, gdy sala zamilkła i spojrzenia wszystkich znów zwróciły się na mnie.

— To morderstwo naśladuje ofiary składane przez naszych dawnych kapłanów. Dostrzegłem na ołtarzu to, o czym wiedzą jedynie esseńczycy i uczeni, bo jest to rytuał ostatniej ofiary przed oczyszczeniem. Widziałem krwawe znaki na ołtarzu. A w naszych tekstach jest napisane: *I weźmie na ołtarz Przedwiecznego gorące węgle, którymi napełni kadzielnicę;*

weźmie garść kadzidła w proszku i wejdzie za zasłonę. Rzuci kadzidło w ogień; dym kadzidła okryje Arkę Przymierza. I weźmie krew byka i palcem pokropi Arkę od wschodu i z przodu, pokropi palcem siedem razy. Tej zbrodni dokonał ktoś, kto znał nasze rytuały i nasze prawa!

Po sali ponownie rozszedł się szmer przerażenia, niby echo powtarzając moje słowa, a potem odezwały się głosy żądające pomsty. Powiało grozą. Wszyscy wiedzieli, jaka jest kara dla winnego: *Będzie stracony wedle prawa dla pogan.*

Zgromadzeni spoglądali po sobie, jakby chcąc się upewnić, czy dobrze usłyszeli moje słowa. Jedni ściągali brwi, drudzy szarpali brody, inni, przerażeni, kręcili się niespokojnie na swoich miejscach, spoglądali na sąsiadów, wznosili ręce do góry lub potrząsali pięściami, domagając się zemsty...

Starzy z rodu Cohenów, siedzący w pierwszym rzędzie, głośno lamentowali, a lewici już rzucali klątwy na zbrodniarza.

Potem wstał Hanok, najstarszy z obecnych, także siedzący w pierwszym rzędzie. Ubrany w białą szatę, jak wszyscy, z łysą czaszką, z twarzą pobrużdżoną głębokimi zmarszczkami, z czarnymi oczami ciskającymi błyskawice, zawołał, podnosząc ku niebu laskę:

— Niech będzie uwielbiony Bóg! *Lud, który szedł w ciemnościach, ujrzy wielką światłość.* Wreszcie nadszedł ten dzień! Nareszcie nas ocalisz. Wreszcie, po dwóch tysiącach lat, nastanie kres tak długiego oczekiwania i wejdziemy do Królestwa Bożego! Bóg uczynił cię przewodnikiem wybrańców sprawiedliwości i tłumaczem wiedzy tajemnej! Bracia, powstańcie i powitajcie Mesjasza!

Zapadła cisza. Zgasło kilka świec, których płomienie zachwiały się od szeptów i oddechów. I nagle wszyscy jak jeden mąż, wszyscy, jak było ich stu, wstali i zaczęli recytować psalmy i powtarzać „alleluja". Zwrócili ku mnie twarze rozjaśnione światłem i nadzieją, spoglądali na mnie, a ja na nich. A nad nami unosił się duch boży, duch mądrości i rozumu, zaradności i siły, wiedzy i pobożności, i wszystkich ogarnęła bojaźń boża.

Nazajutrz wstałem wcześnie i po porannej modlitwie witającej świt udałem się do obozu archeologów.

Był pusty. Wyglądało na to, że wszyscy wyjechali. Zostało tylko dwóch policjantów mających pełnić tu straż. Przede mną, poniżej, w pierwszych promieniach słońca połyskiwało Morze Martwe, a w nim odbijały się pastelowe sylwetki gór Moab.

Po chwili ujrzałem ją. Jane wyszła z namiotu. Robiła wrażenie zmęczonej, lecz jej czarne głębokie oczy błyszczały w porannym słońcu, a pokryte drobnymi piegami policzki zarumieniły się ślicznie od gorąca panującego od samego rana na pustyni. Patrzyliśmy na siebie szczęśliwi, że spotkaliśmy się znowu, mimo tak dramatycznych okoliczności. Kiedy się poznaliśmy? Wczoraj, dwa lata temu, a może jeszcze dawniej?

— Witaj, Ary.

Tak jak poprzedniego dnia dzieliła nas zapora milczenia.

— Jest coś nowego? — zapytałem.

— Policja prowadzi śledztwo. Sprawdzają całą okolicę. Przepytują Beduinów, koczujących w pobliżu naszego obozu, a nawet mieszkańców najbliższego kibucu. Nas też przesłuchiwali przez większą część nocy, każdego z osobna, a potem razem, żeby skonfrontować nasze zeznania. A rano, bardzo wcześnie, wszyscy odjechali.

— Czy coś ustalili?

— Niczego nam nie powiedzieli.

Podałem jej zdjęcie profesora Ericsona.

— Spójrz — wskazałem zwój, który trzymał profesor. — To nie jest Zwój Miedziany.

— Rzeczywiście.

— A więc co?

— Nie mam pojęcia.

— Kiedy zostało zrobione to zdjęcie?

— Jakieś trzy tygodnie temu... Ja je zrobiłam. — Zawahała się, po czym zaproponowała: — Może napijemy się kawy?

— Zgoda.

Skierowaliśmy się do głównego namiotu, służącego za jadalnię. Jane nalała ze starego termosu kawę do dwóch kubków. Usiadłem obok niej.

— Opowiedz mi o sobie — poprosiła.

— Co chcesz wiedzieć?

— Czy jesteś szczęśliwy, żyjąc między esseńczykami?

— Szczęśliwy... — powtórzyłem niepewnie. Wolałbym uniknąć odpowiedzi na takie pytanie. — To nie jest odpowiedni moment, żeby czuć się szczęśliwym.

— Dlaczego? Szczęścia nigdy nie jest za wiele. Życie jest krótkie i takie nieprzewidywalne...

— Zrobię wszystko, żeby ci pomóc.

— Czy złożyłeś już śluby? — przerwała mi gwałtownie. — Czy przeszedłeś już ceremonię inicjacji?

— Zaangażowałem się ostatecznie w Przymierze. Przyjąłem uroczyście regułę wspólnoty i zobowiązałem się postępować ściśle według niej.

— Nie możesz już odejść?

— Ani pod wpływem strachu, ani z jakiegokolwiek innego powodu, mającego związek z kuszeniem Beliala...

W milczeniu, które zapadło, Jane patrzyła na mnie z powagą, jakby chciała powiedzieć: „Widzisz, nic się nie zmieniłeś, jak więc mógłbyś mi pomóc?”.

— Przysłali cię tu esseńczycy?

— Nie. Shimon Delam.

— Tak przypuszczałam. Nikt cię nie zna, więc jesteś poza podejrzeniem. Możesz być jego tajnym agentem, jego tajną bronią.

— Nie jestem tajnym agentem. Jestem esseńczykiem.

— To ciekawe. Ericson szukał was... Twierdził, że esseńczycy zawsze istnieli, że mieli Mesjasza, który powinien znajdować się tu, w Qumran.

Jane opuściła wzrok, wpatrując się w kubek z kawą. Jej policzki poczerwieniały, oczy błyszczały, rozchyliła usta, ale nie wydobył się z nich żaden dźwięk. Jane Rogers, archeolog, córka protestanckiego pastora, ciągle jeszcze nie mogła pogodzić się z tym, co się stało, a ja nie wiedziałem, jak jej pomóc. Cierpiałem z tego powodu, a jednocześnie narastał we mnie gniew, że jestem tak bezsilny.

— Ary, jesteś zadowolony z życia? — szepnęła.

— Tak. A co ty porabiałaś od tamtej pory?

Spojrzeliśmy sobie głęboko w oczy.

— Dwa lata temu byłam gotowa zostawić dla ciebie wszystko... A potem zrozumiałam, że nie warto tego czynić... Kiedy zdecydowałam się dołączyć do tej ekipy, nie zrobiłam tego dla archeologii...

— Sądziłem, że o mnie zapomnisz, że znajdziesz pocieszenie.

Uśmiechnęła się smutno.

— Po prostu pogodziłam się z sytuacją.

— Jane, muszę ci coś powiedzieć...

— Słucham.

— To było przedwczoraj...

— W noc zabójstwa.

— W wieczór Paschy i w drugą rocznicę mojego pobytu u esseńczyków. Kapłan podał mi macę i wino, abym je poświęcił według rytuału przewidzianego na to święto. Zrobiłem to. Wziąłem wino i chleb i pobłogosławiłem je, wymawiając zgodnie z rytuałem słowa: „To jest krew moja, to jest ciało moje".

— Zdanie wypowiedziane przez Jezusa...

— To rytualna formuła wygłaszana przez esseńczyków przy wyznaczaniu Mesjasza.

Zapadła cisza. A potem Jane zapytała:

— Wybrali ciebie?

— Jestem ich Mesjaszem.

Jane przyglądała mi się z niedowierzaniem i lękiem.

— Wybrali cię... Wybrali w tym czasie, gdy został zamordowany Ericson... Czy sądzisz, że to zbieg okoliczności?

Nie zdążyliśmy porozmawiać na ten temat, ponieważ do namiotu wszedł Koskka. Miał na sobie beżowe płócienne spodnie i białą bawełnianą koszulę, podkreślającą bladość jego chudej twarzy. Był szczupły, jak wszyscy archeolodzy, którzy spędzają życie na wykopaliskach, lecz uścisk dłoni, jakim mnie powitał, świadczył o sile.

— O, nasz skryba! Jak się pan miewa?

— Dziękuję, dobrze — odpowiedziałem, zauważając w jego oczach błysk zainteresowania.

— To pan został? — zdziwiła się Jane.

— Zaraz wyjeżdżam...

— Chciałbym panu coś pokazać — podałem mu fotografię otrzymaną od Jane. — Czy poznaje pan ten zwój?

— Kim pan właściwie jest? Skrybą czy detektywem? — odpowiedział pytaniem Koskka, spoglądając na mnie spod oka.

— To ja sprowadziłam tutaj Ary'ego, ponieważ zna doskonale tę okolicę i zwoje znad Morza Martwego — wtrąciła się Jane.

— No tak, potrzebujemy pomocy, tym bardziej że wszyscy

wyjechali. Ale dziwię się... — mruknął, oglądając zdjęcie z bliska — iż nie wie pani, że jest to Zwój Srebrny, który Ericson otrzymał podczas pobytu u Samarytan.

— Nie wiedziałam o tym — przyznała Jane.

— Czy pochodzi z tego samego okresu co Zwój Miedziany? — zapytałem.

Koskka uniósł brwi na znak, że nie zna odpowiedzi.

— Dlaczego profesor nie powiedział o tym zwoju pozostałym członkom ekipy?

— Ponieważ zawierał informacje o... — Zawahał się.

— O czym?

— O tajnym stowarzyszeniu. Widzi pan, profesor Ericson był masonem.

— Wiem to od Jane.

— Masoni to bardzo potężny ruch w Europie i w Stanach Zjednoczonych. Podobno to oni przyczynili się do uzyskania niepodległości Ameryki i wybuchu Wielkiej Rewolucji Francuskiej. Większość założycieli Stanów Zjednoczonych, jak na przykład Jerzy Waszyngton, była masonami, podobnie jak Churchill i inni znani politycy. W swoich poglądach odwołują się do dawnej wiedzy, dotyczącej...

— Dotyczącej czego? — ponagliłem go.

— Świątyni. Masoni zamierzają kontynuować dzieło Hirama[7], budowniczego Świątyni Salomona. Z tego właśnie powodu Ericson prowadził badania w Ziemi Świętej. Uważał, że należy zjednoczyć wszystkie nurty religijne kierujące się rozumem i podporządkować je sprawiedliwości oraz prawu. Wierzył w istnienie Wielkiego Budowniczego, który stworzył świat... Chciał zrekonstruować Świątynię. Tak, Świątynię Salomona, z duszą Boga w kamieniu węgielnym. Bo w tej świątyni było miejsce zwane Święte Świętych, gdzie przebywał sam Bóg!

— To prawda? — zapytałem.

— Nie wiem — szepnęła Jane. — Ale prawdą jest, że świat w dużej mierze zawdzięcza postęp wpływom masonów, a więc pośrednio Świątyni.

— Gdzie znajduje się teraz Zwój Srebrny? — zapytałem.

— Szukałem go wczoraj w jego rzeczach, ale nie znalazłem.

Zadaliśmy mu jeszcze kilka pytań, ale nie dowiedzieliśmy się niczego więcej. Zastanawiałem się, jaką grę prowadzi Koskka i czy można ufać jego informacjom. Nie wiedziałem też, co mam myśleć o jego relacjach z Ericsonem.

Kilka godzin później jechaliśmy dżipem Jane na spotkanie z Samarytanami, niewielką wspólnotą, żyjącą jak za czasów Jezusa u stóp góry Garizim, w Nablusie, dawnym Sychem, jakieś czterdzieści kilometrów od Qumran.

— Dlaczego to robisz? — zapytała Jane, prowadząc wóz z oczami utkwionymi w krętej drodze.

— Dla nich. Dla esseńczyków. I dla ciebie.

— Ericson nie znał cię — odrzekła ze słabym uśmiechem — ale wierzył w ciebie... Mesjasza esseńczyków... To niesamowite.

Nacisnęła pedał gazu, gdy minęliśmy posterunek izraelski, strzegący wjazdu na ziemię niczyją, między terytorium izraelskim i palestyńskim.

— Zaraz będzie jeszcze jeden posterunek kontrolny — uprzedziła Jane. — Jeśli zobaczą twój paszport, mogą nas nie wpuścić do strefy palestyńskiej. Przy panującym obecnie napięciu...

— Nie mam przy sobie paszportu.

— Dlaczego?

— Nie wiedziałem o istnieniu „strefy palestyńskiej”.

— No tak, zapomniałam... Spędziłeś dwa lata w grotach...

Jane zahamowała przed drugim posterunkiem, nad którym powiewała flaga palestyńska. Podszedł do nas wartownik w mundurze khaki, podobnym do izraelskiego.

Jane z uśmiechem opuściła szybę, a ja usiłowałem zrobić jak najbardziej obojętną minę. Rozmawiała z nim po arabsku.

Wartownik, młody mężczyzna o opalonej twarzy, wydawał się tak samo jak ja zaskoczony jej znajomością tego języka. Wymienili kilka zdań. Wartownik jakby się wahał, potem o coś zapytał, pokazując na mnie. Jane przekonała go uwodzicielskim uśmiechem i w końcu dał znak, że możemy jechać.

— Jane, mówiłaś o mnie Ericsonowi?

— Nie zdradziłam niczego ważnego, ani gdzie mieszkasz, ani kim jesteś... Musiałam z kimś o tobie porozmawiać. Czy nie potrafisz tego zrozumieć?

Uśmiechnąłem się w duchu. Ileż to razy w ciągu tych dwóch lat o niej myślałem, ileż to razy chciałem wyznać komuś, wszystko jedno komu, że ją kocham i że zawsze będę kochał... Kiedy uczucie jest tak silne, trzeba o nim mówić, chociaż każde słowo pali jak ogień...

Jechaliśmy szybko w kierunku Jerycha drogą, będącą niegdyś traktem rzymskim, wijącą się przez pustynię, zamieszkaną tylko przez nielicznych pasterzy i Beduinów. To tu w dawnych czasach bandyci napadali i zabijali pielgrzymów zdążających do Jerozolimy. Droga wciąż wiodła w dół, między szczelinami i grotami. Potem zaczęła się wznosić, zostawiając w tyle Morze Martwe. Kierowała się ku gajom palmowym, zielonym nawet w porze suchej dzięki tamtejszym źródłom, z wodą o cierpkim smaku, spływającą aż do morza. To tam mieszkają Samarytanie, lud z Ewangelii. W Pięcioksięgu jest powiedziane, że Bóg ulepił Adama z prochu tej ziemi, a Abel zbudował tu pierwszy ołtarz. Bóg wybrał to miejsce dla nich, by im objawić jedenaste przykazanie — rozkazał, aby zbudowali na górze Garizim kamienny ołtarz poświęcony Panu i wyryli na nim wszystkie przykazania. Współcześni Samarytanie, około sześciuset dusz, spadkobiercy dziesięciu już nieistniejących plemion, wypełniają to przykazanie po dzień dzisiejszy.

Zaparkowaliśmy dżipa kilka metrów od ich obozu, i dalej poszliśmy pieszo. Stało tam około trzydziestu namiotów piaskowego koloru, przed którymi bawiły się dzieci.

Nad obozem unosił się dławiący płuca dym. Nie była to miła woń jedzenia, zielonej trawy, przypraw ani perfum. Ten przedziwny zapach przeniknął we mnie głęboko, przyprawiając niemal o zawrót głowy.

— Co tu się dzieje, Ary? — zapytała Jane.

— Chodźmy tam — odrzekłem, sam nie wiedząc, co nas czeka.

Podeszliśmy do głównego namiotu w samym środku obozowiska. Powitała nas bardzo stara kobieta, z bezzębnymi dziąsłami, w ciemnej szacie, pytając, czego chcemy.

— Chcielibyśmy zobaczyć się z waszym przywódcą — wyjaśniłem.

— A kim jesteś?

— Jestem Ary Cohen, syn Davida Cohena.

Czekając na jej powrót, nie byłem w stanie wydusić słowa. Czułem nieustannie ten dziwny zapach i miałem ochotę uciec, dopóki jeszcze jest na to czas. W końcu stara kobieta wróciła i dała nam znak, byśmy weszli do środka.

Ciemne wnętrze namiotu oświetlone było jedną tylko pochodnią, na podłodze leżał siennik. Na masywnym krześle inkrustowanym drogimi kamieniami, siedział w majestatycznej pozie stary człowiek, ubrany w białą szatę, ściągniętą w talii pasem bogato zdobionym klejnotami. Starzec miał wygląd patriarchy, z włosami i brodą zadziwiającej białości, kontrastującą z brązową skórą, spaloną przez słońce. Jego zmarszczki były tak głębokie i liczne, że nie mogłem niczego odczytać z jego twarzy, przypominała stary pergamin. Kobieta, która nas wprowadziła, stanęła obok. Starzec utkwił we mnie załzawione oczy.

— To ty — odezwał się surowo.

Jane spojrzała na mnie wyraźnie zaskoczona. Zapadła przytłaczająca cisza.

— Szukamy informacji o pewnym człowieku, archeologu, profesorze Peterze Ericsonie — powiedziałem wreszcie.

Starszy człowiek patrzył na mnie bez słowa.

— Chcielibyśmy się dowiedzieć o nim czegoś więcej — dodałem — ponieważ został zabity.

Znowu cisza.

— Czy ten człowiek był u was?

Starzec nie reagował i już zaczynałem się zastanawiać, czy w ogóle słyszał moje słowa. Zerknąłem na Jane. Jej spojrzenie wyrażało niepokój.

— Kim jest ta kobieta? — zapytał w końcu przywódca Samarytan.

— Przyjaciółka, która mnie do was przywiozła.

Moje słowa znowu przyjęto milczeniem trwającym dobre kilka minut, a ja w tym czasie obserwowałem pokrytą niezliczonymi zmarszczkami twarz starca. Zrozumiałem, że ze względu na swój wiek żyje w innym wymiarze, gdzie wszelki pośpiech, tak ważny dla młodych, jest śmieszny.

— Zabójca — powiedział w końcu — to wrogi kapłan, którego Bóg odda w ręce przeciwników, aby został upokorzony i zamęczony na śmierć. Koniec bezbożnika, który tak niegodnie postąpił, będzie haniebny, a gorycz w duszy i ból nie opuszczą go aż do śmierci! Człowiek ten wystąpił przeciw przykazaniom bożym i dlatego będzie oddany swoim nieprzyjaciołom, aby spadły na niego najgorsze nieszczęścia i dopełniły zemsty na jego ciele!

— O kim pan mówi?

Przywódca Samarytan wstał, opierając się na lasce. Milczał przez chwilę, patrząc na mnie spod półprzymkniętych powiek, z rozchylonymi ustami, aż w końcu wyciągnął do mnie drżącą rękę i powiedział:

— Mówię o osobie naznaczonej jako głosiciel kłamstw, bezbożnym kapłanie, który zwiódł tłumy, by dla własnej chwały wznieść we krwi miasto próżności! Mówię o bezbożniku, o zbrodniarzu, który wstrząsnął fundamentami ziemi, mówię o bojowniku gniewu, o niszczycielu i jego grzesznym narodzie, jego ludzie obarczonym zbrodniami, mówię o tym, który opuścił Pana i wzgardził świętym Izraelem, który jest tak szalony, że musi uderzyć jeszcze raz, mówię o synu nieszczęścia, o zbłąkanej duszy, o jasnowidzącym tyranie, o szydercy, mówię o tym, który zastawia pułapki i wciąga niewinnego w przepaść, mówię o manipulatorze posługującym się dobrem, by nasycić swój głód zemsty, i mówię o jego zwolennikach otumanionych oszustwami, poświęcających się całkowicie czynieniu zła i szerzeniu pustki! Mówię o tym, który żyje po to, by odbierać życie innym. Mówię o asasynie![8].

Przywódca Samarytan usiadł i ciągnął słabym głosem:

— Teraz posłuchajcie mnie, albowiem otworzę wam oczy, abyście przejrzeli i pojęli boże nakazy, i wybrali tego, którego Bóg sobie upodobał, żeby poszedł swoją drogą i nie zbłądził z powodu grzesznych skłonności i nadmiaru wygód. Niebiańscy stróże, giganci, synowie Noego naruszyli przykazania i ściągnęli na siebie gniew Boga! Tora natomiast jest prawem, objawieniem i obietnicą, a ty jesteś dzieckiem łaski, wysłannikiem Boga. Poznałem cię! Nadejdzie dzień, kiedy zbrodnie zostaną pomszczone. Zbrodniarzy porazi trwoga, spadną na nich straszliwe cierpienia i będą się wili niby kobiety przy porodzie.

Spojrzałem na Jane, która osłupiała stała bez ruchu przed tym człowiekiem z innej epoki.

— A więc profesor Ericson był u was?

— Ty także chcesz wiedzieć...

— Tak, chcę. Skoro mnie rozpoznałeś, powinieneś wszystko mi przekazać.

Starzec patrzył na mnie z twarzą bez wyrazu. Po chwili odezwał się cicho:

— Ten człowiek przybył tu, by zamieszkać z nami i studiować nasze teksty. Udostępniliśmy mu nasze skryptorium i świętą szafę. W ten sposób odnalazł Zwój Srebrny. Niedawno wrócił i prosił, byśmy mu dali ten zwój.

— Co zawierał Zwój Srebrny?

— Tekst, którego nie wolno nam było czytać przed nadejściem Mesjasza. Profesor Ericson przybył i przyniósł nam wielką nowinę!

Zamilkł na chwilę, po czym mówił dalej:

— My, Samarytanie, mamy cztery zasady wiary. Jeden jest Bóg — Bóg Izraela. Jeden prorok — Mojżesz. Jedna wiara — w Torę. Jedno miejsce święte — góra Garizim. Do tego trzeba jeszcze dodać dzień zemsty i zapłaty — koniec świata, kiedy to objawi się prorok Thaeb, syn Józefa. Profesor oznajmił nam, że Thaeb już jest wśród nas!

— O czym mówi ten zwój? — ponowiłem pytanie.

— Nie umiemy go odczytać. Nie jest napisany w naszym języku. Ale profesor umiał. Miał nam odkryć jego tajemnicę. Jednak zamordowano go, zanim zdążył to uczynić...

Po tych słowach starszy człowiek dał znak kobiecie, a ta wzięła go pod ramię i wyprowadziła z namiotu. Wtedy dopiero zrozumieliśmy, że jest ślepy.

Wyszliśmy z namiotu i nie budząc niczyjego zainteresowania, zbliżyliśmy się do niewielkiego ołtarza, na którym dopalały się resztki jakiegoś zwierzęcia. Dwóch kapłanów odprawiało modły w obecności trzydziestu wiernych, samych mężczyzn. Samarytanie właśnie składali ofiarę. Ciemny, prawie czarny dym, wzbijający się ku niebu, niósł ostry smród palonego mięsa, który przyprawił mnie o dreszcze. Zbliżyłem się do ołtarza. Jane została z tyłu. Ujrzałem zwierzęta ze związanymi nogami, z poderżniętymi gardłami, z oczami wychodzącymi z orbit, z ciałami na pół spalonymi, z poczerniałymi kośćmi. I ten okropny obrzydliwy smród, ostry i zarazem mdły, słodkawy i jednocześnie słony — zapach krwi. Szkarłatne krople spływały po ziemi, po ołtarzu, po kamieniach. Przed ołtarzem stało dwunastu bosych kapłanów w długich białych szatach, z wieńcami na głowach. Kapłan składający ofiarę ubrany był w płócienną szatę przybraną futrem, w futrzanej czapce na głowie. Odwrócił się do ołtarza, gdzie jeden z kapłanów trzymał barana, i położył rękę na łbie zwierzęcia. Wtedy sprawujący ofiarę ostrym nożem przebił baranowi gardło.

Dwaj kapłani zebrali krew zwierzęcia do naczynia, podczas gdy inni już obdzierali je ze skóry. Krew podano sprawującemu ofiarę, a on wylał niewielką jej ilość na ołtarz. Potem wyjął wnętrzności barana, spalił tłuszcz i zostawił mięso, by upiekło się na ogniu.

Niedaleko od ołtarza czekał związany byk, także przygotowany na ofiarę.

W epoce Świątyni byka składano w rytualnej ofierze w Sądny Dzień. Ale dlaczego dziś, przecież to nie jest Jom Kippur? Do czego przygotowują się ci Samarytanie? Na jakie wydarzenie, na jaki sąd?

W pośpiechu opuściłem to miejsce i wróciłem do dżipa, w którym czekała Jane. Kiedy ruszyliśmy, nadjechał samochód policyjny, kierując się ku obozowisku Samarytan.

— Co to wszystko ma znaczyć? — odezwała się Jane, wyraźnie wzburzona, jadąc zbyt szybko po nierównej drodze, jakby przed czymś uciekała.

— To znaczy, że Samarytanie też się szykują. Ericson przybył do nich z nowiną.

— Ale żeby uwierzyć, potrzebują chyba jakiegoś namacalnego dowodu?

— Wydaje mi się, Jane, że tym namacalnym dowodem... jestem ja!

— Co chcesz przez to powiedzieć?

— To, że ten człowiek znał mnie, albo raczej wiedział, kim jestem.

— Może zgadł?

— Nie. Dowiedział się od Ericsona. Żeby dostać Zwój Srebrny, Ericson musiał im powiedzieć, że do esseńczyków przybył Mesjasz.

— Ale skąd Ericson miałby o tym wiedzieć? — zapytała zbita z tropu Jane.

— Musiał być w kontakcie z esseńczykami...

— Wierzysz w to?

— To jedyne wyjaśnienie.

— Powinniśmy odzyskać Zwój Srebrny. A w tym celu trzeba się spotkać z Ruth Rothberg, córką profesora. Przyjechała przedwczoraj do obozu. Została na noc i odjechała rano, zabierając rzeczy ojca. Może zabrała także zwój.

Skręciliśmy na drogę wijącą się ku grotom, a potem zaczęliśmy zjeżdżać w żar najgłębszej depresji świata. Wkrótce znaleźliśmy się na szarawej pustyni, gdzie w błyszczącym lustrze Morza Martwego odbijają się falujące wydmy.

Na samym dnie niecki zbliżyliśmy się do brzegu morza i skręciliśmy gwałtownie w prawo, w stronę tarasów na skalnych zboczach.

Morze Martwe robiło się coraz ciemniejsze. Zmrok padał na skały Qumran, gdzieniegdzie oświetlone promieniami zachodzącego słońca. Dżip wjechał na słoną plażę, która sięgała do pierwszego tarasu z ruinami Qumran. Dałem Jane znak, by się zatrzymała. Nie chciałem, żeby wiedziała, gdzie mieszkam.

Zanim wysiadłem z samochodu, zawahałem się przez moment.

— Kiedy znowu cię zobaczę?

Nie odpowiedziała.

— Zobaczymy się jeszcze?

— Na pewno. Nadal będę prowadziła badania. Może napiszę coś do „Biblijnego Przeglądu Archeologicznego".

— Pisz lepiej do gazet żądnych sensacji...

— Bądź poważny, Ary. Chciałabym, żebyśmy pracowali razem. Spotkajmy się jutro w Jerozolimie. — Zgasiła silnik i dodała: — Czy na pewno jesteś tam bezpieczny?

— Tak, nic mi nie będzie.

— Boję się.

— Nie powinnaś spać w obozie.

— Wynajęłam pokój w hotelu w Jerozolimie.

— W którym?

— Laromme, niedaleko King David.

— No to do jutra.

— Ary?

— Słucham.

— Kiedy powiedziałam, że się boję, znaczyło to, że... boję się o ciebie.

Patrzyła na mnie, kiedy szedłem przez pustynię. A ja od czasu do czasu odwracałem się, żeby się upewnić, że ona wciąż tam jest, że znowu ją zobaczę, że nie rozpłynie się w zamglonym pejzażu, nie zniknie na zawsze.

Kiedy wróciłem do grot, od razu udałem się do skryptorium. Chciałem przejrzeć kopię Zwoju Miedzianego, który mieliśmy u siebie, ponieważ znajdowały się w nim wskazówki dotyczące skarbu Świątyni.

Wszedłem do niewielkiego pomieszczenia przylegającego do skryptorium, które nazywaliśmy biblioteką.

Odnalazłem interesujący mnie pergamin. Zwój Miedziany był nieduży, lecz gęsto zapisany. Natychmiast przystąpiłem do jego odczytywania. Opisywał liczne miejsca, przeróżne schowki, w których znajdował się bajeczny skarb — sztabki złota i srebra. Jane mówiła o wielu milionach dolarów i nie myliła się. Skarb umieszczono w skomplikowanym systemie wadi — koryt wyschniętych rzek, ciągnących się od Jerozolimy aż do pustyni nad Morzem Martwym. Wszystkie dawały się odnaleźć na mapie, a dotrzeć do nich można było drogami znanymi tylko nam.

Ekspedycja profesora Ericsona nie była tak szalonym pomysłem, jak mi się początkowo wydawało, i mogła okazać się niezwykle opłacalna.

Nazajutrz postanowiłem wyruszyć do Jerozolimy, żeby spotkać się z Ruth Rothberg. Wsiadłem do autobusu, jadącego prawie trzydzieści kilometrów przez pustynię drogą, która wspinała się powoli do góry, aż wreszcie dochodziła do Jerozolimy, na południe od meczetu Nebi Semul i kilku zupełnie nowych, otaczających go budowli, prowadziła przez tereny uniwersyteckie, nad Doliną Krzyża, ku Nowemu Miastu z wąskimi ulicami i ruchem tak dużym, jak w jakiejś orientalnej metropolii. Długa droga do Jerozolimy pozwala oswoić się z tym miastem, nie dać się zaskoczyć jego pięknu i cieszyć się nim, jak cieszy się narzeczony, gdy ujrzy wreszcie swą oblubienicę. Jerozolima jest oazą na Pustyni Judzkiej, na jałowym płaskowyżu pokrytym kamieniami, z pasmami skalistych wzgórz.

Przyjaciele, nie wiem, jak wam opisać moje wzruszenie, sam go nie pojmuję. Przyjechałem na główny dworzec autobusowy pełen gwaru młodzieży, żołnierzy, podróżnych, zatłoczony mikrobusami czekającymi z włączonymi silnikami, aż wszystkie miejsca zostaną zajęte, zwykłymi i przegubowymi autobusami, oczekującymi godziny odjazdu. Znowu znalazłem się w chaotycznej gorącej atmosferze tego miasta, takiej samej jak w czasach mojego dzieciństwa, znajomej i jednocześnie obcej po pobycie na pustyni. Mieszkając w grotach, często wracałem myślami do Jerozolimy.

Żeby to zrozumieć, musicie na moment zajrzeć w głąb duszy i znaleźć w niej ten maleńki zakątek, który zajmuje w każdym z nas Jerozolima. A ona otworzy się wówczas przed wami niczym morze za wąskim przesmykiem, niczym dłoń, niczym bukiet różowych, czerwonych i fiołkowych kwiatów. Jerozolima Izajasza, zwieńczona chwałą, piękna, pełna złota, pereł i woni, które są zapachem jej duszy. Jerozolima, moje miasto, moje światło, moje ranki i wieczory, miasto z murami zaróżowionymi od promieni jaskrawego słońca. Jerozolima otworzyła przede mną swe ramiona, a ja, dzięki magicznej pamięci zmysłów, silniejszej niż zwykła pamięć, odnalazłem atmosferę jerozolimskich ranków i nocy, jej pełnych światła wieczorów, jerozolimskich ulic zatłoczonych spieszącymi się zawsze ludźmi. Wokół rozciąga się pustynia, nie ma nic. Jest tylko ona, moja ukochana Jerozolima. To tu jest mój dom, wśród złota i pereł, w pustym gnieździe orła, pośród samotnych skał, suchych parowów, głębokich jarów, w pustynnej oazie. Jerozolima, stale obecna w moich myślach, za którą tęskni moja dusza, piękna, wysoko położona Jerozolima, radość całej ziemi, góra Syjon, miasto wielkiego króla. Niebiańska Jerozolima otworzyła przede mną swe ramiona, a ja znów należałem do niej.

Ulicą Jaffy doszedłem do północno-zachodniej części Starego Miasta. Potem, idąc wzdłuż tureckich murów obronnych, skierowałem się do Bramy Jaffy, skąd droga prowadzi do stóp góry Syjon, do Betlejem, a potem jeszcze dalej.

Syjon, ozłocony słońcem, przyciągał mój wzrok, kazał mi zatrzymywać się przy bramach, stawać w ciszy murów, abym dzięki łasce wszedł do tego pełnego chwały miasta, odrzucając wszelkie kłamstwa i podłości, bym wszedł uszczęśliwiony nowiną i mógł głosić chwałę bram miasta Syjonu, przeniesiony ponad wysokimi górami, bym wszedł jako człowiek pobożny, w skromnym stroju, sięgając wieczności.

Tak się właśnie wychowałem, przyjaciele, wspinając się do Jerozolimy, wchodząc na górę Moria brunatnoczerwonymi zboczami. Na górze Moria stała Świątynia Salomona. Na południe stąd widoczne są łagodne pagórki Ofel. Na północ od Morii wznosi się wzgórze Bezetha, a bardziej na lewo — Gareb, z dominującą nad nim górą Syjon, wokół której wije się strumień Cedronu, wpływający dalej do doliny Gehenna. A daleko z tyłu horyzont zamyka od północnego wschodu góra Scopus i Góra Oliwna na wschodzie.

Tam, na górze Moria, znajdował się Plac Świątyni, okolony od wschodu doliną Cedronu, od południa doliną Gehenna, od zachodu przez Tyropeon, od północy przez wzgórze Bezetha. Spoglądając w dół z wysokości esplanady, doznawałem zawrotu głowy. To tu, gdzie z pinakla Świątyni kapłan, dmąc w *szofar*[9], oznajmiał nadejście szabatu, Jezus był kuszony przez szatana. Pod Kopułą Skały, na południowy zachód, gdzie Abraham złożył w ofierze swego syna, znajduje się grota z przechowywanymi w niej poświęconymi prochami czerwonej jałówki, które rozpuszczano w wodzie, używanej do rytualnego oczyszczania.

W epoce Salomona w zachodnim murze Drugiej Świątyni Jerozolimskiej były cztery bramy. Przez wielką bramę wchodziło się na ulicę Tyropeon, potem szło się ulicą wytwórców sera i wielkimi schodami w kształcie litery L, wspierającymi się na łukach wysokości dwudziestu pięciu metrów, docierało się do bramy otwartej na wspaniałą bazylikę, zajmującą całą długość Placu Świątyni. Pozostałe dwie monumentalne bramy również otwierały się na esplanadę.

I ujrzałem Świątynię Salomona na dziedzińcu, jego pałac, zwany „Domem Lasu Libanu", z przedsionkiem na wysokich kolumnach i z trzema komnatami, oraz sień świątyni długości dwudziestu łokci i szerokości dziesięciu łokci, i miejsce święte — *hechal*, długości dwudziestu łokci na czterdzieści szerokości. I wreszcie sanktuarium Święte Świętych — *dewir*, w kształcie idealnego kwadratu dwadzieścia łokci na dwadzieścia oraz dwadzieścia łokci wysokości.

Na trzy strony otwierały się trzy piętra komnat, podtrzymywane przez wysokie słupy cedrowe. Całość zbudowana była ze szlachetnych kamieni, pozłacanych i brązowych, z marmuru i złota. I wierzcie mi, przyjaciele, że Świątynia promieniała blaskiem zarówno o świcie, przy księżycu i w pełnym słońcu. Jej kredowobiałe ściany wypolerowane przez księżyc, wygładzone przez słońce, jej monumentalne bramy z brązu i spiżu, jej ciężkie kolumny o świcie służyły za przewodników Żydom na pustyni, wyłaniały się z ziemi i wznosiły ku Najwyższemu w środku nocy. A przed kolumnadą stał Ołtarz Całopalenia, na którym spoczywały duży i mały piedestał, gdzie płonął ogień. A za kolumnami, w kierunku zachodnim, sale Świątyni, wyłożone cedrem, pokryte złotem, skrywały w samym sercu Święte Świętych, z cherubinami — dwoma ogromnymi, pozłacanymi posągami — które strzegły Arki Przymierza, Tablic Dekalogu oraz laski Aarona i manny z pustyni.

I niezrównane było piękno Świątyni, jej wielkość, wspaniałość, od wschodu do zachodu, jej potężne kolumny, filary, schody i drzwi z drewna oliwnego. Jej grube mury, skrywające niezwykłe tajemnice, olśniewały wszystkich, którzy się do niej zbliżyli, od czasów Salomona, budowniczego Pierwszej Świątyni, odnowionej przez Joasza, odrestaurowanej przez Jozjasza, zniszczonej przez Nabuchodonozora, wzniesionej na nowo przez Heroda, powiększanej i upiększanej od czasów wojny Żydów przeciw Rzymianom, aż do dnia, w którym Jezus wypędził kupców z jej dziedzińca. Została spalona i splądrowana w 70 roku, podczas pierwszego powstania żydowskiego, a gdy nadejdzie Mesjasz, zostanie zbudowana Trzecia Świątynia. Wierzcie mi, przyjaciele, Świątynia była niezrównanej piękności, a teraz na jej miejscu widziałem meczet Al-Aksa. Bo przecież dokładnie tutaj, pod wielką kopułą, stała niegdyś Świątynia Salomona.

Opuściłem Plac Świątyni, zagłębiłem się w wąskie uliczki i doszedłem do Bramy Syjonu, gdzie zauważyłem grupę ludzi. Wycieczka chrześcijan słuchała opowiadającej coś zakonnicy. Była to drobna sześćdziesięcioletnia kobieta o przenikliwym spojrzeniu, z głową okrytą czarnym welonem, w czarnym habicie, z drewnianym krzyżem na szyi. Mówiła do pielgrzymów przybyłych do Ziemi Świętej, podobnie jak miliony innych ludzi, którzy od pierwszych wieków naszej ery podejmowali tę podróż, by zobaczyć miejsca, gdzie narodziła się ich wiara, żeby przemyśleć i odczytać na nowo Stary i Nowy Testament.

— ...I niech nastanie pokój w tych murach, miłość między ludźmi, którzy są naszymi braćmi. Módlmy się o szczęście w Królestwie Niebieskim, bo już wkrótce Jerozolima ziemska stanie się Jerozolimą niebiańską!

Słuchałem słów zakonnicy, wypowiadanych z wielkim przejęciem, kiedy nagle poczułem na plecach dotyk zimnego ostrza. Chciałem się odwrócić, ale usłyszałem, że ktoś szepcze mi do ucha:

— Nie ruszaj się.

— ...Ale żeby wejść do Królestwa Niebieskiego, musimy wyrazić skruchę i uświadomić sobie, że jesteśmy grzesznikami — mówiła dalej zakonnica, którą, jak usłyszałem, nazywano siostrą Rozalią. — Należę do pokolenia wychowywanego w Trzeciej Rzeszy. Za zbrodnie popełnione przez nasz naród Bóg pokarał Niemcy. Gdy świat legł w gruzach po drugiej wojnie światowej, pięćdziesiąt lat temu, powstał nasz zakon Sióstr Maryi. Najważniejszą rzeczą jest dla nas skrucha. Co zrobiliśmy Żydom? Co zrobiliśmy synom i córkom Izraela? Co zrobiliśmy ludowi Arki Przymierza?

— Czego chcesz? — zapytałem cicho, nie odwracając się.

— Kiedy dam ci znak, ruszysz przed siebie. Jeden niepotrzebny gest i jesteś martwy.

— Wielki ciężar przygniata nasze serca. Powinniśmy wyznać nasze winy. Już czas, przyjaciele, zanim nastanie Apokalipsa, wyrazić skruchę za naszą obojętność i brak miłości.

Zakonnica patrzyła na mnie. Miała jasnoniebieskie oczy, pełne różowe policzki, krągłą figurę i małe wąskie usta jak u lalki. Starałem się zwrócić jej uwagę, wskazując wzrokiem na tego, który groził mi za moimi plecami, ale im bardziej się wykrzywiałem, tym intensywniej mi się przyglądała, jakby w odpowiedzi na mój niemy krzyk mówiła do mnie tylko:

— Żeby wszystko dobrze rozważyć i wyznać nasze winy, potrzeba nam ciszy.

Ludzie zaczęli się rozchodzić, ale nikt nie dostrzegał, że jestem w niebezpieczeństwie.

— Teraz — rzucił mężczyzna.

Odwróciłem głowę — przed bramą stał samochód z przyciemnionymi szybami, który, jak się wydawało, czekał na nas. Rzuciłem się do ucieczki. Kiedy wybiegłem na Via Dolorosa, potknąłem się i upadłem. Jakaś kobieta pomogła mi wstać. Ruszyłem dalej, mając prześladowców za plecami. Zorientowałem się bowiem z hałasu, jaki robili, że jest ich kilku. Upadłem drugi raz, a potem trzeci.

Dysząc ze zmęczenia, znalazłem się w mniej zatłoczonej dzielnicy. Od wytężonego biegu bolały mnie mięśnie i czułem, że uginają się pode mną nogi. Ból był tak przejmujący, że wprawił mnie w stan zamroczenia. Jerozolima, niczym oblubienica o oczach złotych jak dwa słońca, promiennym wzrokiem przeszywała moją duszę, a od jej słodkiego głosu drżało moje serce. Jej pąsowe usta miały smak owoców granatu, a ciało pachniało aloesem i cynamonem. Biegłem jak w transie, kręciło mi się w głowie. Oddychałem coraz głośniej, coraz intensywniej czułem wszystkie aromaty — zapach nagrzanych słońcem murów i ostrą woń przypraw; widziałem wszystkie kolory — żółć, brąz, bursztyn, czerwień i fiolet... Byłem na granicy omdlenia, między jasnością i ciemnością, w półmroku, gdzie migotały tysiące gwiazd, a zza wysokich szczytów docierało słabe światło. Bałem się o swoje życie i chrapliwie oddychając, biegłem dalej. Blask zachodzącego słońca i jego ciepły powiew na mej twarzy pogłębiały atmosferę niepewności.

Powinienem się zatrzymać, odetchnąć... Dotarłem do Bazyliki Grobu Świętego, gdzie z nadzieją, że zgubię prześladowców, wmieszałem się w tłum pielgrzymów krążących wśród jej rozlicznych części, należących do chrześcijan Kościołów rzymskiego, greckiego, armeńskiego, koptyjskiego i etiopskiego. Lecz oni wciąż byli za mną. Ukrywszy się za załomem muru, zobaczyłem dwóch mężczyzn z zasłoniętymi twarzami, biegnących uliczkami, przepychających się przez tłum. Zziajany przemknąłem pod rotundą Anastasis, pobiegłem wzdłuż ściany bazyliki, w której znajdował się kamień z Golgoty i skierowałem się do kaplicy Golgoty. Kamień z umocowanym weń krzyżem leżał blisko ołtarza. Nie odwracałem się, ale wiedziałem, że ci dwaj mężczyźni, ubrani na czarno, z twarzami osłoniętymi czerwonymi kufiami[10], są tuż za mną. Kiedy znalazłem się przed marmurową tablicą, przypominającą, że w tym miejscu zostało złożone ciało Jezusa, stanąłem za jedną z kolumn, ze wzrokiem utkwionym w wejściu, czekając ze strachem, że zaraz ujrzę wroga... Na jasnym tle drzwi pojawiły się dwie sylwetki. Nie zastanawiając się dłużej, pobiegłem znowu w kierunku Placu Świątyni, na który wchodzi się po schodach podzielonych na osiem części, a każda zwieńczona jest portykiem z czterema łukami. W południowej części placu znajdował się meczet Al-Aksa, poprzedzony przedsionkiem z siedmioma arkadami. Nie miałem prawa tam wchodzić, nie mogłem się w nim schronić, żeby nie sprofanować Świętego Świętych, które znajdowało się bezpośrednio pod meczetem.

Opuściłem więc dzielnicę arabską i wbiegłem do dzielnicy żydowskiej. Z trudem łapiąc oddech, dotarłem do Ściany Płaczu, ostatniego miejsca, gdzie mogłem ocalić życie. Skręciłem w lewo i znalazłem się w małym sklepionym pomieszczeniu, pełniącym funkcję synagogi. Modliło się tam kilkunastu mężczyzn. Moi prześladowcy zostali na zewnątrz. Skorzystałem z ich wahania i wybiegłem przez drzwi z tyłu.

Milczałem, a oni wyrwali mi członki, a moje stopy zanurzyli w błocie. Moje oczy okryły się mgłą w obliczu Zła, moje uszy zamknęły się, moje serce omdlało; przez ich złe skłonności objawił się Belial.

W końcu udało mi się uciec. Skorzystałem z obecności patrolu policji strzegącego Ściany Płaczu. Szedłem za policjantami aż do Bramy Syjonu, po czym wsiadłem do taksówki, którą dojechałem do centrum Nowego Miasta, do białego jak Świątynia hotelu, w którym mieszkała Jane.

Gdy tylko wszedłem do holu, zadzwoniłem do niej. W obszernym salonie z charakterystyczną atmosferą angielskiego luksusu lat trzydziestych ubiegłego wieku amerykańscy turyści rozmawiali przyciszonymi głosami. Tu, wśród mebli obitych aksamitem, spoglądając na bogato rzeźbioną boazerię, mogłem nareszcie odpocząć.

— Ary, co ci się stało? — zapytała Jane, widząc, jak z trudem usiłuję znaleźć wygodną pozycję, obolały po długim biegu.

— Nic takiego — odrzekłem, patrząc na kartę, którą przyniósł nam kelner. — Ścigało mnie kilku zamaskowanych mężczyzn.

Uświadomiłem sobie, że od dwudziestu czterech godzin nie miałem nic w ustach. Choć byłem przyzwyczajony do poszczenia, teraz chciało mi się jeść i pić. Zamówiłem dla Jane i dla siebie humus z falafelami, gdyż było to jedyne danie izraelskie, jakie oferowała aż nazbyt zachodnia hotelowa kuchnia. Nie jadłem tego od czasu, gdy zamieszkałem w Qumran.

— Czy jesteś pewien, że chcesz kontynuować śledztwo? — zapytała Jane z niepokojem.

Wskazałem jej gazetę, leżącą na niskim stoliku naprzeciwko nas.

— Piszą, że poszukiwania policji kierują się do Qumran. Mogą nas odkryć, Jane. I zaczną coś podejrzewać. To oczywiste, że muszę kontynuować śledztwo.

— Mówią też, że policja prowadzi dochodzenie wśród Samarytan z powodu ich obrzędów ofiarnych. Sądzisz, że morderca nie działa sam?

— To nie ulega wątpliwości. Dopiero co goniło mnie dwóch ludzi, a trzeci siedział w samochodzie. Tu nie chodzi o jednego człowieka, ale o zorganizowaną grupę.

— Ale kim oni są?

— Nie mam pojęcia.

— W każdym razie teraz zagrażają tobie.

— Sądzisz, że mógłbym się ukryć i nie podjąć tego wyzwania?

— No tak, przecież zostałeś wybrany, jesteś Mesjaszem! Dlatego musisz cierpieć, prawda? Cierpieć i umrzeć! Co ty chcesz osiągnąć, Ary?

Jane przyglądała mi się z dziwnym wyrazem twarzy. Rozpoznałem w jej oczach ten sam strach, co poprzedniego dnia, kiedy to powiedziałem jej o swojej misji.

— Widzę, że podobnie jak moja matka nie pochwalasz moich zamiarów. Ale to, że jesteś dziennikarzem, archeologiem, który szuka zaginionego skarbu, też grozi niezbyt miłymi konsekwencjami.

— Tu chodzi o bajeczny skarb...

— A więc robisz to dla pieniędzy?

Wzruszyła ramionami i opuściła wzrok. Zrozumiałem, że ją zraniłem.

Otworzyła niewielką walizeczkę i wyjęła z niej laptopa.

— Co robisz?

— Pracuję.

— Jane, wybacz, nie chciałem cię urazić...

Bez słowa nacisnęła kilka klawiszy i wkrótce na ekranie ukazał się tekst.

— Popatrz, dotyczy to Zwoju Miedzianego.

Słynny Zwój Miedziany zawiera opis dzieł sztuki i skarbów wraz z lokalizacją miejsc, gdzie się znajdują. Odnaleziony w grocie 3. w 1955 roku, umożliwił postęp w badaniach nad zwojami z Qumran. Thomas Almond z uniwersytetu w Manchesterze przy użyciu maszyny do szycia podzielił zwój na pasma, odrestaurował go, potem wykonał zdjęcia wszystkich kawałków z pomocą profesora Petera Ericsona, który brał udział w czyszczeniu i odczytywaniu zwoju.

Cały tekst składa się z dwunastu kolumn. W każdej z kolumn znajduje się trzynaście do siedemnastu linijek tekstu, napisanego językiem nowohebrajskim, a nie klasycznym. Wskazane w nich miejsca to jaskinie, grobowce, akwedukty. Mówi się w nim o licznych, najprzeróżniejszych skarbach. Nie wiadomo, dlaczego tekst ten został napisany na materiale tak trwałym jak miedź. Nie wiadomo również, kto go napisał i czy wspomniany w nim skarb istnieje naprawdę, czy jest tylko wymysłem. Większość uczonych uważa, że treść Zwoju Miedzianego ma wyłącznie znaczenie symboliczne. To wyjaśnia, dlaczego do tej pory, mimo wielokrotnie podejmowanych poszukiwań, nie odnaleziono na Pustyni Judzkiej najmniejszego śladu tego bajecznego skarbu.

— Tajemnica pozostaje niewyjaśniona — powiedziała Jane. — Jednak nie rozumiem, dlaczego esseńczycy z Qumran mieliby zadać sobie tyle trudu i wyryć w miedzi, która w tamtej epoce była bardzo droga, wykaz nieistniejących skarbów.

— Może ten zwój nie jest własnością esseńczyków?

— To dlaczego znaleziono go w grocie?

— Może umieścili go tam ludzie, którzy nie byli esseńczykami?

— To wyjaśniałoby wyjątkowy charakter tego dokumentu.

— Być może wykorzystano jaskinie w Qumran jako *genizę*[11].

— Jak ta w synagodze w Kairze? Czy to prawda, że Żydzi nie wyrzucają niepotrzebnych książek, ponieważ teksty w nich zapisane są święte?

— Tak. Dlatego trzeba je pochować. Niewykluczone, że ten zwój pochodził z biblioteki przy Świątyni w Jerozolimie i mógł zostać ukryty w Qumran przed zagrażającym najazdem Rzymian.

— Kim więc są ci, którzy go tam schowali?

— Żeby dowiedzieć się czegoś więcej, potrzebna jest nam opinia specjalisty, człowieka doskonale znającego zwoje z Qumran...

— Kogo masz na myśli? — Jane nadal stukała w klawiaturę.

Na ekranie pojawił się dalszy ciąg tekstu:

Według rękopisów znalezionych w Qumran nad Morzem Martwym esseńczycy w miejscu zwanym Chirbet Qumran utworzyli gminę, w której dzielono się całym mieniem, razem spożywano posiłki i modlono się. Charakterystyczna dla esseńczyków była ich apokaliptyczna wizja świata. Wierzyli, że Apokalipsa to nie tylko oczekiwanie na koniec świata i przejście do ery mesjanistycznej, ale także, zgodnie z etymologią tego słowa, „odsłonięcie tego, co ukryte". Apokalipsa jest więc objawieniem zarówno tajemnic historii, jak i kosmosu.

Esseńczycy są znani dzięki pewnej liczbie opisów znajdujących się w dziełach starożytnych autorów, takich jak Pliniusz, Filon, a przede wszystkim Józef Flawiusz. Pojawienie się esseńczyków wiąże się prawdopodobnie z ruchem chasydów w okresie buntu Machabeuszy przeciw hellenizacji Świątyni w Jerozolimie, dwa wieki przed erą chrześcijańską.

SŁOWA KLUCZE: determinizm, struktura hierarchiczna, nowicjat przygotowujący nowo przybyłych, wspólne życie, wspólny majątek, rygorystyczne przestrzeganie zasad czystości rytualnej, wspólne posiłki i celibat członków, Świątynia, „koniec świata".

— Koniec świata — szepnęła Jane. — Czy nie jest powiedziane, że gdy nastąpi koniec świata, Świątynia zostanie zrekonstruowana?

— Rzeczywiście.

— Ale żeby mogła zostać zrekonstruowana, należy odnaleźć jej skarby, prawda?

— Tak.

— Po co jednak ktoś pragnie zrekonstruować Świątynię? Jeśli istnieją w naszej epoce ludzie, którzy chcą zbudować Trzecią Świątynię...

— My, esseńczycy, żyjemy tą myślą już od ponad dwóch tysięcy lat. To prawda, że, jak powiadają księgi, ruch esseńczyków zrodził się, gdy Świątynia została zdobyta przez Greków i że część zbuntowanych kapłanów opuściła ją, by zamieszkać nad Morzem Martwym.

— Dlaczego esseńczycy byli tak przywiązani do Świątyni?

— Świątynię wzniesiono według zasad geometrii sakralnej, na przykład Święte Świętych tworzyło idealny kwadrat. Do jej budowy użyto najlepszych, najdroższych materiałów: marmuru, kamieni szlachetnych, najdelikatniejszych tkanin... Rozlegała się w niej niebiańska muzyka liry i rozchodziła delikatna woń kadzidła. Świątynia stanowiła przejście ze świata widzialnego do niewidzialnego.

— Inaczej mówiąc, to dzięki Świątyni, a dokładniej Świętemu Świętych, może dojść do spotkania z Bogiem...

Jane patrzyła na mnie w zamyśleniu.

— Sądzę, że to właśnie z tego powodu — powiedziała wreszcie — profesor Ericson szukał tych skarbów.

— Co przez to rozumiesz?

— Wydaje mi się, że jego celem nie były wcale badania naukowe, jak twierdził. Kierował się raczej motywem... duchowym, jeśli można tak to określić.

— Co z tego wynika?

— Że chciał spotkać Boga. I dlatego szukał tych wszystkich przedmiotów ze Świątyni. Żeby ją zrekonstruować i móc zobaczyć Boga... Tylko tym da się wytłumaczyć jego wytrwałość, jego determinację. Jakby toczył... jakąś bitwę czy wręcz wojnę.

— A ty, Jane, czego szukasz?

Opuściła wzrok i po chwili milczenia odpowiedziała:

— Muszę wyznać ci prawdę. Nie wierzę w Boga. Nie mam już w sobie wiary. Uważam, że religia, w ogóle wszystkie religie, oszukuje ludzi, rodzi tylko strach i przemoc.

— No tak, teraz rozumiem.

— Co rozumiesz?

— Kiedy zobaczyłem cię wczoraj, wyczułem, że coś się w tobie zmieniło. Ale dlaczego?

Wstała, przeszła kilka kroków i pokazała ręką krajobraz za oknem.

— Z powodu Qumran. Za dużo było przemocy, za wiele morderstw od czasów Jezusa, zbyt wiele niesprawiedliwości spotkało tych, którzy Go szukali. Kiedy zobaczyłam Ericsona na tym ołtarzu, pomyślałam, że to niesprawiedliwe. Zrozumiałam, że Bóg nie ma żadnego wpływu na życie ludzi.

— To, że Bóg nie interweniuje, nie oznacza, że nie istnieje. Jest nawet obecny w twoim buncie przeciwko Niemu, nie rozumiesz tego?

Spojrzała mi głęboko w oczy. *A w moim sercu i we mnie samym dokonała się wówczas wielka zmiana.*

Opuściłem wzrok i popatrzyłem na komputer. Bez okularów widziałem tylko niewyraźną plamę z migającymi czarnymi znakami. Między nimi białe przestrzenie tworzyły literę ב. Druga litera alfabetu, *bet*, graficznie symbolizuje dom, stąd nazwa *bet*, dom, domostwo, ognisko domowe. To za pomocą *bet* Bóg stworzył świat, wymawiając na początku słowo *berechit*. Jeśli przestawi się w nim sylaby, otrzymuje się *rechit bet*, co oznacza — najpierw dom. Przedtem nie było niczego, wszystko było pustką, ziemia była pustynią, ciemności zalegały nad otchłanią. A potem powstało wszystko.

Jane była w tym momencie tak piękna, że zapragnąłem do niej podejść.

Powstrzymała mnie wzrokiem.

— Czego ode mnie chcesz? — zapytała twardym głosem, jak poprzedniego dnia. — Powiedziałeś, że złożyłeś śluby, że zostałeś namaszczony, że jesteś Mesjaszem i że między nami stoi twój Bóg. Jaką więc możemy mieć nadzieję?

— Chcę ci pomóc.

— Milcz! Milcz, proszę... Ty nie chcesz mi pomóc. Ty pragniesz spotkać Boga.

— A ty czego chcesz?

— Pokochałam cię, cierpiałam, jakoś się pocieszyłam, a teraz nie chcę już miłości.

Moje ciało wstrząsnęło się od podstaw, moje kości zachrzęściły; i wszystkie moje członki były jak okręt miotany straszliwą burzą.

ZWÓJ TRZECI

Zwój Ojca

Chodziłem więc po niezbadanej równinie i poznałem,
że może mieć nadzieję ten,
którego z prochu stworzyłeś do wiecznej rady.
Przewrotnego ducha oczyściłeś z wielkiego grzechu,
aby stanął na stanowisku razem z wojskiem świętych
i zjednoczył się ze zgromadzeniem synów niebios.
Ty wyznaczyłeś człowiekowi wieczny udział z duchami poznania,
aby wysławiał imię Twoje w radosnym zgromadzeniu
i opowiadał Twoje cuda wobec wszystkich dzieł Twoich.
Lecz czymże ja jestem, ja, twór ulepiony z błota?
Zlepiony wodą za cóż będę uznany, jakaż jest moja siła?

Zwoje z Qumran,
Hymny *

---

* Witold Tyloch, *op.cit.*

Kiedy piszę, całe moje ciało uczestniczy w tej czynności i musi być w doskonałej harmonii z moją duszą. Dzięki temu mogę zapamiętać każde słowo, każdy szmer, każdy głos. Dzięki temu mogę czekać. Moja aktywność polega na czekaniu i tylko na czekaniu. Czekam i modlę się, takie jest moje przeznaczenie. Zew Boga jest tak silny, że pragnąc Go, niemal umieram, i z pewnością do dziś byłbym już martwy, gdyby jakiś znak nie kazał mi wyjść z tej groty, w której się schroniłem, nie wiedząc, że idę za moim przeznaczeniem i że potężniejsza ode mnie historia przywołała mnie tu, na Pustynię Judzką, w samym sercu ziemi Izraela, aby przydzielić mi jedyną w swoim rodzaju, tajemniczą i świętą rolę.

Razem z Jane, aby rozpocząć dochodzenie, zebraliśmy znane nam elementy sprawy. Teraz wiedzieliśmy, że profesor Ericson szukał skarbu Świątyni, przyjmując za punkt wyjścia informacje zawarte w Zwoju Miedzianym, znalezionym w grotach Qumran, że chcąc zdobyć drugi zwój, powiadomił Samarytan o pojawieniu się w Judei Mesjasza i o bliskim już końcu świata. Wynikało z tego, że profesor wiedział o obecności Mesjasza wśród esseńczyków, że w jakiś sposób utrzymywał z nimi kontakt. Ale jaka wobec tego była rola masonów? Przede wszystkim należało jednak znaleźć odpowiedź na pytanie — kto zabił Ericsona? Czy Samarytanie, którzy poczuli się oszukani, widząc, że koniec świata nie nastąpił? Czy któryś z członków ekipy, żądny bogactwa, jakim był skarb Świątyni? Czy Koskka, który, jak się wydawało, dobrze znał masonów? W każdym przypadku klucz do tej zagadki znajdował się w jednym z pergaminów zapisanych dwa tysiące lat temu. Tego jednego byliśmy pewni.

Tej nocy do moich wątpliwości dołączył jeszcze szczególny niepokój. Samotny w hotelowym pokoju śpiewałem wieczorny psalm, wybijając stopą rytm przenikający w głąb mego serca powolną melodią bez słów, słodką i namiętną, napawającą smutkiem. Bo była to pieśń o prawdzie i pragnieniu nie do ugaszenia, o Bogu, który się oddala, o Bogu ukrytym, który znika, gdy tylko się pojawia. Była to pieśń o pokusie.

Czekałem na nią, tak bardzo na nią czekałem, drżąc przy najmniejszym szmerze. Albowiem poznałem wielką rozkosz, a oto nadszedł czas najgłębszej rozpaczy daremnego oczekiwania, niespełnionej miłości, co doprowadzało mnie do szaleństwa. Moja upokorzona dusza szlochała i rozpaczała, z oczu lały się niepowstrzymane łzy, bo byłem z nią rozdzielony, byłem sam. I krwawiło moje serce nad własnym występkiem, ponieważ powiększałem tę straszną ranę przez własną dumę, pychę i brak wyrozumiałości.

Tańcz, tańcz, moja duszo, i śpiewaj, coraz szybciej, jeszcze szybciej, nie trać rytmu, ale nie poddawaj mu się, zakręć się, niech pojawi się rozkosz, a z nią szczęście, albowiem rozkosz jest panią szczęścia, bo szczęście rodzi radość w moim sercu; piękna jest muzyka skrzypiec grających w mojej duszy, która płacze i wzdycha, smutna jest muzyka mojej stęsknionej duszy, podkreślona rytmem słów, od której moje serce tańczy, ulatuje i znowu spoczywa; moja duszo unieś się wyżej, zwróć się ku pięknu, niech cię przejmie do głębi dreszcz rozkoszy; między niebem i ziemią wirują wszystkie tony tej muzyki, jeszcze wyżej, jeszcze dalej, powtarzając wciąż tę samą frazę; dzięki niej moja dusza omdlewa, marzy i śni, kontempluje, układa wiersze, odnajduje spokój i ukojenie, może znowu się radować; zmienna, radosna, lekkomyślna, przybiera wciąż nową postać, dostraja się do rytmu; moja posłuszna dusza wzdycha i ożywia się, teraz już zdecydowana, pełna energii, budzi się, podnosi żagle, zrywa cumy; tak bardzo pragnę cię zobaczyć, ujrzeć twoją twarz przy mojej twarzy, usłyszeć twój szept, westchnienie smutku, któremu będzie towarzyszyć niepokój mojej duszy; chcę ciebie, przybądź do mnie, wołam cię, czekam na tę, którą kocham, o której marzę, której pragnę; biorę cię, uroczą, kochającą, kochankę miłości; kocham cię, tak bardzo cię kocham, kocham cię pełnią miłości, miłością wszystkich czasów; przyjdź, zapowiedziana przez wróżby, okryj moją duszę twoimi skrzydłami, pozwól memu sercu znowu marzyć o tobie i dowiedz się, jak bardzo cię kocham, jak bardzo chcę być blisko ciebie, gdy moje ciało da się ponieść w tańcu z tobą, bo moje ciało to moja dusza.

I oto z głębin pamięci wyłoniła się moja piękna przyjaciółka. Oto Jane w oślepiającym blasku słońca. Ogromnym wysiłkiem woli cofnąłem się w przeszłość. Jeszcze kilka minut temu znajdowałem się na miejscu zbrodni, chcąc je dokładnie obejrzeć... Znów zobaczyłem sprofanowany cmentarz, ujrzałem ołtarz i siedem smug krwi, i nagle, z zamkniętymi oczami, przeniosłem się w to miejsce na kilka sekund przed spotkaniem z Jane; pogrążyłem się w głębokiej medytacji i wówczas dostrzegłem cień, cień Jane, bo to właśnie jej szukałem w zakamarkach pamięci. Pragnąłem zobaczyć moment między wizją ołtarza a cieniem. Czułem, choć nie wiedziałem dlaczego, że w tej właśnie chwili zdarzyło się coś niezwykłego, co zostało odsunięte na bok przez tak istotny dla mnie fakt spotkania z Jane. Jeszcze raz zamknąłem oczy i nagle zobaczyłem.

Obok taśmy, którą policja ogrodziła miejsce zabójstwa, leżał, prawie niewidoczny w piasku, mały miedziany krzyżyk maltański z rozszerzającymi się ramionami. I dokładnie w tym momencie, gdy uświadomiłem sobie jego istnienie i zamierzałem go podnieść, za moimi plecami pojawiła się Jane, ujrzałem jej cień. Podeszła bliżej i postawiła nogę na krzyżyku. Czy zrobiła to umyślnie? Ta, którą kochałem, zawsze pojawiała się w niebezpiecznych miejscach.

Wyrwałem się gwałtownie z transu, gdy jakiś wewnętrzny głos podpowiedział mi: *w miejscach niebezpiecznych, ukrywając dowody.*

Obudziłem się z uczuciem strachu. Nie wiedziałem, gdzie jestem. Spodziewałem się, że obudzę się w mojej grocie w Qumran, na sienniku, jak to się działo od dwóch lat, ale teraz niczego nie poznawałem. Doszedłem do siebie dopiero po dłuższej chwili. Przypomniałem sobie wydarzenia z poprzedniego dnia i ostatniej nocy. Czy powinienem pomówić z Jane, prosić ją o wyjaśnienia?

Zasugerowałem jej, że warto porozmawiać z moim ojcem, a teraz byłem już pewny, że jest to konieczne. Nie tylko dlatego, że mógł wyjaśnić tajemnicę Zwoju Miedzianego. Chciałem go zobaczyć, porozmawiać z kimś, do kogo mam pełne zaufanie. Mój ojciec poświęcił życie Pismu i zawsze mawiał, że herezja żydowska bierze się z niewiedzy. Czy jednak wiedza nie jest niebezpieczna, czy zwracając się do niego w tej sprawie, nie narażę go na niebezpieczeństwo?

Podniosłem słuchawkę i z wahaniem wykręciłem numer ojca. Kiedy po kilku sygnałach usłyszałem jego spokojny głos, wszystkie moje wątpliwości rozwiały się i poprosiłem go, żeby przyszedł do mnie do hotelu.

Potem połączyłem się z pokojem Jane.

— Jane...

— Słucham? — W jej głosie wyczułem napięcie.

— Umówiłem się z ojcem za pół godziny, tu, w hotelu.

— Dobrze. Dołączę do was, jeśli nie masz nic przeciwko temu.

— Jestem pewien, że wyjaśni nam wiele rzeczy. Ale... nie chciałbym narażać go na niebezpieczeństwo.

— Rozumiem cię. Ja też się boję.

Gdy zszedłem do holu, gdzie tłoczno było od młodych turystów z całego świata, ojciec już czekał. Na mój widok wstał, uśmiechając się z daleka.

— No i co słychać? Masz coś nowego? — zapytał.

— Tak. Przede wszystkim dowiedziałem się, że Jane wchodziła w skład ekipy profesora Ericsona.

Ojciec wydawał się tym zaskoczony.

— I znowu wasze drogi się krzyżują.

— To niepokojący zbieg okoliczności, a ja nie wierzę w zbiegi okoliczności. Sądzę, że Jane nie pojawiła się tam przypadkiem, podobnie jak dwa lata temu, gdy spotkaliśmy ją w Paryżu.

— Jaka byłaby jej rola?

— Tego nie wiem.

— Profesor Ericson kierował ekipą prowadzącą badania...

— Nad Zwojem Miedzianym. Wiem o tym.

— Co możesz o nim powiedzieć?

— Chcesz wiedzieć, czy rzeczywiście zawiera opis skarbu, czy też chodzi o jakiś tekst symboliczny?

Ojciec poprawił się na fotelu. Sprawiał wrażenie, że głęboko się nad czymś zastanawia. Spojrzał na rysujące się w dali wzgórza Judei. W tym momencie pojawiła się Jane ubrana w ciemny kostium. Głęboka czerń podkrążonych oczu i nieruchome źrenice nadawały jej dziwny, trochę niesamowity wygląd.

— Dzień dobry, Jane — powiedział ojciec, wstając na jej powitanie.

— Dzień dobry, Davidzie — odrzekła, podając mu rękę.

— Bardzo mi przykro z powodu profesora Ericsona. Czy dobrze go pani znała?

— Był dla mnie kimś więcej niż tylko kierownikiem. — Jane uśmiechnęła się lekko.

— Może znowu będziemy zajmowali się razem czymś, co do nas nie należy...

— Ary mówił mi, że dużo pan wie na temat Zwoju Miedzianego, czy to prawda?

— Tak, Jane. Sądzę, że powinniśmy byli spotkać się znacznie wcześniej, zanim doszło do nieszczęścia, ale profesor Ericson chciał, by o tej sprawie wiedziało jak najmniej osób.

Ojciec przyglądał się Jane z niepokojem, a zarazem z zainteresowaniem. A ona siedziała spokojnie, założywszy nogę na nogę.

— Miałem ten zwój w rękach już wiele lat temu. Nieliteracki charakter tekstu, szczegółowy opis przedmiotów, kształt pisma oraz fakt, że znaleziono go w grotach Qumran, dowodziły, iż był to dokument autentyczny. Treść zwoju jest tajemnicza i bardzo trudna do rozszyfrowania. Wręcz niemożliwe jest odczytanie niektórych liter, wyglądających niemal identycznie. Poza tym tekst zawiera wiele błędów, a wskazówki dotyczące kryjówek są niejasne, dwuznaczne. Niemały kłopot sprawia fakt, że zwój ten został napisany około czterdziestu lat wcześniej niż pozostałe. Kiedy wreszcie udało się go rozszyfrować, stwierdzono, że jest to niezwykły, bardzo dokładny wykaz sześćdziesięciu trzech miejsc, w których ukryto skarb, a wszystkie znajdują się wokół Jerozolimy. Skarb w całości przedstawia wartość nie mniejszą niż kilka tysięcy talentów: sto sześćdziesiąt pięć sztabek złota i czternaście srebra, dwa dzbany pełne srebra, złote i srebrne wazy z pachnidłami, szaty obrzędowe, przedmioty kultu. Badacze zastanawiali się, ile to wszystko może być teraz warte, wątpiąc jednocześnie, aby ten skarb istniał naprawdę.

— A ty — zapytałem — co o tym sądzisz?

— Ze źródeł historycznych wynika, że nie jest to wymysł.

— Skąd pochodzi ten skarb?

Ojciec badawczo nam się przyglądał, jakby zastanawiał się, czy powinien odpowiedzieć na to pytanie. Po kilku sekundach odrzekł cicho:

— To skarb Świątyni. Skarb zawierający święte przedmioty pochodzące ze Świątyni Salomona, o nieocenionej wartości, a do tego należy jeszcze dodać ofiary, które składano podczas świąt. Wszystko zostało przetopione, potem złożone w centralnym miejscu Świątyni Jerozolimskiej.

— To wyjaśnia, skąd pochodzi złoto i srebro wspomniane w zwoju! — zawołała Jane z błyskiem w oczach.

— Niewykluczone, że ten skarb został ukryty poza miastem po wybuchu pierwszej wojny przeciw Rzymianom, zanim do Galilei wkroczyło wojsko — dodałem.

— Skąd ta pewność, że chodzi o skarb Świątyni? — zapytała Jane.

— Z kilku powodów. Po pierwsze, skarb jest tak wielki, że nie mógł zostać zgromadzony przez jednego człowieka ani przez żadną rodzinę. Po drugie, skarb Świątyni zniknął w sposób tajemniczy mniej więcej w tym samym czasie, kiedy został sporządzony Zwój Miedziany. Ponadto w Zwoju Miedzianym napotkano wiele terminów związanych z funkcjami kapłańskimi, jak na przykład *lagin* — rodzaj naczynia używanego do przechowywania zbóż, z którego korzystali kapłani, lub *efod* — szata kapłana.

— Szata z białego płótna?

— Tak.

— Czy arcykapłan nosił na głowie turban?

— Tak, a dlaczego o to pytacie?

Wymieniliśmy z Jane spojrzenia.

— Ponieważ profesor Ericson właśnie tak był ubrany, gdy znaleziono go na ołtarzu.

— To są wszystko hipotezy — mówił dalej ojciec. — Ale mogę was zapewnić, że skarb istnieje.

— Naprawdę?

Ojciec wyjął z teczki kartkę oraz pióro i podał je Jane.

— Proszę coś napisać. Wszystko jedno co, jakieś pełne zdanie.

Jane napisała: „Rozwiązanie tajemnicy znajduje się w Zwoju Srebrnym" i podała kartkę ojcu, który przeczytał ją, ściągając brwi.

— Widzi pani, dzięki temu jednemu zdaniu można poznać wiele cech pani osobowości, motywy postępowania, stan psychiczny. Pani pismo, pewne i ukształtowane, zdradza osobę zdecydowaną, aktywną, o ogromnym poczuciu odpowiedzialności, bezkompromisową. Kreseczka pozioma w pani „t" wskazuje na silną wolę, a akcent nad „e" duże przywiązanie do szczegółów. Sposób pisania liter „y" lub „g" świadczy jednak o pewnej gwałtowności. Potrafi pani właściwie ocenić sytuację i szybko reagować. Obecnie jest pani nastawiona nieufnie, czego dowodem jest większa niż inne ostatnia litera w tym zdaniu. Jest też pani bardzo zamknięta w sobie, na co wskazuje idealnie okrągłe „o" we wszystkich wyrazach. Końcówki górne liter świadczą o tym, że jest pani uparta i lubi górować nad innymi. Środkowa część zdania pokazuje, iż stara się pani kontrolować swoje emocje, mając skłonność do egzaltacji...

— Do czego zmierzasz? — przerwałem mu.

— Właśnie do tego dochodzę. To ja wpadłem na pomysł, żeby zanieść kopię Zwoju Miedzianego do grafologa. Doszedł on do wniosku, że zwój pisało kilka osób, ponieważ zauważył aż pięć różnych charakterów pisma. Poza tym uznał, że pisano go w nerwowej atmosferze. Krótko mówiąc, dowiedzieliśmy się, że zwój nie jest esseński, ale został napisany bezpośrednio przed zniszczeniem Drugiej Świątyni, i to w wielkim pośpiechu.

— W takim razie dlaczego Zwój Miedziany znajdował się w grotach esseńczyków? — odezwała się Jane. — No i dlaczego ten skarb tak rozproszono?

Ojciec popatrzył na nią z rozbawieniem.

— Niech pani sobie wyobrazi, Jane, że ma pani do ukrycia bajeczny skarb. Po pierwsze, postara się pani nie ściągać na siebie uwagi. Po drugie, nie ukryje pani wszystkiego w jednym miejscu, lecz podzieli skarb na części, aby go łatwiej przenieść i zarazem utrudnić odnalezienie całości.

Zapadła cisza. Ojciec zamówił kawę u kelnera, który do nas podszedł. Był to młody ciemnowłosy chłopak, ubrany na biało.

Kiedy się oddalił, ojciec odprowadził go zdziwionym wzrokiem.

— Mam wrażenie — mruknął — że ten chłopak nas podsłuchiwał.

— Ależ skąd — odrzekłem — po prostu czekał, aż coś zamówimy.

— Nie sądzę.

— Co wiesz o rodzie Akkosów? Przeczytałem w Zwoju Miedzianym, że część tego skarbu znajdowała się na ich terenie.

— Akkos to nazwisko rodu kapłanów, znanego od czasów Dawida, bardzo wpływowego w epoce powrotu Żydów z wygnania w Babilonie, który zachował swoje znaczenie także w okresie panowania Hasmoneuszy. Posiadłość rodowa Akkosów znajdowała się w dolinie Jordanu, w pobliżu Jerycha, a więc w centrum regionu, gdzie usytuowana jest większość kryjówek opisanych w Zwoju Miedzianym.

— To rejon, gdzie obecnie żyją Samarytanie — wtrąciłem.

— Po powrocie z wygnania członkowie domu Akkosów nie potrafili udowodnić swojej genealogii i dlatego nie mogli już pełnić funkcji kapłańskich. Wobec tego powierzono im inne zadanie związane ze Świątynią, niewymagające takiej czystości genealogicznej jak kapłaństwo. Kiedy Nehemiasz odbudowywał mury Jerozolimy, przywódcą rodu Akkosów był Merenot, syn Uriasza, syna Akkosa. Temu właśnie człowiekowi powierzono skarb Świątyni.

— Można więc powiedzieć, że członkowie rodziny Akkosów byli strażnikami skarbu Świątyni.

— Pozostaje sprawdzić, czy istnieje inne niż geograficzne powiązanie między Samarytanami i Akkosami — podsunęła Jane.

— Wiedziałeś o tym, że Samarytanie wciąż składają ofiary ze zwierząt?

— Tak — odrzekł ojciec. — Ale tylko w szczególnych okolicznościach. Widziałeś taką ceremonię?

— Gdy byliśmy u nich, właśnie składali ofiarę z barana, a z boku stał przygotowany do zabicia byk.

— Baran i byk?

— Tak. Dlaczego cię to dziwi?

— W okresie Pierwszej Świątyni arcykapłan przez dziesięć dni przygotowywał się do uroczystej ceremonii pokuty. Dziesiątego dnia zanurzał się w czystej wodzie, potem nakładał płócienne szaty olśniewającej białości i dopiero wtedy mógł zbliżyć się do świętego miejsca. Do Świętego Świętych wchodził tylko raz w roku, w Jom Kippur, w Sądny Dzień. Dziesięć dni wcześniej jest Rosz ha-Szana, czyli Nowy Rok. Ceremonia zaczynała się od złożenia w ofierze barana i byka; arcykapłan zaznaczał na nich siedem krwawych smug. Potem podchodził do kozła ofiarnego, który miał być wysłany do Azazel, i przed nim wyznawał grzechy popełnione przez lud. Kładł ręce na głowie kozła i mówił: „Panie, Twój lud, Ród Izraela, zgrzeszył, twoje dzieci zawiniły wobec Ciebie. Prosimy Cię, przez miłość do Twego imienia, abyś przyjął tę pokutę za grzechy, winy, nieprawości, których Twój lud, Dzieci Izraela, dopuścił się wobec Ciebie, bo jest zapisane w prawie Twego sługi Mojżesza: Tego dnia odbędziecie pokutę, która oczyści was z grzechów". W tym momencie arcykapłan wypowiadał niewymawialne imię Pana. Kapłani i ludzie stojący na placu przed sanktuarium, czekający, aż z ust najwyższego kapłana padnie to majestatyczne imię, klękali i padali twarzą do ziemi. A arcykapłan, pozwoliwszy im skorzystać z dobrodziejstw łaski, kończył słowami: „Jesteście czyści". Mówiono, że gdy wchodził do Świętego Świętych i stawał przed Arką Przymierza, mógł umrzeć, bo w tym miejscu objawiał się Bóg.

— Masz rację — powiedziałem. — Ale u Samarytan nie było ani arcykapłana, ani Świętego Świętych.

— Mimo to wydaje mi się, że wszystko odbyło się tak, jak w epoce Pierwszej Świątyni.

Wokół nas robił się coraz większy ruch. Do hotelu weszła jakaś grupa.

— Sądzę — zakończył ojciec — że to morderstwo jest znakiem, jak list lub pergamin, który trzeba cierpliwie rozszyfrować, żeby uchwycić jego sens.

Wrócił kelner i postawił przede mną filiżankę z kawą.

— To nie dla mnie, to ten pan zamówił kawę — powiedziałem, wskazując na ojca.

— Och, przepraszam — zreflektował się kelner.

Pochylił się nade mną i zręcznym ruchem przestawił filiżankę na drugi koniec stolika.

— Czy waszym zdaniem autor manuskryptu jest esseńczykiem? — zapytała Jane.

— Litery przypominają styl pisma z Qumran — odpowiedział ojciec, gdy kelner się oddalił. — Te zwoje pisała ręka niepewna, niedoświadczona. Poza tym w manuskrypcie widoczna jest dziwna mieszanina różnych typów alfabetów, form kaligraficznych. Można także zauważyć brak dbałości o uporządkowanie układu tekstu. Przeanalizowanie ortografii tego dokumentu prowadzi do tych samych wniosków. Autor nie znał ani neoklasycznego pisma manuskryptów z Qumran, ani aramejskiego, ani stylu Miszny, używanego przez esseńczyków. To potoczny język hebrajski z tego regionu.

— Kiedy został napisany ten dokument?

— Między dwoma powstaniami, to znaczy około setnego roku.

Znowu zapadła cisza.

Ojciec wstał i podszedł do mnie.

— Zwój Miedziany — powiedział, wsuwając rękę za kołnierz mojej koszuli — nie jest tekstem esseńskim.

W jego wzroku pojawił się błysk rozbawienia, jakby wpadł na jakiś pomysł.

— Jane, czy zna pani Masadę?

— Tak, byłam tam...

— Jutro was tam zawiozę.

Nachylił się do mnie i pokazał maleńki okrągły przedmiot.

— Spójrz — szepnął — miałeś to za kołnierzem.

Patrzyłem na niego zaskoczony.

— Co to jest?

— Mikrofon. Umieścił go tam kelner, który zresztą już zniknął.

Ojciec podniósł mikrofon do ust i zagwizdał głośno.

— Temu, kto nas podsłuchuje, popękały teraz bębenki.

Rzucił mikrofon na podłogę i rozgniótł niczym niedopałek papierosa.

Tak oto ojciec przyłączył się do mnie, podobnie jak zrobił to dwa lata temu. Potraktował tę sprawę jako osobistą, ponieważ całą młodość spędził w grotach Qumran i chociaż nigdy mi tego nie powiedział, choć chował ten sekret głęboko w sercu aż do chwili, gdy udaliśmy się tam razem, wiedziałem, że to była jego rodzina, jego ojczyzna. Przed dwoma laty zajmowaliśmy się poszukiwaniem zaginionego zwoju, zawierającego niezwykłe informacje o Jezusie, które interesowały go jako paleografa. Teraz, gdy opowiedziałem mu o Zwoju Miedzianym, dostrzegłem w jego oczach ten sam błysk. Ale dlaczego chciał nas zawieźć do Masady? Może przypuszczał, że esseńczycy, których uważano za pacyfistów, brali udział w powstaniach zelotów?[12]. Wiedziałem, że w trakcie badań archeologicznych w Qumran odkryto kuźnie, w których wyrabiano broń, a także znaleziono strzały nierzymskiego pochodzenia oraz fortyfikacje. Czy oznacza to, że Qumran nie było klasztorem, ale fortecą? Czy to możliwe, że esseńscy kapłani i pustelnicy wyszli z tych tajemniczych grot, dobrowolnie lub pod przymusem, aby wziąć udział w powstaniu żydowskim? W Qumran znajdował się *Zwój wojny*, z którego wynikało, iż esseńczycy przygotowywali się do walki nie tylko duchowo, ale i fizycznie. Wśród zwojów znad Morza Martwego był także manuskrypt zwany *Zwojem Świątyni*, który dowodził, że esseńczycy mieli szalone wizjonerskie marzenie — odbudować Pierwszą Świątynię. Nienawidzili Świątyni Heroda, bardzo bogatej, imponującej, zbudowanej w stylu greckim i rzymskim, uznawanej przez saduceuszy[13].

Jaki jest więc związek między Zwojem Miedzianym i zabójstwem Ericsona?

Najpierw powinniśmy się spotkać z Ruth Rothberg, córką profesora Ericsona, w miejscu, gdzie pracuje, a więc w Muzeum Izraela.

— Pójdziemy tam razem? — zapytała Jane. — A może byłoby lepiej, gdybyś spotkał się z nią sam? Może chętniej porozmawia w cztery oczy?

— Nie sądzę. Nie zna mnie. Chodźmy razem, ale przedtem muszę zadać ci jedno pytanie. — Popatrzyłem uważnie w jej oczy. — Co wiesz o miedzianym maltańskim krzyżyku?

— Mógł należeć do któregoś ze średniowiecznych rycerzy — odpowiedziała bez wahania. — Dlaczego tak dziwnie na mnie patrzysz? Jakbyś miał do mnie pretensję... albo o coś podejrzewał.

— Mam swoje powody.

— Słuchaj — powiedziała Jane sucho — w tej sprawie tworzymy zespół. Jeśli nie będziemy sobie ufali, nic nie zdziałamy.

— Masz rację.

— No, więc słucham.

— Kiedy tamtego dnia spotkaliśmy się na miejscu zbrodni, u stóp ołtarza leżał, na pół zakopany w piasku, mały miedziany krzyżyk. I myślę, że celowo na niego nadepnęłaś.

Jane się zmieszała.

— To prawda. Zagrzebałam ten krzyżyk w piasku, bo chciałam go sobie wziąć.

— Po co?

— Ary, wolałabym teraz nie odpowiadać na to pytanie. Musisz mi zaufać.

— Tak? Sądziłem, że tworzymy zespół i że mamy mówić sobie wszystko.

— Ary, przysięgam, że powiem ci potem.

— Doskonale. Wobec tego określmy na nowo zasady naszej współpracy.

Jane zawahała się i w końcu powiedziała:

— To dlatego, że on... zawsze miał ten krzyżyk przy sobie. Należał do jego rodziny od wielu pokoleń. Pragnęłam zachować go... na pamiątkę.

— A jeśli okaże się, że jest ważny dla śledztwa?

Nie wiedziała, co odpowiedzieć. Jej wyjaśnienie mnie nie przekonało. Boże! Jakże jej czasami nienawidziłem, jak bardzo byłem nieszczęśliwy, ogarnięty grzesznymi myślami, podłymi żądzami. Wsiedliśmy do taksówki, która zawiozła nas do Muzeum Izraela, znajdującego się w nowej części miasta, na południe od reprezentacyjnej dzielnicy Rehawia.

Przed frontem muzeum stała biała budowla w kształcie dzbana ogromnych rozmiarów — było to Sanktuarium Księgi, w którym złożone zostały zwoje znad Morza Martwego. Tam, wokół wielkiego bębna wyeksponowany był Zwój Izajasza, najdawniejsza przepowiednia Apokalipsy, licząca 2500 lat. Biały dzban w kształcie walca został zaprojektowany przez architekta Armanda Bartosa w taki sposób, że mógł zjechać na niższy poziom, gdzie, w razie zagrożenia atakiem nuklearnym, zostałby osłonięty stalowymi płytami. Tak więc, gdyby nawet wszystko uległo zagładzie, Zwój Izajasza ocaleje.

— Armageddon — szepnąłem. — Koniec świata.

— Armageddon? Co to takiego? — zapytała Jane.

— Według Starego Testamentu królowie ziemscy poprowadzą duchy zmarłych do bitwy z Wszechmocnym. Powiedziane jest, że stoczą ją w miejscu zwanym po hebrajsku Armageddon.

— Czy wiadomo, gdzie to jest?

— Armageddon to grecka nazwa starożytnego miasta izraelskiego Megiddo. Znajduje się tam teraz jedna z większych baz powietrznych Izraela, Ramat David.

— Na północy, w pobliżu Syrii. A więc Megiddo...

— Znalazłoby się na pierwszej linii podczas każdej wojny, jaka wybuchłaby dziś na Bliskim Wschodzie.

— Dobrze znam Syrię — powiedziała Jane po chwili zadumy. — Byłam tam na wykopaliskach.

Wyczułem, że pragnie powiedzieć coś więcej, ale z nieznanych mi powodów nie zdecydowała się na to.

Przed nami wznosiła się Jerozolima, marmurowe miasto, o które toczyło się najwięcej wojen w dziejach świata, od czasów, gdy zdobył ją król Dawid, spalona przez Babilończyków, zburzona przez Rzymian, oblegana przez krzyżowców. Czy Jerozolima, spływająca krwią od trzech tysiącleci, stanie się miastem, od którego zacznie się koniec świata, czy też przeciwnie, będzie miastem ocalenia, jak wskazuje na to jej nazwa?

Jane wprowadziła mnie do wnętrza nowoczesnego budynku, przylegającego do Sanktuarium Księgi — Muzeum Izraela, gdzie znajdują się najróżniejsze teksty i przedmioty sztuki ze wszystkich epok, związane z tym krajem. Krętymi korytarzami doszliśmy do windy, która zawiozła nas na piętro biurowe. Na uchylonych drzwiach widniała mała plakietka z nazwiskiem Ruth Rothberg.

Zapukałem.

— Dzień dobry — powitała nas Ruth, gdy weszliśmy do jej gabinetu, ciasnego, skromnego pokoiku, którego atmosferę ożywiało kilka dziecięcych rysunków.

Przy biurku stał mężczyzna, trzymający za rączki dwóch małych chłopców.

— Ruth, przedstawiam ci mojego przyjaciela, Ary'ego Cohena. Jest skrybą — powiedziała Jane.

— Witaj, Ary. A to mój mąż Aaron i moi synowie. Siadajcie.

Ruth Rothberg była szczupłą kobietą o niebieskich oczach

i włosach osłoniętych purpurową chustką, zgodnie ze zwyczajem ultraortodoksyjnych kobiet, którym nie wolno pokazywać włosów nikomu poza mężem. Blada twarz, oczy o długich rzęsach, nos nieco zadarty, nadający jej wygląd rosyjskiej laleczki. Mogła mieć najwyżej dwadzieścia pięć lat. Starszy od niej o jakieś dziesięć lat mąż był mężczyzną o godnej postawie, z długą, przedwcześnie posiwiałą brodą, jaką widuje się u gorliwych studentów jesziwy, z krótko ostrzyżonymi włosami, przykrytymi aksamitną czarną jarmułką, spod której opadały starannie zwinięte pejsy. Okulary z grubymi szkłami zasłaniały duże niebieskie oczy o wyjątkowo żywym spojrzeniu. Chłopcy mieli kręcone włoski i marzycielskie oczy. Przyjrzałem się uważnie twarzom Aarona Rothberga i jego żony, chcąc wyczytać z nich cechy ich charakterów. Czoło Aarona przecinała pionowa bruzda w kształcie litery symbolizującej jedność, tworzenie, początek życia — ו. *Waw*, przez swą zdolność łączenia elementów zdania, łączy też ze sobą rzeczy takie jak powietrze i światło. Jednak najważniejszą funkcją *waw* jest jej umiejętność zamiany czasów: przeszłości w przyszłość, przyszłości w przeszłość. Z tego powodu *waw* ma szczególne miejsce w imieniu Boga, w niewypowiadanym tetragramie.

Na czole Ruth Rothberg, w tym samym miejscu co u jej męża, znajdowała się litera ד. *Dalet*, która swym kształtem symbolizuje dom, miasto lub sanktuarium. *Dalet*, której odpowiada liczba 4, jest literą świata fizycznego z jego czterema głównymi punktami, a w bardziej ogólnym sensie — świata formy.

— Zajmujemy się sprawą śmierci twojego ojca — powiedziała z pewnym wahaniem Jane. — Sądzimy, że możesz mieć istotne dla nas informacje.

— Wciąż wydaje mi się to takie nierealne — odrzekła cicho Ruth.

— Właśnie dlatego tutaj przyszliśmy. Żeby to zrozumieć.

— To miłe z waszej strony, Jane, ale śledztwem zajmuje się policja... Prawda, Aaronie?

— Tak, byli u nas wczoraj wieczorem, zadawali mnóstwo pytań na temat profesora Ericsona. Teraz nie pozostało nam już nic innego, jak tylko czekać.

Jane patrzyła na nich zakłopotana.

— Jestem pewien, że policja dobrze wykonuje swoje obowiązki — wtrąciłem — ale, jak mawiał rabbi Mojżesz Sofer z Przeworska, „godne szacunku są studia, które prowadzą do działania". Inaczej mówiąc, są takie momenty, kiedy powinniśmy działać, a nie tylko czekać, i wydaje mi się, że tak właśnie jest teraz.

— Czy jest pan chasydem? — zapytała Ruth, spoglądając na mnie ze zdziwieniem, ponieważ byłem ubrany jak esseńczyk, w białą płócienną koszulę i takie same spodnie, a jarmułka z białego płótna różniła się od czarnej aksamitnej jarmułki chasydów.

— Tak, jestem. Studiowałem w Mea Szearim. Mieszkałem w tej dzielnicy i tu nauczyłem się zawodu skryby.

Aaron, pogrążony w myślach, spoglądał na nas niechętnie.

— Przypuszczam — odezwał się w końcu, siadając na krześle przy biurku i biorąc na kolana jednego z chłopców — że Peter Ericson został zabity, ponieważ szukał skarbu Świątyni...

— Całkiem możliwe — rzekłem. — Ale dlaczego tak się stało?

— Tego nie wiem. Studiowaliśmy z Peterem Stary Testament przez długie godziny. Doszliśmy do wniosku, że pod Starym Testamentem kryje się jakby inny tekst, to znaczy, że można go czytać jak program w komputerze.

— Aaron jest specjalistą od teorii zbiorów, dziedziny matematyki, na której opiera się fizyka kwantowa — wyjaśniła

Ruth. — Pracuje także nad Starym Testamentem. Jego zdaniem Stary Testament jest skonstruowany jak gigantyczna krzyżówka. Zawiera, od początku do końca, zakodowane słowa, które opowiadają nam ukrytą historię.

— Czy była pani w Muzeum Izraela? — zwrócił się Aaron do Jane. — Widziała pani oryginał rękopisu teorii względności Einsteina?

— Tak. To ciekawe, że znajduje się w tej samej gablocie, co manuskrypty z Qumran.

— Jestem pewien — ciągnął Aaron śpiewnym głosem studentów jesziwy — że różnica między przeszłością, teraźniejszością i przyszłością jest tylko iluzją. W toku badań doszedłem do wniosku, że Stary Testament odsłania wydarzenia, które miały miejsce tysiące lat przedtem, zanim został napisany.

— Co pan przez to rozumie?

— Wizja naszej przyszłości ukryta jest w kodzie, którego nikt nie potrafił odczytać... dopóki nie wynaleziono komputera. Wierzę, że dzięki informatyce będziemy mogli otworzyć tę zapieczętowaną księgę i właściwie odczytać zawartą w niej przepowiednię.

— Mąż uważa, że jeśli kod Starego Testamentu jest prawdziwy, to w najbliższej przyszłości być może wybuchnie wojna. Dlatego właśnie...

Urwała, jakby się zlękła, że powiedziała za dużo.

— I dlatego się przygotowujecie? — podsunąłem.

Aaron włączył laptopa stojącego na biurku. Odnalazł właściwy plik i podsunął mi komputer. Przeczytałem: „Całe miasto uległo zniszczeniu w jednym momencie. Centrum zostało zrównane z ziemią; pożary wywołane gorącym podmuchem przekształciły się w burzę ognia".

— Co to jest? — zapytałem zaskoczony. Chociaż tekst wydawał mi się znajomy, nie wiedziałem, skąd pochodzi.

W którym zwoju znajduje się ten opis? W której księdze Starego Testamentu? Czyje to proroctwo?

— To nie proroctwo — odrzekł Aaron. — To opis wybuchu bomby atomowej nad Hiroszimą. Zaskakujące, prawda?

Kiwnąłem głową.

— Zniszczenie świata przez potężne trzęsienie ziemi opisane jest w Starym Testamencie bardzo dokładnie — podjął Aaron. — Znana jest nawet data: rok pięć tysięcy siedemset sześćdziesiąty pierwszy.

— Skoro wszystko jest stracone, to co mamy robić, czego się spodziewać?

— Możemy się przygotować.

— Przygotować? Na co?

— Zna pan zapewne wzgórze świątynne Moria. Nazywane jest także Placem Meczetów. Znajduje się tam Kopuła Skały, meczet wzniesiony w szczególnym miejscu. To tam, jak powiadają, Bóg zażądał od Abrahama, by złożył w ofierze syna Izaaka. To na tej Świętej Skale Salomon zbudował Pierwszą Świątynię, a potem powstała tu Druga Świątynia.

— Inaczej mówiąc, pod tą skałą miałoby się znajdować Święte Świętych?

— Właśnie. Wie pan, że w zeszłym roku pewien rabin zgodził się otworzyć drzwi Kifonus, by umożliwić zbadanie tunelu, znajdującego się pod Placem Świątyni? Któregoś dnia udałem się tam, aby zobaczyć, jak postępują prace. Zastałem w tunelu trzech mężczyzn, którzy mnie pobili. Dziwne było, że dostali się tam inną drogą, od strony Placu Meczetów. Nazajutrz urzędnik *wakfu*, sprawujący pieczę nad świętymi miejscami, sprowadził ciężarówki z betonem, którym zalano tunel, po czym zamurowano wejście. Przypuszczam, że gdyby pozwolono dalej kopać za drzwiami Kifonus, robotnicy dotarliby do Świętego Świętych.

— Tak pan uważa? Naprawdę? Czy to znaczy, że Święte Świętych nie znajduje się pod meczetem Al-Aksa?

— Sądzę, że Świątynia stała bardziej na północ. Mam na to dowody archeologiczne. Mogę panu pokazać całą dokumentację.

— Co to za dowody?

— Wynikają z dokładnej obserwacji Placu Świątyni, gdzie znajduje się niewielki budynek zwany Kopułą Tablic. Nazwa ta pochodzi stąd, że budowla upamiętnia Tablice Dekalogu. Zgodnie z żydowską tradycją tablice, jak również laska Aarona i miska z manną z pustyni, schowane były w Arce Przymierza, która znajdowała się w Świętym Świętych. Inne teksty mówią, że Tablice umieszczono na kamieniu zwanym Kamieniem Węgielnym, znajdującym się w samym środku Świętego Świętych. To zaś każe przypuszczać, iż Święte Świętych znajdowało się nie pod meczetem Al-Aksa, jak się uważa, lecz pod Placem Świątyni.

— Naprawdę?

— Powierzchnia Placu Świątyni była o wiele większa niż dziś. W trakcie wykopalisk na południe od placu odkryto schody i mury obronne prowadzące do dziedzińca ciągnącego się aż do Ściany Płaczu.

— Co sądził o tym pani ojciec? — zwróciłem się do Ruth. — Czy dlatego szukał skarbu Świątyni? Żeby zapobiec trzeciej wojnie światowej, czy raczej... żeby skonstruować własną świętą arkę, jak Noe w czasie potopu?

— Proszę nie żartować — upomniała mnie Ruth. — Czy nie zdaje pan sobie sprawy z tego, jak niebezpieczna jest sytuacja Jerozolimy? Robimy wszystko, by rozbudować nasze miasto, mimo zamachów i ciągłego zagrożenia. Zresztą premier, który w imię pokoju poszedł na wiele ustępstw, odmówił opuszczenia świętych miejsc, tłumacząc, że gdy Jezus przybył do Jerozolimy dwa tysiące lat temu, nie było tu ani kościołów, ani meczetów, tylko Druga Świątynia żydowska.

— Czy wiedzieliście państwo o istnieniu Zwoju Srebrnego, który miał profesor Ericson?

— Ciekawe — mruknęła Ruth — dzisiaj już drugi raz słyszę to pytanie. Tak, zabrałam go ze wszystkimi rzeczami ojca.

— Gdzie jest teraz?

— Przypuszczam, że w Paryżu. Przyszedł po niego dziś rano kolega ojca. Powiedział, że ten zwój ma wielkie znaczenie dla archeologii.

— Jak się nazywał ten kolega?

— Koskka. Józef Koskka.

— Co o tym wszystkim myślisz? — zapytała Jane, gdy schodziliśmy po schodach muzeum.

— Oni także pragną odbudować Świątynię, aby spotkać się z Bogiem. Sądzę, że w jakimś sensie współpracowali z profesorem. Profesor miał odnaleźć skarb Świątyni, a oni mieli zbadać, gdzie dokładnie się znajdowała. Brakuje jeszcze trzeciego elementu tej układanki...

— Budowniczych.

— Otóż to.

— Architektów, konstruktorów i murarzy?

— A może raczej masonów...

— To wyjaśniałoby, dlaczego Ericson znalazł się w Chirbet Qumran. Dzięki badaniom zięcia znał miejsce usytuowania Świątyni, a więc pozostało mu już tylko odnaleźć skarb.

Zajęci rozmową nie zauważyliśmy, że Aaron, Ruth i dzieci wyszli z muzeum. Zobaczyliśmy ich dopiero wtedy, gdy znaleźli się przed nami. Nagle pojawił się jakiś samochód, pędzący prosto na nas. Uskoczyliśmy w bok, ale wpadł na rodzinę Rothbergów. Rozległ się ogłuszający terkot pistoletu maszynowego. Samochód oddalił się tak samo szybko, jak się pojawił, zostawiając za sobą morze krwi. Przerażeni, nie byliśmy w stanie się ruszyć.

Boże! Poczułem, jak zimny pot ścieka mi z czoła, zalewając oczy. Kto mógł być tak szalony, żeby dopuścić się takiej zbrodni? Dlaczego to zrobił? Trudno to sobie wyobrazić, a co dopiero zrozumieć! Tego rodzaju czyny wywołują osłupienie, ból, rozpacz. Powiedziałem sobie, że musimy być silni, odważni, nie wolno nam okazać strachu. *Nie bądź słabe, moje serce.* Przede wszystkim jednak, nie należy oglądać się za siebie, *bo oni są wojskiem złych, a wszystko, co robią, pochodzi z ciemności.* Nie ulegało wątpliwości, że nas śledzono. Byłem załamany tą zbyt wielką dla mnie, niewspółmierną do moich możliwości, wszechwiedzącą, wszechobecną siłą ciemności. Skąd przyszli? Kim są? Czy są tymi synami ciemności, o których jest powiedziane: *Ich miecze migocząjak ogień trawiący drzewa, ich głosy przypominają burzę na morzu*? Jest powiedziane także, że będą cierpieli męki i potępienie, ponieważ Bóg poprzez prawdę położy kres wszelkiemu złu. Oczyści ludzi z ich deprawacji, obmyje tych, którzy są nieczyści, a prawi poznają to, co najdoskonalsze, i ci, którzy są doskonali, poznają mądrość synów Przedwiecznego.

Nagle usłyszałem wewnętrzny głos: „Obudź się, wstań, rozwiąż tę tajemnicę i pokonaj zło, bo inaczej obróci się ono przeciw słabym, ogarnie cały kraj i zginie dwie trzecie ludzkości, a ocaleje tylko jedna trzecia. Zło zapali się jak pochodnia, zniszczy wszystkich ludzi! Czy nie widzisz, jak gniew ogarnia ludzi niczym płomień, upaja ich i nieuchronnie podburza jednych przeciwko drugim? Żyjecie w grotach, ale powinniście wiedzieć, co się dzieje poza nimi i czekać na odpowiednią chwilę. Czas nadszedł, Ary, nadeszła pora, abyś opuścił groty. Jeśli jesteś Mesjaszem, jeśli zostałeś wyświęcony, musisz walczyć".

Kiedy kilka godzin później jechaliśmy taksówką z komisariatu policji do hotelu, na twarzy Jane widać było strach.

Jakby odpowiadając na moje wątpliwości, wycedziła przez zaciśnięte zęby:

— Sądzę, że tamtego dnia, kiedy cię ścigali, nie chodziło im tylko o ciebie.

— A o kogo?

— Myślę, że chcieli cię tylko porwać, Ary, a nie zabić. W przeciwnym wypadku już byś nie żył. Są gotowi na wszystko. Potrafią dokonywać zamachów w miejscach publicznych. Nic ich nie powstrzyma.

— Ale po co mieliby mnie porywać?

— Tego nie wiem.

— A jeśli to ciebie, Jane, zamierzają porwać?

— Co im to da?

— Może myślą, że teraz to ty jesteś w posiadaniu Zwoju Srebrnego. Że to ciebie trzeba usunąć. Zresztą ani ty, ani ja nie jesteśmy detektywami.

— Jeśli chcesz się wycofać, droga wolna — prychnęła Jane.

Zagryzłem wargi.

— Czy możesz mi powiedzieć, jak profesor przyjął przejście córki na judaizm?

— Jabłko pada niedaleko od jabłoni. Profesor Ericson przyjechał do Izraela, ponieważ sam zainteresował się judaizmem. Powiedział mi, że kiedy zrozumiał, jak bardzo antyżydowskie są interpretacje Ewangelii, zaczął studiować kulturę żydowską, uczyć się hebrajskiego i aramejskiego. Potem studiował judaizm w szkołach żydowskich.

Kiedy uchwyciłem jej trochę nieobecne spojrzenie, zapewniła mnie, że czuje się dobrze i że zamiast wracać do hotelu, chciałaby mnie zabrać do starej części Jerozolimy, ale nie do tej, którą znałem, w której studiowałem, modliłem się i tańczyłem w jesziwach. Powiodła mnie w labirynt arabskich uliczek, które, jak się wydawało, znała doskonale.

Doszliśmy do skrzyżowania trzech ulic, tworzącego literę ש, *szin*.

— Zdejmij jarmułkę — poradziła Jane. — Tak będzie bezpieczniej.

Sama zdjęła mi z głowy moją haftowaną jarmułkę. Od tego przelotnego dotyku jej ręki przebiegł przez moje ciało lekki dreszcz, nagle poczułem się, jakbym był nagi.

Zrozumiałem, że pragnąłem dotyku jej ręki na moim czole, na policzkach i na całym ciele. I że pożądałem tej idącej przede mną kobiety o pięknych pociągających kształtach, włosach spływających kaskadą, ślicznych ramionach, piersiach i szyi, smukłych długich nogach, których, jak każdy mężczyzna, chciałem dotykać rękami i ustami, chciałem się w niej zatracić. Nagle wyobraziłem ją sobie nagą i pożądanie rozpaliło moje czoło, policzki, całe ciało.

Szin pochodzi od słowa *szen* — ząb, symbolu siły witalnej, ducha energii, heroicznego czynu. Symbolizuje trzask ognia, aktywne elementy wszechświata i ruch wszystkiego, co istnieje. Opanowanie *szin* pozwala na kierowanie siłami wszechświata. Jednak *szin* przypomina także zęby złych stworzeń. Trzy kreski tej litery są jak trzy siły zła: zazdrość, żądza, pycha.

ZWÓJ CZWARTY

Zwój Skarbu

Ale dzięki tym, którzy wytrwali w Przykazaniach Boga
i przez nie się uratowali, ustanowił Bóg
swoje Przymierze dla Izraela na wieki, ukazując
im rzeczy ukryte, przez które zbłądził cały Izrael,
swoje święte szabaty i swoje chwalebne święta,
swoje sprawiedliwe świadectwa i swoje prawdziwe drogi
oraz pragnienie swojej woli, które człowiek winien czynić,
aby żyć dzięki nim. (On) ukazał im te rzeczy,
a oni wykopali studnię obfitą w wodę,
lecz nie będzie żyć ten, kto nią gardzi.

Zwoje z Qumran
Dokument damasceński *

---

* Witold Tyloch, *op.cit.*

Byłem sam, miałem przed sobą tylko tekst zwoju. To, że musiałem opuścić grotę, przejmowało bólem moją duszę, ale zaangażowałem się w sprawę, która i mnie dotyczyła. Ja, szalony skryba, ulatuję w świat liter, w którym jestem demiurgiem i mistrzem, i widzę najpiękniejsze, najprawdziwsze życie, zazwyczaj osłonięte tajemnicą. Skupienie, otwarcie na prostotę i oczywistość — to mój sposób przywołania najgłębszego wspomnienia. Żeby do niego dotrzeć, czynię wokół siebie pustkę, tak aby wszystko wokół mnie zniknęło i bym znalazł się sam na tym świecie. Nie słyszę najmniejszego dźwięku, żadnego głosu ani tchnienia, które zakłóciłyby to czyste i tajemne życie ducha. Moja koncentracja jest tak wielka, że każdy dzień spędzony na pisaniu zbliża mnie do Stwórcy. Ale jakże ogromna jest pustynia! Długa niczym wędrówka ludu Izraela do Ziemi Obiecanej. Jakże czcze jest życie na pustyni! Od chwili, gdy się budzę, aż do pory spoczynku upływa moje życie, które poświęcam całkowicie studiowaniu prawa, czekając na Dzień Sądu.

W dochodzeniu, które prowadziliśmy, należało działać szybko, przechodzić z jednego etapu do drugiego, bo tego, co się stało, nie dawało się już cofnąć. Trzeba było kontynuować pracę, zapominając o strachu przed niebezpieczeństwem, które stawało się coraz realniejsze, w miarę jak robiliśmy postępy. Nie byliśmy przecież sami, tropili nas mordercy.

Wiedzieliśmy już, że profesor Ericson zamierzał z pomocą Rothbergów odbudować Świątynię i że jego archeologiczna ekspedycja była tylko pretekstem, prowadzącym do realizacji tego celu. Jaką rolę w tych poszukiwaniach odgrywali masoni? Czy mieli być architektami, budowniczymi? Jaki był ich związek z tajemniczym Zwojem Miedzianym?

Jako świadkowie zabójstwa rodziny Rothbergów wieczorem zostaliśmy ponownie wezwani do komisariatu, gdzie udaliśmy się w towarzystwie dwóch policjantów, którzy przybyli po nas do hotelu.

Spędziliśmy tam znaczną część nocy, odpowiadając na pytania dotyczące tego, co zdarzyło się na naszych oczach, czego byliśmy bezsilnymi świadkami. Ale czyż świadkowie nie są zawsze bezsilni?

Wielokrotnie powtarzaliśmy relację o tym, jak samochód kierował się prosto na nas, jak strzelali siedzący w nim ludzie. Musieliśmy także wyjaśnić, z jakiego powodu znaleźliśmy się na miejscu wypadku, a ponieważ nie mogliśmy powiedzieć prawdy, bo sprawa trzymana była w najściślejszej tajemnicy, czułem zagęszczające się wokół mnie podejrzenia. Policjanci domyślali się związku tej masakry z zabójstwem profesora Ericsona i nie przestawali mnie pytać, dlaczego interesowałem się tą sprawą, skąd pochodzę, co robię, a na wszystkie te pytania odpowiedzi przychodziły mi z trudem. Robili wrażenie, jakby wiedzieli o moich poprzednich poczynaniach dotyczących zniknięcia jednego ze zwojów znad Morza Martwego. Nie potrafili wyjaśnić tej sprawy, ponieważ nie mieli pojęcia o istnieniu esseńczyków, ale sądzili, że jest coś wspólnego między śmiercią profesora Ericsona i ukrzyżowaniem badaczy zwojów znad Morza Martwego, i że elementem łączącym te dwa wydarzenia jestem właśnie ja. W końcu o czwartej nad ranem, wyczerpany, padający ze zmęczenia, musiałem sięgnąć po kartę atutową — poprosiłem, by pozwolono mi wykonać jeden telefon. Tak więc w środku nocy obudziłem śpiącego w swoim domu Shimona Delama, szefa tajnych służb.

Pół godziny później pojawił się w komisariacie, wprawiając policjantów w osłupienie.

— Witaj, Ary, dzień dobry, Jane — powiedział.

Po kilku minutach opuściliśmy komisariat.

— No więc opowiadajcie, co się dzieje — poprosił Shimon, obejmując mnie ramieniem.

— Chodzi o rodzinę Rothbergów... — zacząłem.

— To wiem.

— Rozmawialiśmy z nimi tuż przed ich śmiercią. Wydaje mi się, że jesteśmy śledzeni.

Opowiedziałem mu o pościgu na Starym Mieście, a także o mikrofonie przyczepionym do mojego kołnierza w hotelu.

— Nie przejmuj się, Ary — powiedział Shimon, wyjmując opakowanie z wykałaczkami. — Ten mikrofon to nasza sprawka.

— Co takiego? — oburzyłem się, odczuwając jednak pewną ulgę.

— To my zrobiliśmy.

— W jakim celu?

— Żeby nas chronić? — zapytała Jane.

— Ary, nie będę ukrywał, że chodzi o bardzo niebezpieczne zadanie — powiedział Shimon z lekkim zakłopotaniem. — To znaczy... bardziej niebezpieczne niż sprawa ukrzyżowań sprzed dwóch lat.

— Muszę wiedzieć więcej, Shimonie.

— Mamy do czynienia z przestępcami innego kalibru. Działają skrycie, są skuteczni, szybcy, no i... niewidzialni, co czyni ich...

— Niepokonanymi?

— W każdym razie ty ryzykujesz życie... Początkowo o tym nie wiedziałem, inaczej nie wciągnąłbym w to twojego ojca. Sądziłem, że to jakaś prowokacja, pojedyncze morderstwo. Teraz jednak widzę, że oni są gotowi na wszystko.

— Kim są ci „oni"?

— Właśnie na tym polega problem — westchnął Shimon, żując wykałaczkę. — My, Szin Beth, nie wiemy, kim oni są. Wygląda na to, że pojawili się po to, by zabijać. Kiedy wypełnią swoją misję, znikną, a my nie zdołamy odnaleźć ich kryjówki.

— Izrael jest przecież małym krajem, nie tak łatwo się w nim ukryć...

— I tu się mylisz, Ary. Przez ostatnie dwa lata wiele się zmieniło.

— To znaczy?

— Otwarte granice z Jordanią, a przedtem z Egiptem, bardzo ułatwiły ucieczki. Mamy oczywiście agentów na Zachodnim Brzegu, ale nie kontrolujemy sytuacji. Wczoraj ogłosiliśmy alarm w bazie powietrznej Ramat David, w Megiddo. Rozumiesz teraz?

— Doskonale rozumiem.

— I dlatego proszę cię, Ary, żebyś działał ostrożnie. Bardzo ostrożnie.

Nazajutrz Jane i ja spotkaliśmy się z moim ojcem w hotelu, skąd mieliśmy wyruszyć do Masady.

Nie rozumiałem, dlaczego ojciec postanowił zawieźć nas

w to miejsce, co nim kierowało, ale miałem do niego zaufanie i wiedziałem, że w odpowiednim momencie wyjawi nam swój plan.

Prowadząc samochód stromą drogą z Jerozolimy na Pustynię Judzką, odpowiadał na pytania Jane, która siedziała obok niego.

— Masada znana jest przede wszystkim jako twierdza zelotów, którzy stawili opór Rzymianom, gdy została zniszczona Druga Świątynia w siedemdziesiątym roku, a potem, żeby nie dostać się do niewoli, popełnili zbiorowe samobójstwo.

Przy ostatnich słowach ojciec gwałtownie skręcił i zatrzymał samochód. Chwilę później wyprzedził nas szybko jadący wóz z przyciemnionymi szybami. Ojciec ruszył w ślad za nim.

— Co robisz? — zapytałem przestraszony.

— Ścigam tych, którzy ścigają nas.

— Ale po co?

— Bo w ten sposób nie mogą nas śledzić — odrzekł sucho ojciec, naciskając pedał gazu.

— A jeśli to ludzie z Szin Beth?

Powiedziałem mu, kto przyczepił mi mikrofon.

— Nie sądzę — pokręcił głową.

Jechaliśmy z prędkością stu sześćdziesięciu kilometrów na godzinę krętą drogą, wiodącą ku Morzu Martwemu. Jane przyciskała nerwowo pas bezpieczeństwa, a ja trzymałem się kurczowo fotela.

Ojciec, najwyraźniej rozwścieczony, zrównał się z tajemniczym autem.

— Kto jest wewnątrz? — zapytał.

— Nic nie widać — odpowiedziała Jane. — Szyby są przyciemnione... Chyba że...

Wyjęła z torebki coś, co przypominało lornetkę.

— Noktowizor — stwierdził ojciec, naciskając ponownie pedał gazu.

— Są zamaskowani czerwonymi *kufiami*... To... O Boże!

W tym momencie kule przebiły przednią szybę, dosięgając Jane, która osunęła się na podłogę.

Na przednią szybę trysnęła krew.

Ojciec przyhamował, pozwalając uciec napastnikom.

Zatrzymał się na poboczu. Wysiedliśmy szybko. Nachyliłem się nad Jane. Jej ramię obficie krwawiło. Ojciec wyjął z bagażnika apteczkę. Jane podwinęła rękaw, a ja oczyściłem i obandażowałem ranę.

— Nic mi nie będzie — powiedziała. — Kula tylko mnie drasnęła. Ale pana samochód...

Przednia szyba była strzaskana.

— Nieważne — odrzekł ojciec. — Sądzę jednak, że jeśli chcecie nadal zajmować się tą sprawą, musicie zaopatrzyć się w broń. Masz, Ary. — Podał mi pistolet. — Dał mi go dla ciebie Shimon.

— Kaliber siedem sześćdziesiąt pięć — stwierdziłem, biorąc broń. — Dzięki.

— A ja nadal uważam, że oni nie chcą nas zabić — odezwała się Jane.

— Jak to? — zdziwiłem się. — A ta kula?

— Widziałam ich. Widziałam wymierzoną we mnie lufę. Gdyby chcieli mnie zabić, już bym nie żyła. To było ostrzeżenie.

— Kolejne ostrzeżenie — zauważyłem.

— Tym razem nie był to Szin Beth — dodał ojciec.

— Z pewnością. Mam wrażenie, że Szin Beth chce ściągnąć na nas ich uwagę.

— Co masz na myśli, Ary?

— Dlaczego Shimon zwrócił się właśnie do nas?

— Bo tylko my mamy wiedzę potrzebną do prowadzenia tej sprawy...

— To on tak stwierdził.

— A jakie jest twoje zdanie?

— A jeśli Shimon użył nas jako przynęty?

Moje pytanie pozostało bez odpowiedzi.

— To co robimy? — zapytał ojciec. — Wracamy?

Masada widziana od północy jest potężną górą z urwistymi zboczami, na którą prowadzą dwie strome ścieżki. Gdy znaleźliśmy się u jej stóp, pomyślałem, że wygląda jak Qumran, choć bardziej przypomina twierdzę.

— Pod kierownictwem Ygaela Yadina, który dowodził oddziałem wojska i grupą archeologów — powiedział ojciec — zaraz po wojnie o niepodległość w tysiąc dziewięćset czterdziestym ósmym roku naukowcy odkryli Masadę i pałac Heroda. W ruinach znaleziono monety, dzbany z wyrytymi imionami właścicieli, fragmenty kilkunastu tekstów hebrajskich. Gdy w tysiąc dziewięćset sześćdziesiątym roku opublikowano część zwojów z Qumran, ich podobieństwo do tekstów z Masady wydało się naukowcom tak uderzające, że zaczęli się zastanawiać, czy zwoje znad Morza Martwego nie były dziełem jakiejś sekty żyjącej na Masadzie. Byli i tacy, którzy przypuszczali, że esseńczycy z Qumran dołączyli do obrońców Masady w ostatnich miesiącach drugiego powstania żydowskiego w roku siedemdziesiątym. Ja jednak uważam, że było odwrotnie.

— To znaczy?

— Myślę, że to zeloci połączyli się w końcu z esseńczykami, albo raczej schronili się u nich. Z opisu Józefa Flawiusza, dotyczącego okoliczności oblężenia Jerozolimy przez Rzymian, wynika, iż cała Galilea poddała się w końcu Rzymianom, oprócz zelotów, którzy uciekli do Masady. Obrońcy twierdzy, bohatersko opierając się Rzymianom, wykazali ich słabość, wręcz ich ośmieszyli. Wszyscy wiedzieli, co się wydarzyło w Masadzie. Zeloci swymi płomiennymi przemówieniami urzekli młodzież, a także esseńczyków, którzy żyli niedaleko stąd. Mieszkańcy Jerozolimy znaleźli się w dramatycznej sytuacji. Ukryli więc swoje bogactwa, księgi, a nawet filakterie, które znaleziono w grotach Qumran. Oblężenie i groźba zdobycia miasta tłumaczą, dlaczego pomimo licznych przeszkód ukryto zwoje poza jego obrębem.

— Dlaczego w Qumran znaleziono kopie, a nie oryginalne księgi z podpisami skrybów?

— Kapłani z Qumran przewidywali, co się wydarzy. Było dla nich jasne, że Świątynia zostanie zburzona i że kontynuację judaizmu zapewnić może tylko Księga Stworzenia oraz inne księgi, w których zawarta była jego duchowa i intelektualna istota. Dlatego podjęli próbę uratowania swoich pergaminów.

— A skarb? — zapytała Jane.

— Chodźcie, wejdziemy na górę — powiedział ojciec, nie odpowiadając na to pytanie.

— Już prawie południe — zaoponowałem. — Może pojedziemy kolejką linową?

— Coś ty, Ary — oburzył się ojciec. — Nigdy nie korzystamy z kolejki.

— Niech przynajmniej Jane pojedzie kolejką! Przecież jest ranna.

Jane pokręciła głową. Wiedziałem, że moje słowa uraziły jej dumę. Ojciec uśmiechnął się zagadkowo.

— Pójdę kupić wodę — zaproponowałem.

Przed budką, gdzie sprzedawano wodę, stała długa kolejka.

— Idziemy — rzucił ojciec. — Nie będziemy tracili tyle czasu.

Zaczęliśmy wspinaczkę, idąc tak zwaną wężową ścieżką, która przywodziła na myśl płaza o długim krętym ciele. Było gorąco, ręce i nogi ciążyły nam niemiłosiernie. Czuliśmy się tak, jakbyśmy się znaleźli w imadle, a jednocześnie jakaś siła pchała nas ku słońcu. Poruszaliśmy się jedynie siłą woli.

Nie mieliśmy nic na głowach, co przy tak ostrym słońcu mogło skończyć się fatalnie. Kręciło mi się w głowie z powodu wysokości, wysiłku i odwodnienia. Ojciec szedł dzielnie, jakby nie sprawiało mu to trudności, od czasu do czasu dodając coś do historii o bohaterskich zelotach, walczących z Rzymianami. Idąc za nim, zrozumieliśmy, dlaczego Rzymianie nie zdołali wspiąć się na szczyt góry. Jane, ciężko dysząc, szła druga, a ja zamykałem ten pochód, czując, jak zimny pot spływa mi po plecach.

Kiedy słońce znalazło się w zenicie, oprócz nas nie było na zboczu nikogo. Jane kilka razy spoglądała do tyłu, jakby chciała ocenić przebyty dystans.

— Jeszcze możemy zawrócić — powiedziałem.

— Przeszliśmy już chyba połowę drogi — odrzekł ojciec.

Jane nie odezwała się ani słowem. Była blada, na jej policzkach pojawiły się czerwone plamy. Zwolniła kroku.

Minąłem ją i dogoniłem ojca.

— Czego chcesz w ten sposób dowieść? — szepnąłem zdenerwowany. — Chcesz ją zabić?

Nie odpowiedział. Uparcie parł do góry krętą ścieżką. To było szaleństwo wspinać się w takim słońcu, w południe, nie mając ani kropli wody. To było szaleństwo, a on o tym doskonale wiedział.

Po dwóch godzinach dotarliśmy w końcu na szczyt.

Jane, która ostatni odcinek pokonała siłą woli, padła na jedną z ławek, stojących w słabym cieniu namiotu. Pobiegłem po wodę, którą kazałem Jane pić drobnymi łyczkami. Jej policzki powoli odzyskały normalną barwę i dziewczyna uśmiechnęła się do mnie.

Zostawiwszy ją, by nabrała sił, odciągnąłem ojca na bok.

— No i co? Jesteś zadowolony? Możesz mi powiedzieć, po co to było? Za co chciałeś ją ukarać?

Ojciec milczał.

— Czy powiesz mi wreszcie, do czego to wszystko zmierza?

— Sądzę, że Jane przeszła specjalny trening.

— Specjalny trening? Ale... o czym ty mówisz?

— Ary, wiesz doskonale, że inna kobieta nie zdołałaby wytrzymać nawet połowy tego, co ona, w dodatku ranna, bez wody.

— O co ci chodzi?

Niestety nie usłyszałem odpowiedzi i na to pytanie. Jane szła w naszą stronę.

— Jak się czujesz? — zapytałem.

— Dobrze. I co teraz będziemy robili?

Ojciec wskazał piękny widok roztaczający się z Masady.

— Można stąd podziwiać Qumran i Morze Martwe oraz Herodium — starożytny pałac Heroda Wielkiego. Ten pałac stał się siedzibą Bar Kochby, przywódcy drugiego powstania żydowskiego w sto trzydziestym drugim roku. Stąd możecie też zobaczyć wszystkie wymienione w Zwoju Miedzianym miejsca, gdzie ukryto skarb.

— Naprawdę? — zdziwiła się Jane.

— Żeby czytać Zwój Miedziany, konieczna jest dobra znajomość literatury rabinicznej, nie wystarczą do tego techniki komputerowe... Na przykład pierwsze zdanie „w odosobnionej dolinie Achor" odnosi się do konkretnego miejsca geograficznego.

Ojciec zaczął przytaczać listę przedmiotów wymienionych w Zwoju Miedzianym, który, jak się wydawało, znał na pamięć. Zupełnie jakby rozwijał przed nami zwój, odsłaniając całą jego zawartość, jakby sam był żyjącym, mówiącym zwojem, jakby rozległy pejzaż, rozciągający się przed naszymi oczami był palimpsestem, w którym ojciec chciał nam pokazać najstarszy i najświętszy tekst, sporządzony przez jakiegoś kopistę, a „nasze oczy słyszały i uszy widziały", jak ten tajemniczy zwój ukazuje jeden po drugim wszystkie cenne przedmioty.

— W pierwszej kolumnie Zwoju Miedzianego — opowiadał ojciec, pokazując palcem wschód, zachód, północ i południe — wspomniane są ruiny Horebbah, które znajdują się w dolinie Achor, gdzie pod stopniami od strony wschodniej została umieszczona srebrna skrzynia o wadze siedemnastu talentów. W kamiennym grobowcu leży sztaba ważąca dziewięćset talentów, pokryta osadami. Na dnie wielkiej cysterny, stojącej w perystylu na wzgórzu Kohlit, są schowane szaty kapłanów. W wielkim zbiorniku z Manos, trochę niżej na lewo, ukryto czterdzieści talentów srebra. Czterdzieści dwa talenty pod stopniami w zagłębieniu solnym. Sześćdziesiąt sztabek złota pod trzecim tarasem w dawnej grocie płuczkarzy. Siedemdziesiąt siedem talentów srebra w drewnianym naczyniu, które znajduje się w cysternie pogrzebowej komnaty podwórca Mathiasa. Piętnaście metrów od bramy wschodniej przebito w skale tunel, gdzie schowano sześć sztabek złota, a po stronie północnej basenu, na wschód od Kohlit — dwa talenty przedmiotów ze srebra. Sakralne naczynia i szaty ukryto w północnym zboczu Milham. Wejście znajduje się od strony zachodniej. Trzynaście talentów srebrnych przedmiotów umieszczono w głębi grobowca na północny wschód od Milham. Mam kontynuować?

— Tak, proszę — powiedziała Jane, która wyjęła notes i zaczęła rysować usytuowanie schowków.

— Czternaście talentów srebra znajduje się pod słupem od strony północnej wielkiej cysterny w Kohlin. Kilka kilometrów od tego miejsca, w pobliżu kanału, schowano czterdzieści pięć talentów srebra. W dolinie Achor zostawiono dwa dzbany pełne srebrnych przedmiotów. Nad grotą Ashlah — dwieście talentów srebra. Siedemdziesiąt siedem talentów srebra w tunelu na północ od Kohlin. Pod kamieniem grobowym w dolinie Sekaka — dwanaście talentów srebra. Nie warto tego notować.

Jane spojrzała na niego.

— Dlaczego?

— Nad kanałem wodnym na północ od Sekaka, pod wielkim kamieniem, jest siedem talentów srebra. W szczelinie skalnej Sekaka, na wschód od zbiornika Salomona, ukryto naczynia sakralne. Obok kanału Salomona schowano dwadzieścia trzy talenty srebra. Kolejne dwa talenty srebra znajdują się pod grobowcem w korycie wyschłej rzeki Kepah, między Jerychem i Sekaka.

Oboje z Jane słuchaliśmy zaskoczeni jego doskonałą pamięcią i różnorodnością skarbów, które miały znajdować się w promieniu zaledwie kilku kilometrów od nas.

Ojciec odwrócił się i pokazując w kierunku Qumran, ciągnął:

— Czterdzieści dwa talenty srebra pod zwojem w urnie ukrytej pod jednym z dwóch wejść do groty na słupach, od strony wschodniej. Dwadzieścia jeden talentów srebra pod wejściem do groty, pod wielkim kamieniem. Siedemnaście talentów srebra w ścianie zachodniej Mauzoleum Królowej. Pod kamieniem grobowym Twierdzy Arcykapłana — dwadzieścia dwa talenty srebra. Czterysta talentów srebra pod kanałem wodnym Qumran, w kierunku zbiornika północnego. Pod grotą Beth Qos — sześć sztabek srebra. We wschodnim rogu cytadeli Doq — dwadzieścia dwa talenty srebra. Pod kamieniami przy źródle rzeki Kozibash — sześćdziesiąt talentów srebra i dwa talenty złota. Sztabka srebra, dziesięć naczyń sakralnych i dziesięć ksiąg znajduje się w akwedukcie na drodze na wschód od Beth Ashor i Ahzor. Pod kamieniem grobowym u wejścia do wąwozu Potter — cztery talenty srebra. Pod komnatą grobową w południowo-zachodniej części doliny Ha-Shov — siedemdziesiąt talentów. Pod nawodnionym terenem Ha-Shov — siedemdziesiąt talentów srebra. Już mówiłem, że nie warto robić notatek.

Jane, która znów sięgnęła po długopis, znieruchomiała.

— Pod zboczem Nataf — siedem talentów srebra. Pod piwnicą w Chasa — dwadzieścia trzy i pół talenta srebra. Pod grotami z widokiem na morze z komnat Horona — dwadzieścia dwa talenty srebra. W pobliżu kanału od strony wschodniej kaskady — dziewięć talentów srebra.

Ojciec przerwał na moment, po czym odwróciwszy się w kierunku Jerozolimy, mówił dalej:

— Sześćdziesiąt dwa talenty srebra znajdują się w odległości siedmiu kroków od zbiornika Beth Hakerem. Trzysta talentów złota przy samym stawie w dolinie Zok, od strony zachodniej, pod czarnym kamieniem, ułożonym na dwóch podporach. Osiem talentów srebra — w zachodniej ścianie grobowca Absaloma. Siedemnaście talentów pod kanałem poniżej latryn. Złoto i naczynia sakralne ukryto w czterech rogach zbiornika. W pobliżu, w północnym rogu portyku grobowca Zadoka, pod kolumnadą — dziesięć naczyń sakralnych z darami ofiarnymi. Przedmioty ze złota i dary ofiarne pod narożnym kamieniem obok słupów tronu, na zachód od ogrodu Zadoka. Czterdzieści talentów srebra schowano w grobowcu pod kolumnadą. Czternaście sztuk naczyń sakralnych pod grobowcem ludu Jerycha. Naczynia z drewna aloesu i białej sosny w Beth Esdatain, w zbiorniku, który znajduje się w wejściu do niewielkiego basenu. Ponad dziewięćset talentów srebra w pobliżu źródeł potoku, przy zachodnim wejściu do komnaty grobowej. Pięć talentów złota i osobno sześćdziesiąt talentów pod czarnym kamieniem. W pobliżu tego czarnego kamienia komnaty grobowej czterdzieści dwa talenty sztuk srebra. Sześćdziesiąt talentów srebra oraz naczynia sakralne w skrzyni umieszczonej pod stopniami wyższego tunelu góry Garizim. Sześćdziesiąt talentów srebra i złota w pobliżu strumienia Beth-Sham. Siedemdziesiąt talentów pod podziemną rurą odpływową komnaty grobowej.

Ojciec przerwał i usiadł na kamieniu.

— Jak widzicie, to wielki skarb i trzeba było wykonać nie lada pracę, żeby go ukryć. To, co się wydarzyło...

Umilkł, żeby zaczerpnąć tchu. Jego pełne emocji oczy błyszczały z niezwykłą intensywnością. Był to znak, że zamierza zabrać nas w jedną z tych fantastycznych podróży w czasie, bo nikt tak jak mój ojciec nie umiał opowiadać historii z przeszłości.

Wokół nas zebrała się grupa ludzi, turystów i Izraelczyków, zwabionych opowieścią o skarbie, który być może istnieje, a może jest tylko wytworem fantazji.

— Działo się to w czasach starożytnych, w siedemdziesiątym roku naszej ery, czterdzieści lat po śmierci Jezusa — zaczął ojciec. — Jerozolima była oblegana przez Rzymian. W ciemnościach, które zapadły nad ziemią, w ogromnym trzasku i kurzu, Jerozolima zajęła się ogniem. Do świętego miasta wkroczył Tytus z sześćdziesięcioma tysiącami żołnierzy. Zaczął od ataku od północy i zachodu, a gdy jego tarany zrobiły pierwszy wyłom w murze, wysłał do obrońców miasta Józefa Flawiusza z propozycją, aby się poddali, lecz oni odmówili. Wówczas Rzymianie otoczyli Jerozolimę pierścieniem, budując wokół niej mury, na skutek czego w mieście zapanował głód. Gdy rzymskie tarany zaatakowały Wieżę Antonia, Żydzi zamknęli się w obrębie Świątyni. I tak zaczęło się jej oblężenie. Przez sześć dni Rzymianie usiłowali zburzyć ją taranami, lecz mur się nie poddawał. Wyglądało na to, że nic nie jest w stanie zburzyć Świątyni wzniesionej przez Heroda, niestrudzonego budowniczego. Jej białe kamienne bloki były niezwykle ciężkie, każdy ważył tonę.

Za skarb Świątyni odpowiadał Eliasz, syn Merenota, pochodzący z rodu Akkosów. Był to bardzo młody, ostatni żyjący przedstawiciel tej rodziny. Wszystkich pozostałych zabili Rzymianie, którzy pragnęli splądrować Świątynię i zawładnąć jej skarbami. Eliasz, zdając sobie sprawę z nieuchronności klęski, postanowił, że nie pójdzie w ślady ojca i wujów, którzy oddali życie, strzegąc Świątyni. Wiedział, że Świątynia zostanie zburzona po raz drugi i że nikt nie zdoła temu zapobiec. Można jednak było uratować to, co zawierała — święte teksty spisane na pergaminach, przedmioty rytualne, a także złoto i srebro — jej bajeczne skarby. Eliasz zebrał więc kapłanów Świątyni lewitów w wielkiej Sali Zgromadzeń. „Przyjaciele, powiedział do nich, nie jestem kapłanem jak wy, bo mój ród został pozbawiony tej godności od czasów wygnania babilońskiego, ale pochodzę z długiej linii kapłanów i dlatego powinniście mnie wysłuchać, choć jestem tylko strażnikiem skarbu Świątyni. Świątynia zostanie unicestwiona, to nieuniknione. Najeźdźcy z każdym dniem są coraz bliżej. Udało im się zrobić kolejne wyłomy w murze, wkrótce więc nadejdzie dzień, kiedy Świątynia spłonie i wszystko, co się w niej znajduje, strawi ogień. A my, podobnie jak nasi przodkowie, zostaniemy wywiezieni do Babilonu, rozproszymy się po całym świecie. Jeśli Świątynia zostanie zburzona, jeśli nie będziemy mieli ojczyzny, jeśli stracimy Jerozolimę, nic już nas nie zjednoczy i będzie to koniec naszego ludu". Przerażeni kapłani, popatrując na siebie, słuchali go w milczeniu. „Nie możemy przeszkodzić zniszczeniu Świątyni, ale jest coś, co możemy ocalić, coś bardzo ważnego, co nas łączy" — ciągnął Eliasz. Wszyscy wpatrywali się w niego, czekając, co powie. On zaś odetchnął i mówił dalej: „Błagam więc was, przyjaciele, powierzcie mi pergaminy, święte zwoje Tory, abym mógł je uratować i ukryć w znanym sobie miejscu na Pustyni Judzkiej. Tam będą bezpieczne przez całe lata, aż powrócimy i odbudujemy Świątynię. Jeśli nie powierzycie mi tych tekstów, zginą na zawsze, zostanie po nich tylko popiół. A wraz z nimi zniknie judaizm, nasza tradycja i nasz lud!". Lewici i kapłani kiwali głowami, mruczeli słowa aprobaty, przejęci jego słowami. Było ich niewielu, zaledwie kilkunastu, ale kilkunastu to już Zgromadzenie. W końcu arcykapłan podniósł się i powiedział: „Eliaszu, synu Merenota, z rodu Akkosów, tak jak powiedziałeś, jesteś tylko strażnikiem skarbu Świątyni. Od czasów wygnania twoje pochodzenie jest niepewne i nie możemy traktować cię jak kogoś nam równego. Dlatego zabierzesz wszystkie przedmioty znajdujące się w Świątyni oraz skarb, którego masz strzec, ale nie weźmiesz ksiąg. My będziemy je chronili aż do końca, albowiem Przedwieczny, który uratował Żydów z Egiptu, poprowadzi nas i uczyni cud! Dwa tysiące lat temu lud Abrahama zamieszkał w krainie Kanaan, między Jordanem i Morzem Śródziemnym. Potem wielu Żydów wyemigrowało do Egiptu, ale pod przewodem naszego proroka Mojżesza wrócili do Kanaanu. Siedemset lat temu królestwo stworzone przez Dawida i Salomona zniszczyli Asyryjczycy i lud żydowski został uprowadzony w niewolę do Babilonu. I znowu powróciliśmy tu dzięki Cyrusowi, królowi Persji. Minęło trzysta lat, nasza ziemia dostała się pod panowanie Rzymian i zaczął rządzić nami zwykły rzymski namiestnik. Teraz znowu grozi nam wywiezienie daleko od naszej ziemi, ale my wrócimy, jak zawsze wracaliśmy! Z Babilonu czy z Egiptu, z Galii czy z Persji".

„Gdy powrócimy, będziemy musieli się zjednoczyć i udowodnić światu nasze prawo do tej ziemi — dodał Eliasz głosem drżącym ze wzruszenia. — I tylko te teksty pozwolą nam przekonać świat, że ta ziemia należy do nas. I tylko te księgi pozwolą nam zachować na zawsze wspomnienie o naszej ojczyźnie i nie dadzą nigdy zapomnieć o Jerozolimie".

„Eliaszu, synu Merenota, jesteś zelotą" — rzekł arcykapłan. Arcykapłan wiedział, że w ten sposób go dyskredytuje. W odróżnieniu od faryzeuszy i kapłanów zeloci, pochodzący z ludu ekstremiści, nie zgadzali się na układy z okupantem i pragnęli przyspieszyć realizację boskich obietnic.

„Wiem, że zeloci zorganizowali powstanie i że chcą zawładnąć Jerozolimą — odrzekł Eliasz. — Ale mój cel jest inny".

Eliasz nie śmiał patrzeć arcykapłanowi w oczy. To on w Jom Kippur wchodził do Świętego Świętych i rozmawiał z Bogiem. A temu, co mówił arcykapłan, nie wolno było się sprzeciwiać. Tak więc Eliasz nie powiedział nic więcej, ale po jego policzkach płynęły łzy, ponieważ przewidywał koniec swego ludu. Gdy opuszczał Świątynię, w jego sercu panował smutek. Przeszedł przez Plac Świątyni. Z oddali słychać było trzask rzymskich taranów, usiłujących rozbić mury. Spojrzał w dół i zakręciło mu się w głowie. Pustka w dole przyciągała go, przywoływała do siebie.

„Eliaszu, Eliaszu — usłyszał za sobą czyjś głos — wiem, dlaczego twoje serce jest smutne, i sądzę, że masz rację. Proszę cię jednak, nie rzucaj się w przepaść!".

Eliasz odwrócił się. To Tsipora, córka arcykapłana, która często zakradała się do Świątyni, między mężczyzn, a ponieważ była jeszcze małą dziewczynką, więc jej nie wyrzucano.

„Mój ojciec — mówiła Tsipora — nie chce powierzyć ci świętych tekstów, lecz możesz zabrać kopie, sporządzone przez doświadczonych skrybów, możesz też zebrać wszystkie kopie, jakie znajdziesz u kapłanów, u ich rodzin, przyjaciół oraz przyjaciół tych przyjaciół, i ukryć je wszystkie daleko od Świątyni!".

Eliasz, słuchając tych słów, uradował się, albowiem znalazł odpowiedź na swoje wątpliwości. Postąpi tak, jak powiedziała Tsipora. Zebrał więc wszystkie kopie tekstów, które znajdowały się w bibliotece Świątyni, u kapłanów oraz u mieszkańców miasta. Były to dobre kopie, sporządzone przez doskonałych skrybów. Potem zgromadził wszystkie przedmioty ze Świątyni — wazy, naczynia, kadzielnice, całe srebro i złoto — i zaczął przygotowywać się do drogi.

Ludzie skupieni wokół ojca słuchali go z wielką uwagą. Małe dzieci przecisnęły się do przodu, żeby nie uronić ani słowa. Ojciec ściszył głos i opowiadał dalej:

— Była noc. Długa karawana posuwała się w ciszy tunelem, biegnącym pod Świątynią i pod murami miasta. Dziesięć wielbłądów i dwadzieścia osłów niosło drogocenny ładunek. Szło z nimi piętnastu ludzi z Eliaszem na czele. Dwóch z nich ubranych było w szaty rzymskie, byli bowiem szpiegami, którzy mówili doskonale językiem Rzymian. Po wyjściu z miasta zagłębili się w pustynię, na której pozostali przez wiele dni. Gdy zapadała noc, zatrzymywali się w wybranych miejscach. Eliasz postanowił sporządzić plan z wykazem wszystkich przedmiotów i kryjówek, w których zostały złożone. Nie miał jednak pergaminu, bo podczas oblężenia miasta zostały zabite i zjedzone wszystkie żyjące w nim zwierzęta. Wpadł więc na pomysł, by zrobić zwój, którego nie zniszczy czas, nie zjedzą szczury, którego nie da się zatrzeć. Zwój z miedzi.

Ojciec przerwał na chwilę. Jane patrzyła na niego zadziwiona.

— Nie było także skrybów, ponieważ wszystkich zabili Rzymianie, podyktował więc tę listę pięciu ludziom, którzy potrafili pisać.

— W jakim celu? — zapytał ktoś z otaczającej nas grupy.

— W jakim celu? — powtórzył ojciec. — Oczywiście po

to, żeby mając te wszystkie rzeczy, odbudować Świątynię w bliższej lub dalszej przyszłości. Świątynia ucieleśnia historię naszego narodu, który dzięki niej będzie mógł się odrodzić.

— Dlaczego jednak wziął do pisania pięciu ludzi, a nie jednego?

— Aby żaden nie znał pełnej listy kryjówek, w których złożono skarby. I żeby ta tajemnica nigdy nie została ujawniona. W trakcie drogi, gdy dojeżdżali do miejsc, gdzie miały być ukryte skarby, Eliasz za każdym razem brał jednego wielbłąda i jednego osła, oddalał się od karawany, ponieważ nikt poza nim nie miał prawa wiedzieć, gdzie znajdują się kryjówki. Któregoś dnia o świcie Eliasz ukrył przedmioty wiezione przez dwudzieste pierwsze zwierzę, a kiedy wracał, zobaczył, że dwaj jego ludzie przebrani za Rzymian rozmawiają z prawdziwymi Rzymianami, którzy zabierali się właśnie do przeszukiwania juków. Zostały jeszcze cztery osły i pięć wielbłądów wiozących pergaminy. Resztę przedmiotów ze Świątyni zdążono ukryć. Rzymianie spodziewali się, że znajdą jedzenie, złoto lub srebro, ale oto mieli przed sobą karawanę z pergaminami. Wrócili więc do swoich towarzyszy. W patrolu było kilkunastu ludzi. Eliasz trzymał się w ukryciu, czekając, co się stanie. Czy pozwolą im odjechać? Co powiedzieli jego ludzie i czy Rzymianie im uwierzyli? Minęło kilka pełnych napięcia minut. Na pustyni panowała cisza, nie słychać było ani tchnienia wiatru, ani żadnego innego dźwięku i tylko słońce paliło niemiłosiernie, przyprawiając o szaleństwo.

Nagle Rzymianie ustawili się w szyku i zaatakowali karawanę. Byli na koniach, mieli więc przewagę. Eliasz, ukryty za skałą, patrzył bezsilny i przerażony, jak Rzymianie bezlitośnie zabijają mieczami jego ludzi, nie oszczędziwszy fałszywych Rzymian, którzy stanęli w obronie karawany. To była masakra. Gdy rzymski patrol się oddalił, pozostały tylko wielbłądy, osły i przytroczone do nich zwoje. Rzymianie zabili wszystkich.

Eliasz wyszedł z ukrycia. Puścił wolno zwierzęta, które niczego już nie wiozły, zabrał zaś te, na grzbietach których spoczywały ciężkie dzbany ze zwojami. Podjął marsz przez pustynię, idąc na skróty, by nie spotkać Rzymian. Za nim podążały zwierzęta, spragnione wody i wyczerpane podobnie jak on. Posuwały się wolno w słońcu, po kamieniach i skałach, wioząc manuskrypty tam, gdzie miały być ukryte, żeby przetrwać wieczność.

Ze szczytu jednej ze skał Eliasz dostrzegł morze w samym sercu pustyni. I nie był to miraż. Zrozumiał, że dotarł do celu. Żyła tam grupa ludzi niepodobnych do innych, modlących się żarliwie, poddających się ceremonii oczyszczenia, czekających na koniec świata, przygotowujących się do tego, przestrzegających dawnych praw. Nazywano ich esseńczykami. Eliasza powitał nauczyciel, stary mężczyzna w białej szacie, dawny kapłan Świątyni o imieniu Ithamar. „Skąd przybywasz, wędrowcze? — zapytał. — Wyglądasz na bardzo zdrożonego". „Przybywam ze Świątyni — powiedział Eliasz. — Świątynia wkrótce zostanie zburzona. Rzymianie lada moment przebiją się przez mury miasta. Uciekłem więc, zabierając ze sobą nasze święte teksty. Chcę powierzyć je wam, żebyście ich strzegli". „Dlaczego przywiozłeś kopie?" — zdziwił się Ithamar. „Bo kapłani Świątyni nie zgodzili się, bym zabrał oryginały". „Kapłani Świątyni... — powtórzył Ithamar. — Saduceusze. To przez ich upór zburzona zostanie Świątynia". „Przywiozłem także zwój, na którym umieściłem wykaz wszystkich kryjówek, w których znajdują się teraz skarby Świątyni". „Wywiozłeś skarby Świątyni?".

Eliasz spotkał więc esseńczyków, którym powierzył manuskrypty, a esseńczycy przyjęli je i złożyli niemożliwą do spełnienia obietnicę, że te teksty przetrwają mimo wojen, mimo upływu czasu, który wszystko niszczy, mimo przemijających pokoleń ludzi. Przyrzekli, że będą strażnikami tych tekstów.

Potem Eliasz został wprowadzony do Sali Spotkań i przemówił do zgromadzonych tam Licznych: „Przyjaciele, kiedy nadejdzie czas, trzeba będzie odbudować Świątynię. Oto zwój, na którym zapisałem miejsca ukrycia skarbów Świątyni. Za ten zwój i za inne zginęli ludzie. Oddali życie po to, abyśmy mogli ponownie ujrzeć któregoś dnia Świątynię. Zwój ten przekazuję wam, ponieważ jesteście strażnikami pustyni, ponieważ na waszej pustyni znajduje się teraz skarb Świątyni, niedaleko od waszych grot, niedaleko od Jerozolimy. Wy wszyscy, dopóki nie zostanie odbudowana Świątynia, będziecie zarzewiem Historii, będziecie Świątynią".

Ojciec urwał na chwilę. Wokół nas stało teraz jeszcze więcej ludzi. Przyłączyły się grupy Amerykanów i Włochów. Wszyscy w milczeniu słuchali słów o przeszłości, wypowiadanych w ogromnym teatrze Masady.

— Tego samego dnia pewien żołnierz rzymski podkradł się do murów Świątyni. Nie otrzymał żadnego rozkazu od swoich dowódców. Nikt nie polecił mu zrobić tego, co zamierzał. Wspiął się do jednej ze strzelnic w murze. Ściany tego pomieszczenia wyłożone były drewnem cedrowym. Podpalił trzymaną w ręku gałąź i wrzucił w otwór strzelnicy. Gdy Eliasz powrócił, Świątynia stała w ogniu. Zapanował chaos, pożar objął całą Jerozolimę, zabijając przerażony lud Izraela.

Eliasz patrzył z Góry Oliwnej na Jerozolimę, otoczoną polami i mokradłami. Widział kilka drzew na Wieży Dawida, drogę prowadzącą do murów i okalające miasto nagie góry, widział płonącą Jerozolimę, zbudowaną na skraju pustyni. Stojąca w ogniu Świątynia była plądrowana, tysiące mężczyzn, kobiet i dzieci, szukających ucieczki, mordowali rzymscy żołnierze. Topiło się złoto, którego wszędzie było pełno. Złote płytki spływały kroplami z fasady Świątyni, ze ścian, z bramy między przedsionkiem i samym sanktuarium. Osuwały się poczerniałe od dymu mocno osadzone kamienie i solidnie uformowane nasypy. Wszystko zamieniało się w popiół. Wszystko stawało się ruiną. Runął majestatyczny świątynny pinakel. Plac Świątyni, którego piękno zapierało dech, osunął się do doliny Cedronu, na wprost Góry Oliwnej ze srebrzystym listowiem, przepięknych tarasów zwieńczonych schodami, portyków i ogrodów. Plac Świątyni, cud nad cudami, był już tylko gigantycznym ołtarzem, na którym płonął ogień. Wysokie portyki z ciężkiego kamienia padały jeden po drugim, a wraz z nimi ściany podtrzymywane kolumnami. Królewski portyk, z którego kapłan trąbieniem w *szofar* ogłaszał nadejście szabatu, rozpadł się na kawałki jak rozbity dzban.

Posadzki z marmuru odklejały się, mozaiki blakły, Kopuła rozpadła się na części, zawaliły się wszystkie bramy, runęły sklepienia, popękały wielkie łuki, ze ścian zostały tylko gruzy. Biały marmur poczerniał od sadzy, nawet niebo było czarne, dym nie przepuszczał żadnego światła. Paliły się ściany Świątyni wyłożone cedrem, ozdobione kwiatowym motywem ze złota, a wraz z nimi płonęły drzwi i futryny, długie przedsionki, kolumny i stele, posadzki i stopnie. Wszystko trawił bezlitosny ogień. Piętra runęły na Ołtarz Całopalenia, z którego tryskały w górę wysokie płomienie, topił się brąz, cegła czerniała od rozpalonego kadzidła; grube mury hal targowych i magazynów osuwały się niczym liście. Rozsypywały się w gruzy domy wszystkich okolicznych dzielnic. Wieże niezdobytej cytadeli, okolonej potrójnymi murami obronnymi, zamieniły się w ruinę, tak samo jak koszary i pałac Heroda, broniony grubymi murami, składający się z dwóch głównych budynków, z salami biesiadnymi, łazienkami, apartamentami królewskimi otoczonymi ogrodami, krzewami, basenami i fontannami. Topiąca się miedziana Brama Nicanora, która jakimś cudem ocalała z katastrofy podczas transportu morzem, przez którą przechodziło się z dziedzińca kobiet do ostatnich wewnętrznych dziedzińców, spływała jak wino po piętnastu stopniach prowadzących do niej. To na nich stawali niegdyś lewici, którzy śpiewali, akompaniując sobie na instrumentach muzycznych.

Tylko dymiące zgliszcza zostały z dziedzińca Izraelitów, którzy nie należeli do rodzin kapłańskich ani do lewitów, z Komnaty Ciosanych Kamieni, gdzie zbierał się Sanhendryn, z Sali Ognia, gdzie spędzali noc kapłani, wyznaczeni do jego pilnowania. Płomienie objęły ołtarz z bielonego kamienia, który nie mógł mieć żadnego kontaktu z żelazem, a miejsce ofiarne z marmurowymi tablicami, słupy i kamienie, gdzie kapłan święcił czerwoną jałówkę, samo stało się ofiarą.

Ze wszystkich stron wybiegali ludzie, tysiące, tysiące ludzi, przepychających się, uciekających w panice przed ogniem. Kobiety niosły na rękach płaczące dzieci, kapłani prowadzili zawodzący tłum. Wszyscy jednak padali ofiarą ognia, zasypywały ich kamienie, dusili się od pyłu i żaru. A tych, którym udało się uciec przed ogniem, chwytali Rzymianie, zabijając mężczyzn, kobiety i dzieci.

Eliasz wzniósł oczy do nieba i modlił się do Boga, który wie wszystko, co było i co będzie, prosił go, by w przyszłości Świątynia mogła zostać odbudowana, by nadszedł dzień, kiedy będzie mógł zebrać wszystkie ofiary przyniesione przez ludzi przybyłych z czterech stron świata.

Ojciec umilkł. Wstał i odszedł kilka kroków, dając do zrozumienia, że opowieść jest skończona. Słuchacze zaczęli rozchodzić się w milczeniu. Zostaliśmy sami.

— Dwa tysiące lat później — powiedział cicho ojciec — byłem tam. Wchodziłem w skład ekspedycji archeologicznej, która prowadziła badania Zwoju Miedzianego. W kolumnie pierwszej jest wspomniany mur z szerokim otworem. Któregoś dnia znaleźliśmy się w grotach w pobliżu Morza Martwego, gdzie ujrzeliśmy wnękę w górnej części skalnej ściany. Była to pierwsza wnęka w tym miejscu. Na szczycie góry znalazłem jaskinię odpowiadającą opisowi ze zwoju. Wszedłem tam z kierownikiem ekspedycji. Dno jaskini pokrywały kamienie. Jeden z nich przyciągnął moją uwagę — nie był to zwykły kamień. Wyglądał, jakby obrobiła go ręka człowieka. Zrozumiałem, że trzeba kopać w tym miejscu. Po kilku godzinach odsłoniliśmy blok z granitu o wadze kilkudziesięciu kilogramów. Kiedy go odsunęliśmy, ukazało się wejście. Prowadziło do gigantycznej komory, od której odchodził korytarz. Dotarliśmy nim do okrągłego pomieszczenia. Szliśmy dalej w dół, tak wąskim tunelem, że musieliśmy przeciskać się przezeń niczym węże. Nagle stało się coś przedziwnego. Na końcu tunelu, w całkowitych ciemnościach, dziesięć metrów przede mną ujrzałem niebieskawą poświatę, unoszącą się nad dnem kolejnej pieczary. Zawołałem do moich towarzyszy, żeby nie szli za mną, oni jednak mnie nie usłyszeli, bo mówiłem cicho, by nie spowodować obsunięcia się ścian. Ruszyłem naprzód sam, jakby wołała mnie jakaś nadprzyrodzona siła, jakaś dziwna moc, emanująca z tego niezwykłego światła, półprzezroczystego na tle skały, czystego i bardziej niebieskiego niż morze, przybierającego odcienie turkusowej zieleni, fiołkowego różu, pastelowego błękitu, granatowo-czarnego koralu, światła płynącego nie z góry... lecz wydobywającego się z głębi ziemi! Gdy dołączyli do mnie pozostali, zjawisko znikło. Wszyscy uznali, że padłem ofiarą halucynacji. Dopiero później zrozumiałem, co to było. Pewien fizyk wyjaśnił mi, że gdy promień słońca stojącego w zenicie przenika przez skały do wnętrza pieczary, intensywność jego światła jest tak wielka, iż rzuca poświatę daleko w głąb. Nic jednak nie mogło zatrzeć wrażenia tej nadnaturalnej migotliwej iluminacji, jaką zobaczyłem w pieczarze. Może była to część skarbu, jedyne, co z niego pozostało?

— Myśli pan, że skarbu już tu nie ma? — zapytała Jane.

— To, co myślę, nie ma większego znaczenia. Archeolodzy uznali treść zwoju za nieprawdopodobną, nie wierzą już w istnienie skarbu. Szkoła Biblijna z Jerozolimy, bardzo katolicka, która przywłaszczyła sobie teksty z Qumran na prawie dwadzieścia lat, nie chcąc dopuścić do nich innych badaczy, zamierzała utrwalić przekonanie, że ich treść jest tylko wytworem wyobraźni, że nie jest możliwe, aby ten skarb istniał naprawdę.

— Dlaczego? — chciała wiedzieć Jane.

— Zawsze z tego samego powodu. Nie chcą, by odbudowano Świątynię.

— Profesor Ericson również uważał, że to złoto i srebro pochodziło z Jerozolimy, że należało do Świątyni. Dlatego zorganizował naszą grupę.

— Co znaleźliście?

— Jak do tej pory niewiele — odpowiedziała cicho Jane. — Dzbany, zapasy kadzidła, ketorytu, które mogłyby pochodzić ze Świątyni. Jeden gliniany dzban pełen był popiołu po spalonych zwierzętach...

Ojciec zamyślił się na moment. Nasze spojrzenia skrzyżowały się. Mieliśmy to samo skojarzenie.

— Prochy czerwonej jałówki — powiedzieliśmy równocześnie. Jane popatrzyła na nas pytająco.

— Chodzi o jałówkę rzadkiej rasy — wyjaśniłem — której prochy niezbędne były do rytualnego oczyszczania ludzi. Ta jałówka, bez żadnych wad czy ułomności, musiała być zwierzęciem, które nigdy nie zaznało jarzma. Spuszczano jej krew i skrapiano nią ołtarz siedem razy. Potem palono jałówkę, a arcykapłan wrzucał do ognia gałązki cedru, hizopu oraz karmazynu. Popiół ze zwierzęcia składano w czystym miejscu. Używano go do oczyszczania wody przeznaczonej do obmywania się z grzechów. Czasami potrzeba było wielu lat, by znaleźć czerwoną jałówkę tej rasy, bez żadnych wad i ułomności. Według Starego Testamentu tylko takie zwierzę nadawało się do rytuału oczyszczania w Świątyni.

— Sądzi pan, że Eliasz schował w Qumran te popioły w nadziei, że Świątynia zostanie kiedyś odbudowana?

— Z całą pewnością.

— Co działo się potem? — spytała Jane.

— Potem? — Ojciec zastanawiał się przez chwilę. — Dzięki rękopisom znad Morza Martwego, znalezionym w Qumran, ustalono dalszy przebieg wydarzeń. Świątynia została zniszczona. Cały kraj dostał się we władanie Rzymian, ale grupa zelotów przeciwstawiła się najeźdźcom. W sto trzydziestym drugim roku naszej ery cesarz Hadrian ogłosił, że Jerozolima jest miastem rzymskim, zbudował nową świątynię w miejscu, gdzie stała pierwsza. Wówczas wybuchło powstanie, na czele którego stanął Shimon Bar Kochba. Było to sześćdziesiąt lat po zburzeniu Świątyni. Poparło go wielu znanych rabinów. Jeden z nich, mędrzec Akiwa, największy rabin Izraela, nazwał Bar Kochbę Mesjaszem. Kiedy Bar Kochbie udało się wyzwolić Jerozolimę, ogłosił, że Judea jest wolna. Hadrian wysłał jednak swego dowódcę Sewera, by uśmierzył bunt. Sewer dokonał tego, otaczając ufortyfikowane placówki żydowskie i biorąc obrońców głodem. W powstaniu zginęło ponad pięćset osiemdziesiąt tysięcy Żydów. Qumran zaś stało się miejscem schronienia powstańców i ich przywódcy. Bar Kochba poznał przechowywane tam teksty, a w szczególności Zwój Miedziany. Wtedy w jego głowie zrodziła się szalona idea odzyskania Jerozolimy i odbudowy Świątyni. A działo się to siedemdziesiąt lat po tym, jak Eliasz złożył u esseńczyków Zwój

Miedziany i ukrył skarby Świątyni. Dlatego też uwierzono, że Bar Kochba jest Mesjaszem. Kiedy jednak Kochba dowiedział się, że padło Herodium — dawny pałac Heroda Wielkiego, główny punkt oporu powstańców — zrozumiał, że jego misja się nie udała. Zostawił Zwój Miedziany tam, gdzie go znalazł, i wyruszył do Betar. Tam umarł, nie tracąc nadziei, że w przyszłości ktoś zdoła odbudować Świątynię.

Ostatnie słowa ojciec wypowiedział, wpatrując się we mnie.

— Zwracając Zwój Miedziany esseńczykom, Bar Kochba wzbogacił skarb Świątyni darami bogatych Żydów z diaspory, którzy popierali powstanie. Dysponował znaczącą sumą, którą umieścił w kryjówkach Eliasza.

— Dlaczego Rzymianie tak zażarcie występowali przeciw Świątyni? — zapytała Jane.

— Rzymianie zdawali sobie sprawę, że Jerozolima, dążąc do przetrwania poprzez Świątynię, da światu sygnał, iż nadejdzie kiedyś koniec rzymskiej dominacji.

— I co było potem?

Jane i ja zadaliśmy to pytanie jednocześnie. Ojciec ponownie się uśmiechnął. Znałem ten jego uśmiech, łagodny, pewny siebie, naturalny.

— Minęło dwa tysiące lat, zwoje zostały odnalezione i przekazane naukowcom z międzynarodowej ekipy. Zwojem Miedzianym zajmował się od kilku lat profesor Ericson.

Słysząc to nazwisko, Jane zbladła. Podchwyciłem jej spojrzenie, które nagle stwardniało, gdy napotkała mój wzrok.

— Profesor tak pasjonował się tym zwojem, że postanowił odnaleźć skarb Świątyni. Miał nadzieję, że istnieje naprawdę. Na początku nie było to wcale proste. Odnaleziony w Qumran Zwój Miedziany został przewieziony w czasie wojen izraelsko-arabskich do Ammanu w Jordanii. Profesor Ericson przekonał dyrektora Jordańskiego Wydziału Ochrony Zabytków, że jest możliwe znalezienie skarbu wspomnianego w Zwoju Miedzianym. I wtedy, nie po raz pierwszy zresztą, archeologia zetknęła się z polityką. W tysiąc dziewięćset sześćdziesiątym siódmym roku, po miesiącu gróźb ze strony Egiptu i Syrii, Izrael zaatakował Egipt. Następnego dnia wybuchły walki na granicy Izraela z Jordanią. A potem doszło do bitwy o Jerozolimę. W centrum walk znalazły się dwa ważne obiekty — Ściana Płaczu i leżące w arabskiej części miasta Muzeum Rockefellera, w którym przechowywane były rękopisy znad Morza Martwego. Siódmego czerwca, po wymianie ognia z żołnierzami jordańskimi, oddział izraelskich spadochroniarzy dotarł blisko murów Starego Miasta i w końcu otoczył muzeum. W tym samym czasie kolumny izraelskie kierowały się ku dolinie Jordanu, by odciągnąć armię jordańską od Jerycha i północno-zachodniego brzegu Morza Martwego. I wtedy w ręce Izraelczyków dostała się miejscowość Chirbet Qumran oraz setki fragmentów zwojów.

Rankiem siódmego czerwca nastąpił kulminacyjny moment bitwy o Jerozolimę. O świcie, obudzony przez Yadina, dowódcę armii, wszedłem do Muzeum Rockefellera w eskorcie izraelskich spadochroniarzy. Mijałem kolejne galerie i nagle, na końcu korytarza, ujrzałem ogromny pokój z długim szerokim stołem, na którym rozwijano pergaminy. Tam właśnie znajdowały się zwoje znad Morza Martwego. Zmęczeni spadochroniarze odpoczywali w ogrodzie przy muzeum, koło basenu. Po kilku godzinach pojawił się Yadin z trzema archeologami, którzy nie kryli zdumienia. Nigdy dotąd nie widzieli tylu rozłożonych na setkach talerzyków kruchych fragmentów, mogących rozpaść się lada moment, czekających na rozszyfrowanie. A przecież należały do manuskryptów spoczywających kiedyś w Świętym Świętych. Ja jednak byłem rozczarowany, ponieważ nie było wśród nich tego jednego, którego szukałem. Jordańczycy trzymali go gdzie indziej, w oddalonej o sześćdziesiąt kilometrów twierdzy w Ammanie, w budynku Jordańskiego Muzeum Archeologicznego, w centrum nowoczesnej części miasta. Obok wielu fragmentów rękopisów i wyrobów garncarskich przechowywano tam drewnianą szkatułkę wyłożoną aksamitem, zawierającą coś zupełnie innego, bardzo cennego. Mimo iż przeleżała wiele wieków w grotach, ukryty w niej dokument nie uległ zniszczeniu, ale widać było na nim ślady współczesnych narzędzi. Umieszczony w szklanej gablotce Zwój Miedziany niszczał pod wpływem światła. I wtedy po raz drugi interweniował profesor Ericson, bo tylko on mógł tego dokonać. Dzięki swoim powiązaniom masońskim przewiózł zwój do Francji, gdzie znajduje się obecnie i jest poddawany renowacji.

— Ale co ze skarbem Świątyni? — dopytywała się Jane. — Gdzie jest teraz? Czy tam, gdzie go ukryto?

— Moim zdaniem wszystkie kryjówki są obecnie puste.

— Puste? — zdziwiła się Jane. — Skąd pan to wie?

— Bo czterdzieści lat temu obejrzałem kilka z nich.

— Jak to? — Jane zbladła. — Widział je pan?

Patrzyła na niego oszołomiona, jakby to jedno zdanie pozbawiło sensu wiele lat jej życia, jakby całe przedsięwzięcie profesora Ericsona stało się tylko mirażem.

— I mogę was zapewnić, że w środku nie było niczego.

— Gdzie więc znajduje się skarb?

Jane, poczuwszy się nagle ogromnie zmęczona, przysiadła na kamieniu. Dotknęła zranionego ramienia. Rozglądała się na wszystkie strony, jakby szukając kogoś, kto pomoże jej wyzwolić się z tego koszmaru.

— Żeby zrabować skarb, trzeba go najpierw znaleźć — powiedział łagodnie mój ojciec. — A żeby go znaleźć, trzeba być uczonym.

— Może profesor Ericson znalazł odpowiedź na to pytanie — szepnąłem. — I może dlatego spotkała go taka śmierć.

— W każdym razie — Jane wstała gwałtownie — nie mamy tu już czego szukać. — Zrobiła krok w kierunku mojego ojca. — Ale pan nie przeczy istnieniu skarbu Świątyni, jak robią to naukowcy ze Szkoły Biblijnej?

— Nie — odrzekł stanowczo ojciec. — Jestem przekonany, że skarb Świątyni istniał, i może nadal istnieje. Jestem też pewien, że został ukryty gdzieś w tej okolicy... ale wiem, że dziś już go tu nie ma.

Ostatnie słowa ojciec powiedział ściszonym głosem. Była szósta wieczorem. Zapadał zmrok. W oddali góry Moab, widoczne za zasłoną pyłu, rysowały się mgliście ponad ciemną wodą, której powierzchni nie mąciła ani jedna zmarszczka. Nie słychać było żadnego dźwięku, nie widać było żadnego ruchu. W ostatnich promieniach zachodzącego słońca morze rzucało turkusowe refleksy.

— Sądzę — powiedział powoli ojciec — że wszystkie poszukiwania związane ze Zwojem Miedzianym były bezowocne, gdyż wspomniany w nim skarb przeniesiono w inne miejsce.

— Przeniesiono? — zdziwiła się Jane. — Ale dokąd?

— Być może odpowiedź znajduje się w Zwoju Srebrnym — wyraziłem przypuszczenie.

— W Zwoju Srebrnym? — ojciec uniósł brwi.

— Tak — rzekła Jane. — Istnieje jeszcze drugi zwój, Zwój Srebrny, który mieli Samarytanie. Przekazali go profesorowi Ericsonowi na krótko przed jego śmiercią.

— Zwój Srebrny... — powtórzył ojciec. — To oznacza, że między drugim powstaniem Bar Kochby a dniem dzisiejszym istnieje jakiś nieznane nam ogniwo...

— Które znajdowało się w Zwoju Srebrnym.

— Co zawierał ten zwój? — zapytał ojciec.

— To wiedział tylko profesor Ericson — odpowiedziałem.

— I Józef Koskka — dodała Jane.

Wróciliśmy do Jerozolimy późnym wieczorem. Ojciec odwiózł nas do hotelu. Poprosiłem Jane, żeby zajrzała do laptopa, który nazwałem „wyrocznią". Poszła na górę do swojego pokoju i po chwili wróciła z komputerem. Rozejrzawszy się, by zyskać pewność, że nikt nas nie śledzi, poszliśmy do hotelowego saloniku. Ja jednak ciągle czułem czyjąś obecność. Zacząłem się zastanawiać, czy nie jesteśmy pilnowani przez agentów Szin Beth.

Jane zajęła miejsce w fotelu i ustawiła laptopa przed sobą na przystosowanym do tego celu stoliku. Po kilku minutach dała mi znak, żebym podszedł.

— Myślę, że już najwyższa pora, abyśmy dowiedzieli się czegoś więcej o jednym z członków ekipy archeologów — powiedziała.

Na ekranie pojawił się następujący tekst:

Józef Koskka, polski naukowiec, orientalista, archeolog śródziemnomorski, autor 23 prac naukowych z tej dziedziny. Studia w Paryżu na Uniwersytecie Katolickim, następnie na Akademii Teologii Katolickiej w Warszawie. Potem studiował teologię i literaturę polską na Katolickim Uniwersytecie Lubelskim, a wreszcie w Papieskim Instytucie Biblijnym w Rzymie.

— To wszystko? — zapytałem. — Nie ma nic więcej?

Jane znowu postukała w klawisze i po chwili ukazała się kolejna notatka:

Józef Koskka. Urodzony 24 grudnia 1950 roku w Lublinie, w Polsce. Trzy lata na Katolickim Uniwersytecie w Paryżu. W 1973 roku złożył podanie o przyjęcie na Katolicki Uniwersytet Lubelski. Studiował tam teologię i uzyskał stopień magistra paleografii. Dobra znajomość języków starożytnych: greckiego, łacińskiego, hebrajskiego, aramejskiego i syryjskiego. W październiku 1976 roku wyjeżdża do Rzymu i zapisuje się na wydział studiów biblijnych, jak również do Instytutu Orientalistyki. Opanowuje kolejne siedem języków: arabski, gruziński, węgierski, akkadyjski, sumeryjski, egipski i hetycki. Po ukończeniu studiów w Instytucie Biblijnym znał trzynaście języków starożytnych, nie licząc języków nowożytnych: polskiego, rosyjskiego, włoskiego, francuskiego, angielskiego i niemieckiego.

Prowadzi badania w Izraelu wraz z grupą archeologów z Jordańskiego Wydziału Ochrony Zabytków, francuskiej Szkoły Biblijnej i Archeologicznej w Jerozolimie oraz Palestyńskiego Muzeum Archeologicznego.

Współpracuje przy badaniu setek fragmentów pochodzących z groty 3. w Qumran. Uczestniczy w przeszukiwaniach grot i licznych odkryciach epigraficznych na skalnych ścianach w Qumran i okolicy. Wraca do Paryża, gdzie pracuje obecnie w Polskim Centrum Archeologii i Paleografii.

— Czy twoim zdaniem zabrał Zwój Srebrny, nie mówiąc o tym nikomu z ekipy? — zapytała Jane.

— Całkiem możliwe. Ale to oznaczałoby, że wiedział, co ten zwój zawiera.

— Czy sądzisz, że zgodzi się z nami współpracować?

— Sądzę, że należy zrobić wszystko, żeby dowiedzieć się więcej o nim i o tajemniczym Zwoju Srebrnym.

Gdy rozstaliśmy się z Jane, było już bardzo późno. Postanowiłem wrócić do Qumran, by zobaczyć się z moimi ludźmi i zdać im relację ze smutnych wydarzeń minionych trzech dni.

Wziąłem kluczyki od dżipa Jane i usiadłem za kierownicą. Miałem przy sobie rewolwer, który dał mi ojciec, ale w mojej lnianej szacie nie było kieszeni. Nie pozostało mi więc nic innego, jak tylko włożyć go za modlitewny szal, z którym nigdy się nie rozstawałem.

Księżyc oświetlał ziemię białą poświatą, rzucając głębokie cienie na skały i koryta strumieni spływających do morza, w którym odbijały się góry Moab.

W połowie drogi między dwoma szczytami i Morzem Martwym widoczny był marglowy taras ze sterczącymi ruinami, a w pieczarach wydrążonych przez wodę w skalnych ścianach kryły się niewidoczne dla obcych oczu nasze groty.

Gdy dojechałem do Qumran, udałem się do synagogi, mieszczącej się w podłużnej grocie, na końcu której znajdowało się pomieszczenie służące za miejsce spotkań naszej najwyższej rady. Byli tam Issachar, Perec i Yow, kapłani z rodu Cohenów, Aszbel, Ehi i Muppim, lewici, a także Gera, Naaman i Ard, synowie Izrealea, a z nimi Lewi.

W tym pomieszczeniu nie wolno było odezwać się nikomu przed innym członkiem starszym wiekiem, ani przed kimś, kto był wcześniej zapisany, i tylko wtedy, gdy się było o coś zapytanym. Podczas zgromadzeń Licznych nikt nie odzywał się pierwszy przed tym, który pełnił funkcję inspektora.

Ja jednak byłem namaszczony, byłem Mesjaszem, miałem

więc prawo przemówić do Licznych, ubranych na biało, siedzących na kamiennych ławach.

— Mam wam coś do zakomunikowania — oznajmiłem.

Moich słów nie zakłócił żaden dźwięk, mówiłem w absolutnej ciszy.

— Oto, czego dokonałem i co widziałem podczas mojego pobytu w Jerozolimie.

Opowiedziałem im wszystko ze szczegółami. Usłyszeli ode mnie o zamordowaniu rodziny Rothbergów, o ludziach, którzy mnie śledzili i nastawali na moje życie, przekazałem nowe informacje o zabójstwie profesora Ericsona oraz opinię mojego ojca, że skarb opisany w Zwoju Miedzianym opuścił Pustynię Judzką i został przeniesiony w inne miejsce, że w Zwoju Srebrnym, który mieli Samarytanie, jest być może coś, co mogłoby nam pomóc w rozwiązaniu zagadki.

Gdy skończyłem, zapadła cisza, po czym podniósł się Lewi.

— Strzeżmy się złych i przerażających duchów — powiedział — bo one nie chcą dopuścić do tego, by zapanował wszechmocny Duch Boży. Zbierz wszystkie siły i nie lękaj się. Nie bój się ich, albowiem zmierzają ku chaosowi. Nie zapominaj nigdy, że musisz walczyć, ponieważ napisane jest: *Gwiazda prowadzi Jakuba, a berło Izraela rozbija skronie Moaba, pokonuje wszystkich synów Seta.*

Wówczas wstał Aszbel, mistrz intendent. Był to mężczyzna niskiego wzrostu, z opaloną na brąz twarzą o twardych rysach.

— Co łączy skarb Świątyni z zabójstwem profesora Ericsona? — zapytał.

— Profesor prowadził poszukiwania skarbu opisanego w Zwoju Miedzianym. Przypuszczamy, że z tego właśnie powodu został zabity.

— Czy sądzisz, że wśród nas jest zdrajca? — zapytał niezbyt rozgarnięty Ard.

Profesor Ericson rzeczywiście został zamordowany na ziemi

naszych przodków i nie był to przypadek, bo sam nas odszukał i wiedział, że esseńczycy wybrali Mesjasza. Skąd to wiedział? Mój Boże, co to wszystko ma znaczyć?

— W końcu cała sprawa jakoś się wyjaśni. W tym celu jednak muszę wyjechać — powiedziałem. — Zamierzam odbyć daleką podróż, ponieważ Zwój Srebrny znajduje się w Paryżu.

— Chcesz wyjechać — poprawił mnie lewita Lewi.

— Do Francji, do Europy, wszędzie tam, dokąd będę musiał.

— To niemożliwe — stwierdzili chórem Ehi i Muppim.

— Niemożliwe?

— Nie możesz stąd wyjechać — powtórzył Lewi. — Masz do wypełnienia misję tu, wśród nas. Nie wolno ci narażać się na niebezpieczeństwo. Sam powiedziałeś, że zdaniem twojego ojca Shimon Delam wystawił cię jako przynętę. Jeśli wyjedziesz tak daleko, kto cię obroni?

— Muszę wyjechać. Muszę to zrobić dla naszego bezpieczeństwa.

Wstał Gera, przewodniczący rady.

— Dobrze wiesz, że gdy w gminie pojawia się jakiś problem — zaczął poważnym głosem — zgromadzenie przekształca się w trybunał. Przywiązujemy dużą wagę do tego, aby wyroki były przemyślane i sprawiedliwe. Kiedy zbierze się sąd w liczbie co najmniej stu ludzi, nasza decyzja jest nieodwołalna. Dla tych, którzy popełnią ciężki grzech, karą jest wyklęcie. A ten, kto zostanie wyklęty, umiera straszną śmiercią głodową — zgodnie ze złożoną przysięgą i tradycją nie ma prawa zasiadać do posiłków wraz z innymi, będzie więc musiał żywić się ziołami. Ten, kto bluźni przeciw najwyższemu Prawodawcy, zasłużył na śmierć. Jeśli chcesz wiedzieć, czy powinieneś wyjechać, musisz poczekać, aż zbierze się trybunał.

— A teraz — przerwał mu Aszbel — czas na posiłek.

Poprosili mnie, abym udał się z nimi do wielkiego pomieszczenia, służącego nam za refektarz.

Pobłogosławiłem wino, przełamałem chleb. Gesty, które wykonywałem już wiele razy, odkąd zamieszkałem w Qumran, nagle wydały mi się dziwaczne. Stu mężczyzn, stojących dokoła, utkwiło we mnie wzrok, jakby chcieli mnie zniewolić samym tylko spojrzeniem. Zrozumiałem, że nie mają najmniejszego zamiaru pozwolić mi wyjechać.

W nocy mimo zmęczenia nie mogłem zasnąć. Wyszedłem więc na dwór. Przed wejściem do groty, w odległości stu kroków, stali Muppim i Gera. Z pewnością postawiono ich na straży, żebym nie mógł uciec.

Nie odezwawszy się do nich słowem, poszedłem do skryptorium. Księżyc był w pełni. Widziałem jego cień prześlizgujący się między kamieniami. Czułem obecność Muppima.

Na stole leżały pergaminy, piórka, moje przybory do pisania. Trzeba pisać, by wypowiedzieć się w ten sposób, kiedy wszystko wydaje się stracone. Obejrzałem pergamin, nad którym pracowałem; nie ten Izajasza, przeznaczony do przepisania, ale ten, który pisałem sam, pergamin mojego życia.

ט. *Tet*, dziewiąta litera alfabetu, ma wartość numeryczną 9, symbolizuje fundament, bazę każdej rzeczy. Po raz pierwszy znajdujemy ją w Starym Testamencie w słowie *tow*, które znaczy „dobrze", „dobro". *Tet* jest jedyną literą otwierającą się ku górze. I dlatego symbolizuje schronienie, ochronę, połączenie sił dla ocalenia życia. Przyglądając się literze *tet* z bliska, zauważyłem, że składa się z י, litery *jod*, w środku, otoczonej odwróconą literą כ, *kaf*, która ma za zadanie ją ochraniać.

Zazwyczaj siedziałem na drewnianym taborecie ze skrzyżowanymi nóżkami. Ustawiłem go na kamieniu znajdującym się w rogu groty, poniżej niewielkiej szczeliny w skale.

Wspiąłem się na to rusztowanie i przecisnąłem przez szczelinę, przez którą widać było niebo.

Kiedy znalazłem się na zewnątrz, w ciemnościach nocy czekało na mnie dziesięciu Licznych.

ZWÓJ PIĄTY

Zwój Miłości

Ukazała mi się w swojej wspaniałości
i poznałem ją.
Kwiat winorośli daje winogrono
a z winogrona powstaje wino, które rozwesela serca.
Szedłem po jej płaskich drogach,
bo poznałem ją będąc młodym.
Usłyszałem ją,
i pojąłem ją do głębi
I to ona mnie napoiła.
I dlatego składam jej hołd.
Podziwiałem ją,
zapragnąłem jej.
I nie odwróciłem twarzy.
Pożądałem jej
z całą jej wzniosłością.
Otworzyłem drzwi,
które pozwalają odsłonić tajemnicę.
Oczyściłem się,
aby poznać ją w czystości.
Miałem mądrość w sercu
i nie opuściłem jej.

Zwoje z Qumran
Psalmy pseudodawidowe

W jasnym świetle księżyca rozpoznałem dziesięciu mężów rady.

— Co tu robicie? — zapytałem, widząc, że otaczają mnie ze wszystkich stron. — Czy nie jestem waszym Mesjaszem?

— To my cię namaściliśmy, abyś wypełnił swą misję — odrzekł Lewi — i jesteś naszym Mesjaszem. Powinieneś jednak przestrzegać zasad. Jesteś Mesjaszem, a nie królem. Jesteś naszym wysłannikiem, a nie władcą. Jesteś wybrańcem, ale to my cię wybraliśmy!

Krąg wokół mnie zacieśniał się i nic nie mogłem na to poradzić. Teraz spoglądali na mnie wręcz groźnie. Wtedy, z rozpaczy, ze strachu, że znalazłem się w takiej sytuacji, zrobiłem coś nieprawdopodobnego. Wsunąłem rękę za lnianą koszulę, wyciągnąłem rewolwer i wycelowałem go w Lewiego.

— Ani kroku do przodu — powiedziałem. — Rozstąpcie się i pozwólcie mi przejść.

Patrzyli na mnie z niedowierzaniem.

— No, dalej, pozwólcie mi przejść.

Wykonali moje polecenie. Cofałem się, mierząc do nich, dopóki nie wszedłem za skały.

Pobiegłem na pustynię zalaną rozproszonym niepokojącym światłem. Wszystko spowijała mgiełka, spoza której wyzierały niczym duchy ruchome cienie krzaków i skał. Wiedziałem, że po ziemi pełzają skorpiony czy węże, bałem się, że esseńczycy ruszyli za mną w pościg. Na niebie usianym gwiazdami ledwie dostrzegałem cienki sierp księżyca. Było bardzo zimno i moje ciało, nagie pod lnianą koszulą, drżało niczym uschnięte drzewo na wietrze. Zapach siarki dochodzący znad Morza Martwego był znacznie intensywniejszy niż za dnia, wręcz odurzający. W panującej dokoła głębokiej ciszy przerażał mnie odgłos moich kroków na piasku. Pewny, że jestem ścigany, wciąż zerkałem za siebie, ale widziałem tylko żółte ślepia hien i słyszałem ich przejmujące wycie. Szedłem w ciemnościach nocy, z na pół zamkniętymi oczami, straszliwie zmęczony, prawie zasypiając. Cierpiałem, ponieważ porzuciłem moją wspólnotę, zagroziłem bronią moim braciom.

Co ja zrobiłem? Jaka siła mnie do tego pchnęła?

Targany niepokojem, nie mogłem się skoncentrować. Nogi niosły mnie coraz dalej. Zdawałem sobie sprawę, na co się narażam, dezerterując. Znałem prawa dotyczące kar dla niewiernych, dla tych, którzy dopuszczą się zdrady, wejdą na ścieżki zła, którzy ulegając kaprysom serca, popełnią grzech, nie słuchają wskazówek Sprawiedliwych. *Niech nikt do nich się nie zbliża, albowiem są wyklęci.*

W tym momencie, w lodowatym chłodzie nocy Pustyni Judzkiej, zapragnąłem, aby pojawił się archanioł Uriel i pokierował moimi krokami, dodał pewności siebie. Lecz nie było niczego, ani archanioła, ani obłoku, ani manny. Byłem tylko ja, samotnie brnąłem przez wydmy w świetle księżyca, z oczami utkwionymi w czerń nocy, jakbym miał na nich opaskę, załamany tym, czego się dopuściłem.

Czułem się jak ślepiec stojący przed Tym, który stworzył

ziemię z jej przepaściami, morza z ich głębinami, gwiazdy wiszące na niepojętej wysokości.

O świcie odnalazłem drogę do Jerozolimy. Zatrzymałem wojskową ciężarówkę, w której drzemali żołnierze po długiej nocnej służbie.

Z hotelu zadzwoniłem do ojca i opowiedziałem mu o wydarzeniach nocy oraz o moim zamiarze wyjazdu do Paryża. Ku mojemu zaskoczeniu zareagował tak samo jak esseńczycy. Odradzał mi ten wyjazd.

— Przecież sam przyszedłeś do mnie do grot — zaoponowałem — a teraz chcesz mi przeszkodzić w wypełnieniu do końca mojego zadania?

— Czy zdajesz sobie sprawę, na jakie niebezpieczeństwo się narażasz, prowadząc dochodzenie poza granicami Izraela?

— Tak, ale jest bardzo prawdopodobne, że klucz do tajemnicy znajduje się w Zwoju Srebrnym. Poza tym to nasz jedyny ślad.

Kiedy zobaczyłem Jane, nie powiedziałem jej o tym, co stało się w nocy. Postanowiłem jechać razem z nią, nadal prowadzić dochodzenie, nawet wbrew sobie i wbrew woli esseńczyków. Działając pod wpływem impulsu, nie domyślałem się, jaka tajemna moc, silniejsza od przywiązania do wspólnoty, kazała mi tak się zachować.

Patrzyłem na Jane. Nie mogłem się powstrzymać, żeby na nią nie patrzeć. Zniewalały mnie jej czarne oczy o długich rzęsach, mój wzrok przyciągała jej delikatna, gładka jak pergamin skóra, na której mógłbym pisać złotymi literami. Wyobrażałem sobie te słowa — odczytywałbym je, odkrywając każdego dnia nowe tajemnice.

Z Tel Awiwu polecieliśmy samolotem do Paryża, gdzie zatrzymaliśmy się w hotelu niedaleko dworca Saint-Lazare.

Była wiosna. Wiał lekki wietrzyk, niebo było czyste. Jane miała na sobie jasne spodnie i jasną koszulową bluzkę. Ja włożyłem ubranie kupione w pośpiechu na lotnisku — T-shirt i dżinsy, na które zwieszały się frędzle mojego szala modlitewnego. Zgoliłem brodę i moja twarz wydała mi się zupełnie inna — jakbym założył maskę. A może raczej zdjął? Kwadratowa szczęka, zapadnięte policzki, wąskie usta — nie poznawałem sam siebie.

Rozeszliśmy się do swoich pokoi, które znajdowały się na tym samym piętrze. Był już późny wieczór, a raczej noc. Powiedzieliśmy sobie „dobranoc" i każde z nas zamknęło za sobą drzwi.

Miałem wrażenie, że słyszę za ścianą oddech Jane. W moim umyśle przesuwał się obraz jej twarzy, na wargach czułem ogień jej ust, a na czole zachwycające spojrzenie. Moja dusza omdlewała, marząc o niej. Nie wiem, jak udało mi się oprzeć pragnieniu, by pójść do jej pokoju. Oddzielony od niej ścianą czułem się tak słaby, że nie wyobrażałem sobie, jak mam żyć, jak egzystować, jak oddychać. W ciemności miałem wrażenie, że jestem niczym. Przyciskałem twarz do poduszki w obawie, że zaraz umrę. Przejmował mnie chłód, a jednocześnie moja twarz płonęła, chciałem, by nastał już świt, ale światło dnia nie nadchodziło. Nic nie widziałem, nie potrafiłem wyrwać się z tego milczącego mroku, który otulał mnie lodowatym płaszczem. Wyobrażałem ją sobie, jak śpi, i siebie przy niej, pod tym samym przykryciem, w jej ramionach, uczestniczącego w jej snach, z ustami na jej wargach, z rękami na jej sercu, z sercem bijącym jak szalone. Wszystkie pragnienia świata skupiły się we mnie, który żyłem tak długo w ascezie, bez niej. Drżałem z niecierpliwości. Pragnąłem jej tylko dla siebie i chciałem połączyć się z nią na wieczność. Nie mogąc okazać czułości, gasłem jak iskra, ginąłem jak ziarnko piasku, jak pył na skale. Przestawałem istnieć i na tym świecie zostawała tylko ona.

Nazajutrz rano, tak jak to było umówione, pojechaliśmy do polskiej ambasady, w pobliżu placu Inwalidów, gdzie znajdowało się także Polskie Centrum Archeologii i Paleografii.

Przeszliśmy przez dziedziniec, na którym stał piękny budynek, ozdobiony wewnątrz gzymsami, obrazami, boazeriami połyskującymi złotem.

Zapytaliśmy, czy możemy zobaczyć się z Józefem Koskką. Po kilku minutach pojawiła się kobieta koło czterdziestki, postawna, na wysokich obcasach, w eleganckim kostiumie. Miała pociągłą twarz o delikatnych rysach, i ustach pomalowanych jaskrawoczerwoną szminką.

— Czym mogę służyć?

— Chcielibyśmy zobaczyć się z Józefem Koskką.

— Bardzo mi przykro, ale teraz to niemożliwe.

— Przyszliśmy w bardzo ważnej sprawie — nie ustępowała Jane. — Prowadzimy dochodzenie dotyczące zabójstwa profesora Ericsona.

— Prowadzicie państwo dochodzenie... — powtórzyła kobieta z lekkim powątpiewaniem w głosie.

Zlustrowała mnie od stóp do głów. Na tle dżinsów widać było białe frędzle modlitewnego szala, które, zgodnie ze zwyczajem, zawsze musiały być widoczne. Na głowie miałem czarną jarmułkę.

— Proszę mu przekazać, że przybyliśmy tu w sprawie Zwoju Srebrnego — dodałem.

Kilka minut później poprowadziła nas na górę schodami wyłożonymi czerwonym chodnikiem. Zatrzymaliśmy się przed drzwiami jednego z pokoi. Kobieta zajrzała tam i po chwili poprosiła nas, żebyśmy weszli do środka. Na jej twarzy o bardzo bladej karnacji dostrzegłem zmarszczki układające się w kształt litery ע *ajin*, która oznacza zachwianie równowagi.

Wprowadziła nas do gabinetu pełnego książek i antyków. Józef Koskka siedział przy biurku, z piórem w ręku, jakby szykował się do pisania.

— Dziękuję, pani Złotowska — powiedział, gdy opuszczała gabinet. — A, to pan, Ary skryba. Czym mogę panu służyć? A pani, droga Jane?

— Proszę nam pomóc.

Koskka zamyślił się na moment, nerwowo obracając w palcach pióro. Potem wyjął papierosa, osadził go w czarnej cygarniczce i zapalił, patrząc przed siebie.

— Dobrze wiecie — powiedział cicho — że jeśli chodzi o Zwój Miedziany, należy unikać rozgłosu i prowadzić badania w tajemnicy. W ten sposób uszanujecie trud Ericsona. Jedynie on od samego początku wierzył w opis zawarty w Zwoju Miedzianym, podczas gdy wszyscy inni uznali, że dokument ten sporządzili sami esseńczycy. Członkowie Szkoły Biblijnej i Archeologicznej rozpowszechnili opinię, że był to żart, głupia, nieprowadząca do niczego zabawa. Peter zaś uważał, że musiała istnieć poważna przyczyna, iż ludzie zadali sobie tyle trudu, pisząc na miedzi.

— Czy ktoś jest innego zdania? — wtrąciłem się.

— Ci, którzy sądzą, że opis w zwoju nie dotyczy żadnego konkretnego skarbu.

— A co pan o tym sądzi?

— Mylą się. Skarb bez wątpienia istniał.

— Chciałbym zobaczyć oryginał. Na podstawie liter mógłbym domyślić się stanu ducha tych, którzy go pisali.

— Nic łatwiejszego — rzekł Koskka. — W marcu, w obecności Jej Wysokości królowej Noor z Jordanii, zwój został przekazany haszymidzkiemu królestwu Jordanii. A ja osobiście brałem udział w jego restaurowaniu.

— Zwój znajduje się teraz w Jordanii? — Nie potrafiłem ukryć rozczarowania.

— Ależ skąd! Znajduje się w paryskim Instytucie Kultury Świata Arabskiego, w dziale poświęconym Jordanii. A ja jestem jego kierownikiem.

— Co panu wiadomo o Zwoju Srebrnym? — zapytałem wprost.

— Wiemy, że pan go miał — dodała Jane. — Chcielibyśmy go zobaczyć.

W tym momencie zadzwonił telefon. Koskka podniósł słuchawkę.

— Tak — rzucił. — Dziś wieczorem. Zgoda.

Odłożył słuchawkę.

— Niestety, muszę państwa pożegnać — powiedział, pomijając milczeniem pytanie Jane.

Jego ton wykluczał jakikolwiek sprzeciw. Zmuszeni byliśmy opuścić gabinet.

— Co o nim myślisz? — zapytała Jane, gdy wyszliśmy z ambasady.

— Zachował się niezbyt miło.

— To dziwny człowiek... Musimy dowiedzieć się o nim czegoś więcej. Trzeba też wyjaśnić tajemnicę Zwoju Srebrnego.

— Oczywiście. I pewnie masz już jakiś plan.

Przed osiemnastą zajęliśmy z Jane stanowisko w pobliżu polskiej ambasady.

Po chwili wyszedł stamtąd Koskka. Wsiadł do autobusu na placu Inwalidów. Wskoczyliśmy do wynajętego samochodu, ja prowadziłem. Jechaliśmy za autobusem aż do XX dzielnicy.

Tutaj Koskka wysiadł, przeszedł kilka metrów ulicą Bagnolet, a potem niespodziewanie skręcił w wąski zaułek. Zatrzymał się przed niewielkim domem, wyjął z teczki klucze, otworzył drzwi i wszedł do środka.

Siedzieliśmy przez chwilę w samochodzie zaparkowanym naprzeciwko tego domu, zastanawiając się, co robić. Czekać? Spróbować jeszcze raz się z nim spotkać? Na drugim piętrze zapaliły się światła lecz po chwili zgasły. Może Koskka położył się spać? Już myśleliśmy, że czekamy na próżno, kiedy oślepiły nas reflektory furgonetki.

W tym momencie drzwi domu się otworzyły. Koskka wysunął głowę i widząc nadjeżdżającą furgonetkę, wyszedł z paczką w ręku. Wóz zatrzymał się tuż przed nim i Polak szybko wsiadł do środka.

Ruszyliśmy w ślad za nimi. Furgonetka jechała wolno i nie mieliśmy kłopotu z jej śledzeniem. Przepuściłem jeden samochód, żeby nas nie zauważono. Najpierw jechaliśmy w kierunku dzielnicy Saint-Germain-des-Prés. Furgonetka zatrzymała się przed piwiarnią Lippa. Czekał tam mężczyzna koło pięćdziesiątki, z naręczem książek w ręku. Wsiadł szybko do samochodu, rozglądając się na prawo i na lewo, jakby bał się, że ktoś go zobaczy. Następnie skierowaliśmy się do dzielnicy Opery. Na ulicy Quatre-Septembre stanęliśmy przed dużym budynkiem, w który mieścił się bank. Po kilku minutach na progu ukazał się mężczyzna. Przywitał się z kierowcą i także wsiadł do wozu. Było jeszcze kilka postojów na Polach Elizejskich i za każdym razem ktoś wsiadał do furgonetki. Następnie pojechaliśmy obwodnicą na zachód i w końcu zatrzymaliśmy się przy Porte Brancion.

W wąskiej uliczce, między okazałymi budynkami, stał prawie niewidoczny, zasłonięty drzewami, śmieszny, przypominający dworek szlachecki domek z wieżą w kształcie gasidła do świec. Jeden z mężczyzn wysiadł z furgonetki i pchnął ciężkie drewniane drzwi. Wszyscy w ciszy opuścili wóz i weszli do domku. Furgonetka natychmiast odjechała.

Odczekawszy krótką chwilę, również wysiedliśmy z samochodu. Z domu nie dochodził żaden dźwięk. Ulica była pusta. Wymieniliśmy z Jane spojrzenia. Pchnąłem ciężkie drzwi i po cichu wślizgnęliśmy się do środka. Wąski korytarz prowadził do następnych drzwi. Ruszyliśmy nim, oglądając się za siebie. Nikt nas nie śledził. I nagle za drugimi drzwiami usłyszeliśmy głosy.

— Bracia, bądźcie cierpliwi, bo dzień wypełnienia naszej misji jest już bliski! To prawda, że w Jerozolimie nie ma pokoju, ale kontynuujmy nasze dzieło, naszą misję na tym świecie.

Zapadła cisza, po czym ten sam głos podjął:

— Bracia, zabijając profesora Ericsona, chciano nas zniechęcić, przestraszyć.

Po tych słowach podniósł się gwar. Słychać było okrzyki żądające zemsty. Ktoś zawołał: „Do mnie, szlachetni! Baucéant, na pomoc!".

— Jest jednak możliwe, że już wkrótce zapanuje pokój — ciągnął głos. — Dobrze znacie powód, dla którego się zebraliśmy. Zamierzamy odbudować Świątynię i będzie to Trzecia Świątynia! Dzięki księdze proroka Ezechiela znamy jej dokładne wymiary. Nie miała sobie równej. Dzięki naszym architektom mamy wymiary placu świątynnego, znajdującego się na północ od meczetu Al-Aksa. Nasi inżynierowie orzekli, że można zbudować Świątynię na dawnym miejscu, na Placu Świątyni, tam, gdzie stoi Kopuła Tablic!

Zapadła cisza. Jane i ja patrzyliśmy na siebie osłupiali.

— Kim są ci ludzie? — szepnąłem.

Dała mi znak, że nie ma pojęcia. Podszedłem więc bliżej do drzwi, w których na wysokości oczu znajdowało się małe okienko z metalową kratą.

Stanąwszy nieco z boku, aby nie dostrzeżono mnie z wewnątrz, ujrzałem wielką salę z czarnymi ścianami i widocznymi na nich czerwonymi krzyżami. W jej centrum postawiono katafalk ozdobiony koroną i tajemniczymi symbolami. Obok stał tron, a wokół niego siedziało ze sto osób ubranych w białe i czerwone szaty, z narzuconymi gronostajowymi płaszczami, na których naszyto czerwone krzyże, takie same, jak te na ścianach. Nagle przypomniałem sobie krzyżyk, który Jane znalazła pod ołtarzem. Był identyczny, jak te tutaj.

Brałem udział w wielu ceremoniach esseńczyków, ale nigdy nie widziałem takiego przepychu. Wszyscy mieli twarze zakryte białymi maskami. Nosili paski ze złotymi frędzlami oraz gronostajowe czapki z trzema złotymi piórami i złotym otokiem. Każdy miał u pasa miecz wysadzany rubinami i innymi drogimi kamieniami.

Również mężczyzna siedzący na tronie był w masce. To on przemawiał. W prawym ręku trzymał berło z globusem, na czubku którego umieszczony był krzyż. Na szyi miał dwa łańcuchy. Na jednym z nich, wykonanym z ciężkich czerwonych ogniw, wisiał medal ze średniowiecznym motywem. Drugi był czymś w rodzaju różańca składającego się z owalnych paciorków, emaliowanych na czerwono i biało. Jego pierś przecinał na ukos czerwony jedwabny sznur z charakterystycznym krzyżem.

— Wspólnymi siłami odbudujemy Świątynię — mówił. — Zjednoczeni jak nasi bracia przed tysiącem lat, którzy wyruszali do Akki lub do Trypolisu, do Pouille lub na Sycylię, do Burgundii we Francji... w jednym tylko celu — pragnęli zbudować Trzecią Świątynię! Będziemy kontynuowali dzieło architekta Hirama i ta Świątynia stanie się zwieńczeniem wszystkich świątyń poświęconych największemu z Architektów — katedr, meczetów, synagog — albowiem one wszystkie złączą się w tej Świątyni, w której znajdzie schronienie Święte Świętych!

Z głębi sali wyłoniło się dwóch mężczyzn, nieśli osadzoną na kiju drewnianą kukłę, która pod prawym ramieniem miała turniejową tarczę, a pod lewym sznur do przywiązywania konia oraz bat.

Jeden z mężczyzn wbił miecz w serce kukły.

— Tak właśnie rozprawilibyśmy się teraz z Filipem Pięknym — powiedział mistrz ceremonii. — Nasza dewiza to *Pro Deo et Patria*. Dla Boga i ojczyzny będziemy się bronili żelazem, a nie złotem, gdy któregoś dnia świat dowie się, że nadal istniejemy, że nasz zakon się odrodził!

Na sali zapanowało poruszenie. Jedni wstawali z krzeseł, inni przechodzili z miejsca na miejsce. Jane klepnęła mnie lekko w plecy, dając znak, żebym się odsunął, ponieważ zafascynowany widowiskiem, za bardzo zbliżyłem się do okienka.

Rozległ się szmer rozwijanego papieru i usłyszeliśmy ten sam głos, ale tym razem silniejszy.

— Patrzcie! Oto dowód!

Po tych słowach zapadła śmiertelna cisza. Przycisnąłem twarz do kratki.

Mistrz ceremonii trzymał małe pudełko z lakierowanego drewna. Gdy je otworzył z wielką ostrożnością, ujrzałem kruchy srebrny zwój. Zadrżałem. Miał go w rękach Peter Ericson na fotografii, którą dostałem od Jane.

Mistrz pokazał zgromadzonym na pół rozwinięty Zwój Srebrny tak, iż widać było jego zapisane wnętrze. I niczym Mojżesz Tablice Praw, lub kapłan w czasie szabatu, podniósł go do góry, aby mogli zobaczyć go wszyscy zebrani.

— Ten zwój, moi bracia, przybywa do nas prosto z przeszłości! Przetrwał wieki i dotarł do nas z Ziemi Świętej! Zawarta jest w nim tajemnica, która pozwoli nam odbudować

Świątynię! I dlatego wszyscy zbierzemy się w Tomarze, w Portugalii.

Po tych słowach znów wybuchła wrzawa. Niektórzy stukali mieczami o podłogę, inni wstawali z miejsc, jeszcze inni, przepełnieni radością, pozdrawiali się wesoło i ściskali.

Nagle podskoczyłem. Gdzieś z tyłu trzasnęły drzwi, po czym rozległy się kroki. Już szykowaliśmy się do ucieczki, ale drogę zastąpił nam jakiś mężczyzna w biało-czarnej tunice.

— Kim jesteście i co tu robicie? — zapytał.

— Zabłądziliśmy i szukamy wyjścia — odpowiedziałem.

Mężczyzna wyciągnął z pochwy miecz i zamierzył się na nas. Kopnięciem wytrąciłem mu broń z ręki i złapałem w locie, zanim upadła na podłogę. On jednak uderzył mnie tak silnie, że oszołomiony runąłem na ziemię i nie byłem w stanie się podnieść... Jak przez mgłę zobaczyłem, że Jane szykuje się, by wymierzyć mu cios nogą. Zaskoczony mężczyzna przez chwilę stał nieruchomo. Jane wykorzystała jego wahanie i rąbnęła go w nos, a następnie w krtań tak, że zaczął się dusić i zgiął się wpół. Wyprostował się jednak po chwili i zamachnął na nią pięścią, ale Jane, szybka jak błyskawica, uderzyła go prosto w splot słoneczny i zaraz potem w kark. Mężczyzna złapał ją za gardło i zaczął dusić. Rzuciłem się na niego od tyłu. Jane wsunęła zaciśnięte dłonie między nadgarstki mężczyzny, a potem gwałtownym ruchem uwolniła się z jego uścisku, odskakując do tyłu.

— Zmywamy się, szybko! — krzyknęła.

Wybiegliśmy na ulicę i wskoczyliśmy do samochodu.

— Nie wiedziałem, że znasz walki wschodnie — mruknąłem, gdy już złapałem oddech. — Ukrywałaś to przede mną.

— Ćwiczyłam trochę karate...

Przypomniałem sobie, co mówił ojciec: „Sądzę, że Jane przeszła specjalny trening".

— Kim byli ci ludzie? — zapytałem.

— Nie mam pojęcia, ale to chyba masoni.

— A kukła? Co miała oznaczać?

— Używano takich na turniejach średniowiecznych. Zawodnik musiał w galopie trafić w nią kopią. Jeśli nie zdołał jej powalić i nie zdążył się uchylić, kukła odginała się na kiju, na którym była osadzona, i uderzała go, niekiedy ze skutkiem śmiertelnym...

— Czy oni są... średniowiecznymi rycerzami?

— Sądzę, że są templariuszami — odrzekła Jane.

— Templariuszami? — powtórzyłem z niedowierzaniem.

— Tak. To średniowieczne bractwo setki lat temu było prześladowane i zlikwidowane. Dziś jednak odkryliśmy, że nadal istnieje.

— Przypuszczasz, że profesor Ericson do niego należał?

— Profesor Ericson był masonem. Być może jednak istnieje jakieś powiązanie między tymi dwoma bractwami. Templariusze, podobnie jak masoni, bardzo starannie ukrywali swoje tajemnice. Interesowali się budownictwem, zwłaszcza sakralnym. To oni zbudowali katedrę w Chartres.

— Tak jak masoni są budowniczymi... No i ten krzyżyk maltański, znaleziony przez ciebie pod ołtarzem, jest taki sam jak te, które ci ludzie noszą na płaszczach. Wiedziałaś o tym, prawda?

— Tak — przyznała zmieszana Jane, patrząc mi w oczy — wiedziałam.

— Dlaczego to przede mną ukrywałaś?

— Nie mogę ci tego powiedzieć, ale musisz mi zaufać.

Dojechaliśmy do naszego hotelu. Zgasiłem silnik.

— Czy zdołałeś przeczytać, co było napisane w Zwoju Srebrnym? — zapytała Jane.

— Nie, ale wydaje mi się, że nie było to napisane po hebrajsku, raczej średniowiecznym gotykiem.

Jane patrzyła na mnie z lękiem. Synowie światła walczą z synami ciemności, a ona znalazła się w centrum tej odwiecznej bitwy. Ja także się bałem, i to bardzo. Ale właściwie czego?

Zakręciło mi się w głowie. Czułem się, jakby coś spychało mnie w przepaść. Byłem skazany. Opuściłem moich braci, moją wspólnotę, straciłem mądrość, której tak bardzo teraz potrzebowałem. Zostawiłem wszystko dla niej, by iść z nią, chronić ją, ale teraz czułem się zagubiony jak ślepiec, niczego nie wiedząc, nie poznając, nie rozumiejąc. Nie wiedziałem, ani skąd przybyłem, ani dokąd zmierzam, ani nawet gdzie jestem. Byłem roztrzęsiony, cierpiałem! Największe tajemnice, które zamierzałem odkrywać, były mi teraz obojętne. Czy to jest właśnie miłość? Każdy, kto znajdzie się w trudnym do określenia świecie uczuć, nawet jeśli ma ogromną wiedzę, jest jak noworodek, który właśnie wyszedł z łona matki. Nie istnieje dla niego ani prawo, ani mądrość pochodząca z nieba, ani ta zwykła, ziemska, bo kiedy dopadnie go miłość, podąża za nią, nagi i nieświadomy niczego, jakby po raz pierwszy otworzył oczy i ujrzał ten świat.

Pochyliłem się nad Jane i mój oddech spotkał się z jej oddechem. Chciałem ją pocałować, ale odwróciła głowę. Słodki zapach jej perfum napełnił mą duszę szczęściem i czułem się tak, jakbym otrzymał siedem pocałunków miłości i radości, a woń perfum uniosła się w górę niby dym przy składaniu ofiary, albowiem było to tchnienie, które tworzy tajemne więzi między dwiema istotami, przywiązuje jedną do drugiej, aż stają się jednością.

Nocą, kiedy leżałem w łóżku, otrzymałem skradziony pocałunek, ten nieudany pocałunek, którego tak bardzo pragnąłem. Przeniknął mnie jej głęboki oddech i dał mi tyle siły, że poczułem się mocny, potężny. Tak wyraziście ją sobie wyobrażałem, że niemal zatraciłem się między pożądaniem i rzeczywistością. Jakże nieodparta była pokusa, by ją zobaczyć, być z nią, wziąć ją w ramiona. Wstałem, szybko się ubrałem i wyszedłem z pokoju. Z bijącym sercem podszedłem do jej drzwi i oparłem o nie czoło, jakbym błagał, by się otworzyły. Jednak drzwi pozostały zamknięte, a pokój niedostępny niczym zakazany ogród. Nie wiem, ile czasu stałem tak z pochyloną głową i z ręką na klamce. Mówiłem sobie, że powinienem zdobyć się na odwagę i zapukać, wejść, porwać ją w ramiona, unieść, obsypać pocałunkami, przytulić czoło do jej czoła, zanieść na łóżko i kochać...

Instytut Kultury Świata Arabskiego mieścił się w budynku imponującym rozmiarami i architekturą. Serce waliło mi jak młotem, gdy wchodziliśmy z Jane do tego świętego miejsca, gdzie znalazł schronienie Zwój Miedziany.

Na pierwszym piętrze znajdowała się ekspozycja poświęcona Jordanii. Pośrodku obszernego pomieszczenia pełnego eksponatów i zdjęć stał kwadratowy stół osłonięty szklaną gablotą.

Wreszcie ujrzałem autentyczny Zwój Miedziany. Miał długość dwóch i pół metra, szerokość trzydziestu centymetrów i składał się z trzech połączonych ze sobą części, tworzących taśmę, dającą się zwinąć jak pergamin, na którym zazwyczaj pisałem. Na jego wewnętrznej stronie widniał tekst w języku hebrajskim, wyryty w metalu drobnymi uderzeniami dłuta. Został już odrestaurowany, nie było na nim żadnych śladów utlenienia i dzięki cudom techniki, elektrochemii oraz nowoczesnej informatyce litery dawały się odczytywać tak łatwo, jakby wyryto je poprzedniego dnia.

Oto pojawił się przekaz pochodzący z głębi wieków, spisany na miedzi. Kto mógł przypuszczać, że ten zwój przetrwa całe pokolenia, wojny, najprzeróżniejsze wydarzenia historyczne?

I kto wiedział, że pod palmami, pod rozsypanymi w pył kośćmi, w piasku pustyni, w mrocznych grotach wybrzeża Morza Martwego, ukryto w dzbanach stare teksty? Kto wiedział, że to, co napisano, przetrwa, zachowa w sobie tchnienie tych, którzy żyli przed wiekami?

Zwój Miedziany był tak stary, że łatwo mógł ulec rozpadowi, gdy ujrzał światło dzienne po dwóch tysiącach lat spoczywania w grotach. Potem odbył podróż do Ammanu, gdzie został wystawiony na widok publiczny i tym samym znowu narażony na zniszczenie, poddany był bowiem działaniu ostrego światła, które mu szkodziło. Trzeba go było ponownie przewieźć przez morza i kontynenty aż do Francji, gdzie druga operacja przywróciła go do życia.

Wczytywałem się w tekst, który rozpoznawałem, który znałem prawie na pamięć, ponieważ litery hebrajskie potrafią wryć się w pamięć, oddziałując na nią jakimś magicznym sposobem. Dłuto zostawiło ślad na miedzi, w której ryło znaki, a one, tego byłem pewien, przekazywały tę magiczną moc innym znakom, te zaś jeszcze innym, aż do Tajemnicy największej ze wszystkich Tajemnic.

Od ponad dwóch tysięcy lat piszemy na pergaminie o wiele ładniejszym od papirusu i z pewnością znacznie od niego trwalszym. Dzięki temu zwoje naszej sekty zachowały się mimo niszczącego działania czasu. Dlaczego więc Eliasz, syn Merenota, wybrał inny rodzaj materiału zamiast pergaminów, powiązanych ze sobą lnianymi sznureczkami lub zwierzęcymi ścięgnami ściśle według wskazówek rabinicznych?

Mógł przecież użyć szarych kozich skór lub kremowego koloru skór baranich, bardziej żółtych od strony z sierścią, a od strony wewnętrznej ciemniejszych, dobrze wchłaniających kredę przy procesie wybielania. Mógł także wziąć welin, miękki, delikatny, cenny, który otrzymuje się ze zwierząt zmarłych podczas porodu — cieląt, owieczek, koźląt. Welin nie gniecie się, jest twardy i bardzo gładki, lecz pióro nie ślizga się po nim, no i ma tak czystą biel, że aż lśni. Z tego powodu używamy welinu z cielęcej skóry do przepisywania naszej świętej księgi — Tory.

Dlaczego więc wybrał miedź, a nie welin?

Mógłby wykorzystać skóry z kozy, koźląt, baranów, owieczek, gazeli, a nawet antylop. Ich przygotowaniem zajęliby się mistrzowie garbarscy. Wymaga to jednak czasu i nadzwyczajnej skrupulatności. Najpierw skrobaliby skóry, by dokładnie oczyścić je od strony wewnętrznej, nazywanej kwiatem, która najlepiej nadaje się do pisania i konserwacji. Zeskrobaliby wszystkie włoski, całą sierść. Dopiero potem przystąpiliby do garbowania, następnie umyliby skóry w ciepłej wodzie, a wreszcie nasączyli je specjalną oliwą, aby zmiękły i nadawały się do pisania. Na koniec wyłożono by skóry na dworze, aby wysuszyły je słońce i wiatr. Niezbędne jest też, choć dość trudne, usunięcie wszelkich resztek tłuszczu, który uniemożliwia pisanie i malowanie. Skóra właściwie wyprawiona przyjmuje tusz, ale go nie wchłania... Mógł więc Eliasz to wszystko zrobić, ale potrzeba na to czasu. Jak długo by to trwało?

Eliasz zdecydował się na miedź, ponieważ mogła ona przetrwać aż do Dnia Sądu. A będzie to dzień ostatni i pierwszy, kiedy zgromadzą się wszystkie narody, gdy połączone państwa usłyszą wieść o tym i będą wiedziały, że można temu wierzyć, gdy drzewa wyrwane z korzeniami znowu zaczną rosnąć, powalone domy zostaną odbudowane, zmarli ludzie wstaną z grobów, wrócą do młynów i będą mielili mąkę. I wówczas pojawi się Przedwieczny, okryty potęgą i chwałą, i ruszy jak mąż do swej żony, ku odrodzonemu Syjonowi, ubranemu we wspaniałe szaty, i uwięziona Jerozolima zostanie wyzwolona, albowiem Pan wyśle swego posłańca, aby zaniósł wieść poniżonym, aby opatrzył ich zranione serca, aby ogłosił więźniom wolność, aby zapowiedział rok łaski, odbudowanie zniszczeń z przeszłości, zażegnanie nieszczęść naszych przodków, podniesienie na duchu okrytych żałobą, wzniesienie na nowo przez kolejne pokolenia zburzonych miast, i by głosił Dzień Sądu, dzień najważniejszy, dzień ostateczny.

Zająłem się więc ponownie lekturą tekstu, rozpoznawaniem liter, których nauczyłem się w dzieciństwie. Wymawiałem je na głos, wyłuskując jedną po drugiej, nie zadając sobie trudu, by zastanawiać się, co oznaczają ich kształty, ich liczba, nazwy i układ. Jednak w głębi duszy, prawie nieświadomie, wymawiałem je tak, by odczuć ich działanie.

Poznawałem kolejne wersy. Aby tekst nie był zbyt gęsty, zostawiono wolne miejsca na górze i na dole zwoju, a także między kolumnami. Między literami zachowano przerwę grubości włosa, między słowami — odstęp wielkości małej litery, między linijkami — szerokości całej linii, jak w Pięcioksięgu. Jeśli zostawało wolne miejsce, skryba starał się je wypełnić, pogrubiając niektóre litery, które połyskiwały wyraźniej na miedzi. Mimo to niektóre litery zawsze różniły się od innych. Według ustnej tradycji, przekazywanej sobie przez skrybów od czasów Synaju, w zwojach Tory i niektórych manuskryptach spotyka się litery różniące się od innych wielkością. Mają one ponoć przekazywać wtajemniczonym czytelnikom ukryty sens.

Przed moimi oczami przesuwały się obudzone z długiego snu litery niby niebiańscy posłańcy, aniołowie stworzeni, by objawić wolę boską wszystkim, którzy kiedyś nastaną. Kiedy próbowałem je czytać, ustawiały się przede mną w ordynku z radosnym śpiewem, dumne i szczęśliwe ze zwycięstwa nad czasem. Nagle wszystkie zaczęły wykonywać szalony taniec, a każda przybierała kształt litery י, *jod*, fundamentalnego punktu, punktu początkowego, w którym nicość staje się bytem. Popatrzyłem uważnie na ten punkt i ujrzałem początek, pierwszy akt stworzenia.

Potem י, *jod*, pierwsza litera tetragramu, wydłużyła się w ו, *waw*, a następnie w א, *alef*. Tak powstały litery, które się zjednoczyły i odtworzyły w czarnych szeregach na połyskującej ogniem miedzi, niczym nieskończone linie światła w ciemności panującej w nieustającym chaosie.

Nagle cała sala muzealna wypełniła się światłem, zrobiło się jasno jak w dzień, ponieważ litery przypomniały życiu ziemskiemu niebiańską egzystencję.

Przynosiły słowa z innej epoki, słowa poświęcenia i dumy, przynosiły wieści z miejsca, z którego brały początek. Na tajemnej drodze, którą przeszły, przeżyły dzięki tchnieniu tego, który, pisząc je, do nich przemawiał. Wydało mi się, że gdyby litery te uległy zatarciu i zniknęły, zniknąłby także cały świat.

Czytając Zwój Miedziany, wymawiałem każdą literę wolno, ostrożnie, z namysłem, wstawiając samogłoskę między każdą spółgłoskę, długo się modląc, a każdy dźwięk przynosił mi ukojenie, każdy był obrazem, każdy był jakimś zamysłem. Poprzez litery wchodziłem na kolejny stopień, z każdym etapem wznosiłem się ze świata materialnego do niebiańskiego, bo przez połączenie się liter, przez ich wymawianie, poprzez myśl, którą niosą א, מ, ש, י, ת, ו — litery te nabierały życia. Ukazywały się w niezwykłym splendorze, w doskonałej formie odbyły podróż ze Zwoju Miedzianego na mój język, do moich warg, i zamieszkały we mnie, dając mi natchnienie, oczyszczały mnie, aż myśl moja stała się nieskazitelnie czysta, doskonale abstrakcyjna, a zarazem idealnie konkretna. Ukazywały rzeczy, przedmioty, cudowne skarby, nieoczekiwane miejsca, które modelowały na swój sposób poprzez oddech wydobywający się z moich ust, gdy mówiłem. Były istotami stworzonymi przez ludzi, wyznaczonymi za pośrednictwem skryby, materii, jak również ducha. Zawierały tajemnicze myśli, aluzje i wskazówki o skarbie, który był tajemnicą stworzenia tego świata, przyczyną przyczyny, wspomnieniem Boga rzeźbiącego swym ognistym dłutem emanacje, gdy powoływał do życia świat, mówiąc.

Gdy byłem chasydem, mój nauczyciel rabin opowiadał mi o magii liter, o ich kreatywnej energii, zdolnej odmieniać zły los. Dlatego należy tak się koncentrować, by znaleźć się poza wszystkim, zapomnieć o tym, co się wokół nas dzieje, by móc poprzez iluminację liter doświadczyć zjednoczenia ze słowem boskim. Usiłowałem więc poprzez tchnienie, które kryło się w połyskującej miedzi, dotrzeć do zasady wszechrzeczy, próbowałem poprzez zasłonę świata materialnego dojść do Nienazwanego. Aż nagle pojąłem to, co jedynie zakochany chasyd może pojąć — że istniejemy po to tylko, by poznawać rzeczy niewidzialne. A ogniwem łączącym są litery.

Albowiem one są piękne i dobre do kontemplacji. Widziałem blask miedzi rozświetlonej literami. Widziałem niepojętą głębię pozwalajacą przepowiadać przeszłość i wspominać przyszłość. I widziałem stworzenie świata, istot, ziemi, powietrza, wody i ognia, mądrości i rozumu. A wszystko to istniało tylko dzięki literom, które odtwarzały cud początku świata. Między nimi wyróżniała się jedna litera — ת, *taw* — symbol, boska pieczęć, zakończenie stworzenia świata, całość wszystkich rzeczy stworzonych. *Taw* oznacza znajomość absolutu i jego tajemnicy, odsłaniającej się przed duszą człowieka. Doskonałość *taw* umożliwia dynamicznemu tchnieniu ש, *szin*, wydobyć swoje siły.

— *Taw* — powiedziałem na głos. Zamknąłem oczy i powtórzyłem dwa razy: — *Taw, taw*. — On był tutaj, czułem Jego obecność.

— Ary!

Odwróciłem się. Za mną stała Jane.

— Wołam cię już trzeci raz. Nie reagujesz.

— Musimy już iść.

— Tak — zgodziła się Jane. — Zamykają muzeum.

Poszliśmy wzdłuż Sekwany, bulwarem Saint-Bernard.

Jane rozglądała się uważnie, by upewnić się, że nikt nas nie śledzi.

— Widziałam tu Józefa Koskkę — powiedziała. — Chyba przyszedł kończyć kopiowanie Zwoju Miedzianego. Zniknął w jakimś pokoju z dwoma mężczyznami, których nie rozpoznałam. Udając, że oglądam ceramikę, podeszłam bliżej do drzwi, żeby podsłuchać, o czym mówią.

— No i co?

— Mówili coś o profesorze Ericsonie... i o Zwoju Srebrnym.

— Czego się dowiedziałaś?

— Nie został napisany przez esseńczyków ani przez zelotów. Powstał w średniowieczu i zawiera informacje o niezwykłym skarbie!

— Ojciec miał rację. W tej sprawie brakuje jakiegoś łączącego całość elementu.

Nad Sekwaną zapadał zmrok, łagodny wiaterek muskał lekko włosy Jane, czyniąc je jeszcze bardziej eterycznymi.

— A co ty znalazłeś w Zwoju Miedzianym? — zapytała cicho.

— Zobaczyłem to, co tylko chasyd może zobaczyć.

— Co takiego?

— *Devekut*[14].

Kiedy doszliśmy do mostu des Arts, usiedliśmy na ławce z widokiem na nadrzeczne bulwary i na płynące rzeką spacerowe statki, oświetlone girlandami zielonych, czerwonych i pomarańczowych świateł.

Jestem zakochany. Moje serce przepełnia miłość, bardzo zależy mi na tej kobiecie. Nie jestem już więc Mesjaszem, bo jestem mężczyzną, który żyje tylko dla niej. Ona jest moją religią, moim prawem, moją nadzieją, moim niepokojem, moją *devekut.* Przez tę miłość zrujnowałem sobie życie i nie mogę powstrzymać łez, ponieważ boję się, że nie będę mógł radować się w Jego obecności, że nie dla mnie ten czas i że nie będę mógł Go ucałować, jak ucałował Boga Mojżesz.

Miłość... Słyszałem, jak o niej opowiadano, czytałem w książkach, gdy studiowałem na uniwersytecie. Mówiono mi, że jeśli człowiek nie doświadczy miłości, jego życie nigdy nie będzie pełne, a on sam nie będzie zdolny okazać innym ludziom życzliwości, bez której zapanowałoby wśród nich zło. Ja jednak zawsze myślałem, że miłość to siła destrukcyjna, że miłość nie może być dobrem, i nie ufałem mężczyźnie, który kochał kobietę. *Bo ich drogi są ścieżkami ciemności i występku.*

— No tak, najpierw byłeś skrybą, a potem zostałeś namaszczony — stwierdziła Jane. — Zanim jednak zostałeś skrybą, byłeś chasydem, a przedtem...

— A przedtem byłem żołnierzem. Ale to już odległa przeszłość.

— Brakuje ci pisania?

— Zostało przerwane nagłymi wydarzeniami, zmuszając mnie do zatrzymania się w pół kroku, podczas gdy nie wolno mi nigdzie i nigdy zatrzymywać się, abym nie stracił umiejętności koncentracji. Najbardziej jednak brakuje mi mojej wspólnoty.

— Wkrótce tam wrócisz.

— Nie wrócę.

— Dlaczego?

— Porzuciłem ich. Uciekłem od esseńczyków.

Jane patrzyła na mnie, niczego nie rozumiejąc.

— Odszedłem od nich, ponieważ nie chcieli mi pozwolić, bym tu przyjechał. A ja chciałem być z tobą.

— Ary, nie trzeba było tego robić. To...

— Kocham cię.

Odpowiedziała mi cisza.

— Kocham cię — powtórzyłem. — Od pierwszego wejrzenia. Dwa lata temu było to dla mnie tak zaskakujące, że nie mogłem tego pojąć. Potem zaskoczenie minęło, a miłość została.

— To niemożliwe. — Jane, wstała z ławki. — To niemożliwe i dobrze o tym wiesz. Jeśli jesteś tym, kim jesteś... To nie ma sensu.

— Nie ma sensu? A może właśnie ma? Przypomnij sobie, że Ewangelia mówi o uczniu, którego kochał Jezus, ale nigdy nie wspomniano jego imienia.

— Uważa się, że chodzi o Jana Ewangelistę, prawda?

— Tak, o Jana...

Jane patrzyła na mnie zdumiona.

— Sądzisz, że jestem twoim uczniem? Bo noszę to samo imię?

— Być może...

— Nic nie zrozumiałeś. Nic a nic. Ja nie mam do spełnienia żadnej misji. Nie należę do was. Nie chcę roli, którą mi proponujesz. — W jej wzroku było rozczarowanie. — Nie wierzę w twoją miłość.

Wieczorem ponownie zajęliśmy stanowisko przed domem Koskki. Czekaliśmy w krępującej ciszy, której żadne z nas nie umiało przerwać.

Po godzinie przyjechała furgonetka, ta sama, co poprzedniego dnia. Koskka wsiadł do niej, by znowu udać się w kierunku Porte Brancion.

Znaleźliśmy się przed tym samym co wczoraj budynkiem.

Była godzina dwudziesta druga.

Nie wiedzieliśmy, co robić, poszliśmy więc do restauracyjki

na rogu, starego lokalu z odpadającym tynkiem, zadymionego, będącego miejscem spotkań mieszkańców tej dzielnicy, którzy lubili po pracy pogawędzić przy barze.

Gdy tylko usiedliśmy przy stoliku koło okna, podszedł do nas właściciel i podał nam kartę. Był to gruby jowialny mężczyzna o czerwonych policzkach i wyrazistych rysach twarzy.

— Ciekawe — mruknęła Jane. — Co to za dania?

— Nie podoba się pani moje menu?

— Ależ skąd! Po prostu to, co pan proponuje, jest bardzo oryginalne.

— To jest kuchnia z dawnych czasów — odrzekł pompatycznie. — Przekazali mi ją moi rodzice, a im ich rodzice i tak dalej... — Pochylił się nad nami i szepnął: — To kuchnia templariuszy, rycerzy w białych płaszczach z czerwonymi krzyżami. Przywieźli ze Wschodu książkę kucharską, której autorem był bratanek Saladyna, Wusla Ila Al-Habib.

— Kto taki?

— Wusla Ila Al-Habib — powtórzył z naciskiem właściciel. — Najznakomitszy z kucharzy! Podczas przygotowanej przez niego uczty wielki mistrz zakonu powierzył templariuszom rolę podobną do tej, którą dziś określa się mianem oddziałów humanitarnych, byli więc poprzednikami... błękitnych hełmów ONZ!

Wymieniliśmy z Jane ironicznie spojrzenia.

— Dlaczego właśnie templariuszom? — zainteresowała się Jane.

— Templariusze byli doskonałymi aptekarzami. Odkryli zalety *Spirea ulmeria*, królowej łąk, pomagającej w leczeniu bólów stawów, dzięki czemu udało się później wyodrębnić pochodne salicylanów zawarte w tej roślinie. W ten sposób, młoda damo, pojawił się najczęściej używany na świecie lek, który nazywa się... — mężczyzna dla większego efektu zawiesił głos — aspiryna! Sztuka gotowania, młoda damo, zawsze miała coś wspólnego z czarami. Ale pani ma smutną minę... Czerwony nektar rozprasza troski. Natomiast ocet winny jest cudownym lekiem, zapewniającym zdrowe życie. Ocet winny, małe cebulki, estragon, ziarnisty pieprz, goździki, tymianek, liście laurowe, czosnek — jeśli wszystkie te składniki zmaceruje pani w słoiku mniej więcej przez miesiąc i potem użyje ich według własnego smaku do różnych potraw, sama się pani przekona... — Nachylił się do ucha Jane. — Należy wiedzieć, panienko, że kapusta pasuje do ryżu, korniszony do mięsa i dziczyzny, pomidory dobre są z rybą, a przede wszystkim nie wolno zapominać o winie i chlebie! Woda i mąka, woda deszczowa, naturalny element pochodzący z góry, z nieba. Tak więc zwyczaje związane z kuchnią odbywają wędrówkę niczym pokolenia kapłanów, z zachodu na wschód.

— Czy może mi pan powiedzieć — zapytała Jane, chcąc przerwać ten potok wymowy — co jest na przykład w... paście z oberżyn?

— Pasta z oberżyn to najwyborniejsza potrawa, jaką można sobie wyobrazić. Do upieczonych oberżyn dodaje się dwie szalotki, cztery ząbki czosnku, trzy listki mięty, łyżkę octu winnego, cztery łyżki oliwy z oliwek, sól i pieprz.

— Jak pan to robi?

— Nakłute w kilku miejscach oberżyny i paprykę piecze się na ogniu, potem zdejmuje się z nich skórkę, gdy są jeszcze ciepłe. W moździerzu ubija się szalotki, czosnek, miętę i oliwki. Potem dorzuca się do tego oberżyny i paprykę, cały czas mieszając. Następnie wlewa się pomału oliwę, nie przerywając mieszania. Doprawia się do smaku solą, pieprzem i octem winnym.

— A tamto danie? — Jane wskazała na talerze osób przy sąsiednim stoliku.

— To cassoulet. Robi się tę potrawę w dużym garnku, do którego wlewa się pięć litrów osolonej wody z przyprawami korzennymi, wrzuca cztery gicze baranie lub wieprzowe, dwa płaty żeberek, cztery kości wołowe, łopatkę baranią, cztery marchewki, pęczek selera naciowego, małą zieloną kapustkę, dwie pietruszki, małą dynię, pół kilograma suszonej fasoli białej, czarnej i czerwonej, trochę grochu, cztery cebule, cztery ząbki czosnku, listki gorczycy, sól, pieprz, dodaje się szklankę octu winnego, cztery szklanki oliwy z oliwek, łyżeczkę musztardy.

— Weźmiemy pastę z oberżyn — zadecydowałem. — Proszę mi powiedzieć, czy zna pan swoich sąsiadów, tych, którzy mieszkają w tamtym małym czerwonym domku?

— A, to ten dziwak! Polak, pochodzi, jak sądzę, ze szlacheckiej rodziny. Podobno zajmuje się filozofią i poezją.

Zjedliśmy szybko i wyszliśmy z restauracyjki, kierując się w stronę interesującego nas domu. Od frontu paliło się światło tylko w jednym oknie.

Pchnęliśmy z Jane ciężkie drewniane drzwi i jak poprzedniego wieczoru, znaleźliśmy się w korytarzu. Nagle ujrzeliśmy rycerza z wymierzonym w nas mieczem. Zaskoczeni stanęliśmy w ciemnościach, nie wiedząc, co robić. Rycerz miał na głowie hełm z metalową przyłbicą, zasłaniającą twarz. Takim obosiecznym mieczem rycerze mogli kłuć i rąbać przeciwnika. W drugiej ręce trzymał drewnianą tarczę obciągniętą skórą, lekko wypukłą, ostro zakończoną u dołu i u góry. Jego zbroję uzupełniały naramienniki. Zbliżyłem się ostrożnie i uderzyłem go mocno w ramię, a drugą ręką wytrąciłem miecz, który potoczył się pod moje nogi.

Dopiero wtedy zorientowałem się, że był to zrobiony ze splecionych skórzanych sznurków manekin, ubrany w kolczugę i pludry. Odetchnęliśmy z ulgą. Ostrożnie ruszyliśmy korytarzem, ale tym razem zostaliśmy na parterze. Zaglądaliśmy do wszystkich pokoi, które okazały się istną rupieciarnią pełną mebli i najprzeróżniejszych szpargałów, aż dotarliśmy do wielkiej sali, w której wczoraj odbywało się spotkanie.

Teraz było tu ciemno. Jane wyjęła z torebki latarkę i oświetliła nią stół. Ujrzeliśmy pergamin pisany po francusku:

I wówczas święty starzec powiedział do mnie: abyś bez przeszkód dotarł do końca swej podróży, przejdź przez ten ogród, bo poznawszy go, będziesz lepiej przygotowany do wzniesienia się po promieniu Boga. A Niebieska Królowa, którą miłuję całym mym jestestwem, obdarzy nas wszelką łaską, bo ja jestem twoim wiernym Bernardem.

— Święty Bernard, reguła zakonu Świątyni — usłyszeliśmy czyjś niski głos.

Odwróciliśmy się gwałtownie.

— Na soborze w Troyes w tysiąc sto dwudziestym ósmym roku święty Bernard ogłosił po raz pierwszy zasady zakonu Świątyni. A ja jestem wielkim mistrzem Świątyni.

Człowiekiem, który stał przed nami, był nie kto inny jak Józef Koskka.

— Co to za zakon? — zapytałem.

— Oskarżamy Kościół, że straszy ludzi bezsensownymi przesądami i każe im wierzyć w różne rzeczy bez żadnych podstaw. Nasza doktryna rozprzestrzeniała się przez wieki w wielu krajach, najpierw jawnie, potem w ukryciu, ponieważ Kościół postanowił wydać nam wojnę, głosząc, że nasz zakon występuje przeciw Chrystusowi. Zwracamy się do tych, którzy, rezygnując z osobistych aspiracji, pragną służyć wiernie niczym rycerze i nosić po wieczne czasy szlachetną zbroję posłuszeństwa!

Koskka zamilkł i podszedł do nas. W świetle kieszonkowej latarki jego twarz wyglądała przerażająco.

— Działo się to czternastego stycznia tysiąc sto dwudziestego ósmego roku, w dzień świętego Hilarego. W kościele, w którym odbywała się ta ceremonia, zapalono wszystkie świece z okazji rozpoczęcia soboru. Podczas gdy jeden z duchownych zapisywał na pergaminie oświadczenia mówców, teologowie, biskupi i arcybiskupi zapoznawali się z rycerzami, którzy byli obecni w tym wielkim dniu. Soborowi przewodniczył legat papieski, kardynał Mateusz z Albano. To na tym zgromadzeniu rycerz Hugon de Payns poprosił o zatwierdzenie reguły dla nowej organizacji, którą niedawno założył. Miała ona za zadanie chronić pielgrzymów zmierzających do Ziemi Świętej, czuwać nad bezpieczeństwem dróg prowadzących do Jerozolimy. W ten sposób narodził się zakon Świątyni, który przeżył wiele dni chwały aż do śmierci na stosie wielkiego mistrza, oskarżonego niesłusznie o najstraszliwsze zbrodnie!

Odszedł kilka kroków i wskazał obraz wiszący na ścianie.

— To kopia obrazu Velázqueza *Las Meninas* — szepnęła Jane.

— Gdy malarz ten został przyjęty do zakonu Santiago, wprowadził zmiany na tym obrazie i przedstawił siebie w stroju templariusza, z krzyżem zakonnym. Popatrzcie jednak na mój miecz — mówił dalej Koskka. — To miecz templariuszy, nasza „Matka Boska”... Otrzymują go rycerze ubrani w czarne szaty po ceremonii wtajemniczenia, podczas której dostają także prawo noszenia białych płaszczy...

— W księdze Genesis jest powiedziane: Bóg wygnał człowieka i ustawił na wschód od Edenu cherubinów z ognistym mieczem, aby strzegły drogi do Drzewa Życia... — szepnąłem do siebie.

— Tak, to miecz aniołów ognistych z Biblii! Miecz straszliwy dla wrogów. Ale wy, jeśli dobrze rozumiem, jesteście po naszej stronie. Szukacie mordercy naszego brata. I dlatego dziś tylko was ostrzegam. Przestańcie nas śledzić, albo przydarzy się wam wielkie nieszczęście.

— Jaką funkcję pełnił profesor Ericson w waszym zakonie? I co was łączy z masonami?

— Ruch masoński ma odległe początki — odpowiedział Koskka. — Wywodzi się z bractwa faraona Tutmosisa, samarytańskich magów i ascetycznej wspólnoty z Qumran. Jednym z ich symboli jest kielnia, symbol używany przez esseńczyków. — Wypowiadając ostatnie słowa, popatrzył na mnie uważnie. — Masoni wywodzą się z templariuszy...

— Co chce pan przez to powiedzieć? — Moją uwagę przyciągnęła oszklona szafa, w której stała drewniana szkatułka. Koskka otworzył ją poprzedniego wieczoru na ceremonii templariuszy.

Koskka, uchwyciwszy moje spojrzenie, stanął przed szafą, zagradzając drogę do Zwoju Srebrnego.

— Na zasadach zakonu templariuszy stworzyliśmy nowy zakon. Zakon Świątyni jest zbrojnym ramieniem zakonu. Czy dobrze mnie zrozumieliście? Stanowi to dla was tym większe niebezpieczeństwo. Powtarzam po raz ostatni: miejcie się na baczności. Jeśli chcecie ocalić życie, odejdźcie stąd, zapomnijcie o całej sprawie, o wszystkim, co tu widzieliście.

— To jakaś niedorzeczność — powiedziałem do Jane, gdy wróciliśmy do hotelu. — Wielki mistrz zakonu Świątyni...

— Przypuszczam, że to on wciągnął profesora w tę awanturę. I prawdopodobnie wykorzystał go do swoich celów.

— Dlaczego Kościół tak prześladował templariuszy?

— Oskarżono ich o herezję z powodu rytuału pocałunków.

Jane otworzyła drzwi do swojego pokoju i zaprosiła mnie do środka.

— Pocałunków? Jakich pocałunków?

— Podobno templariusze w czasie ceremonii wprowadzającej do ich wspólnoty wymieniają pocałunki — jeden między barkami, drugi tam, gdzie znajdują się nerki, trzeci w usta.

— Pocałunek — przypomniałem — jest procesem, który żydowscy kabaliści nazywają tajemnicą równowagi, aktywizuje się wówczas mądrość i rozum, symbolizowane przez dwa barki, a w ciele przez nerki.

— Czy uważasz, że templariusze znali kabałę? Gdzie się jej nauczyli?

— Kabała miała wielki wpływ na różne sekretne stowarzyszenia. To wiedza tajemna dotycząca wielu dziedzin. Na przykład interpretacja liter. Mówi się, że ten, kto pozna znaczenie liter hebrajskich, pozna wszystko, co istnieje, od początku do końca. Wszystko, co jest zapisane w Torze, w słowach i ich wartości numerycznej, w kształcie liter, w ich poszczególnych elementach, symbolizuje mistyczną istotę, jakąś myśl, ideę. Według nas litery nie są dziełem przypadku, pochodzą bowiem z nieba. Gdy Mojżesz zszedł z góry Synaj i zobaczył, iż jego lud czci złotego cielca, wpadł w taki gniew, że chcąc ukarać lud, rozbił święte tablice. I wtedy ujrzano, jak, z woli Boga, litery jedna po drugiej ulatują spiralą ku niebu. Tablice stały się tak ciężkie, że Mojżesz nie mógł ich utrzymać. Roztrzaskały się o ziemię. A potem te same litery sprawiły, iż kamienne tablice znów zrobiły się lekkie.

— Pismo... — szepnęła Jane. — W słowie pisanym zawiera się klucz do tajemnicy.

Usiadła na łóżku i jak zawsze, gdy miała jakieś wątpliwości, zaczęła stukać w klawiaturę laptopa. Usiadłem obok niej i przyglądałem się, co robi. Po chwili odwróciła do mnie ekran, abym i ja mógł czytać.

Templariusze są zakonem rycerskim założonym w średniowieczu, około 1100 roku. Jego celem było ochranianie pielgrzymów, którzy udawali się do Ziemi Świętej, pilnowanie, aby w drodze do Jerozolimy nie zostali zabici lub ograbieni przez bandytów. Przez prawie dwieście lat templariusze byli doradcami, dyplomatami, bankierami papieży, cesarzy, królów i możnych tego świata. Pozostaje tajemnicą, dlaczego zostali tak surowo potraktowani przez inkwizycję? W każdym razie kontakty dyplomatyczne z islamem sprawiły, że oskarżono ich u układanie się z wrogiem.

Oskarżenie wniesione przeciw zakonowi Świątyni przyspieszyło ich upadek. Zakonowi Świątyni zadano ostateczny cios w 1317 roku, gdy papież Jan XXII potwierdził wyrok swego poprzednika, papieża Klemensa VI. Zakon templariuszy przestał definitywnie istnieć.

Jane znowu zaczęła stukać w klawiaturę. Było już późno. Położyłem się na kanapie pod oknem.

— Ary?

Na twarzy poczułem lekki powiew.

Byłem więc z Jane, w jej pokoju, w środku nocy. Na niej spoczęło tchnienie mądrości i rozumu, tchnienie rady i mocy oraz tchnienie poznania. Te cztery tchnienia mogą być tylko udziałem Mesjasza. Z tych czterech tchnień wywodzi się tchnienie boskie. Drżałem z pożądania, tak bardzo chciałem złożyć na jej ustach pocałunek miłości, połączyć na zawsze nasze tchnienia. Jakże marzyłem, żeby być blisko niej.

Moje serce wzdychało do niej, pożądała jej moja dusza.

Mimo tego, co powiedziała, mimo jej odmowy, byłem tuż obok niej, zaledwie dwa kroki od niej i wystarczyłby tylko jeden ruch, żeby moje serce, udręczone pętami miłości, otworzyło się. O Boże! Dlaczego nie miałbym się z nią zaręczyć zgodnie z prawem i regułą?!

Zamiast tego trawiło mnie rozdzierające bolesne pożądanie, jak niedająca się uleczyć rana. Byłem chory, chory z miłości. Im uważniej obserwowałem ją z głębi mojej duszy, tym mocniej czułem tę irracjonalną siłę, która popychała mnie ku niej za sprawą potężnego prawa przyciągania, zwanego pożądaniem.

Gdyby tylko była żydówką... Wyciągnąłbym do niej rękę, a ona pozwoliłaby się pocałować. Bo jest napisane: *Niech składa swymi ustami pocałunki na mych ustach.*

Zwarlibyśmy się w miłosnym uścisku i połączyłaby nas miłość, a skóra Jane doświadczyłaby największej pieszczoty pierwszego promienia światła.

Dotknięcie jej skóry byłoby pieszczotą, a pieszczota byłaby jak wino, które daje radość. Miłość dodałaby sił mej duszy, przywracając jej młodość. Jane całowałaby mnie, obdarowywała pieszczotami cudowniejszymi od wina i odurzała słodkim zapachem swych perfum. Piżmo, nard i szafran. Pocałowałaby mnie siedem razy i te pocałunki byłyby niby siedem stopni Drabiny Jakuba.

I zapaliłyby się wszystkie gwiazdy na niebie, rozbłysły promienistym światłem.

Wówczas poszedłbym za nią, został z nią, wyszedł jej na spotkanie, wyciągnąłbym do niej rękę, by patrzeć tylko na nią, posiadać i kochać, tak jak symbolizuje to litera *alef*, w której kryje się sekret uśmierzania namiętności. Bo w literze *alef* jest słodkie światło, łagodny płomień, sekret wszystkich sekretów. Poczułbym zapach jej skóry na mojej skórze i oszalały ze szczęścia i wzruszenia, stałbym się tym, kim jestem, bo byłbym w niej, a ona we mnie i tym sposobem tworzylibyśmy jedność.

Jak bardzo pragnęła tego moja dusza!

Gdy się obudziłem, zbliżał się świt. Jane patrzyła na mnie z dziwnym wyrazem twarzy.

— Pracowałaś przez cały ten czas?

Skinęła głową.

— Tak. Szukałam dodatkowych informacji o templariuszach. To zaskakujące, Ary, jak wiele jest między wami podobieństw.

— O kim mówisz?

— O esseńczykach i templariuszach. Żyjecie zgodnie z ideałem podwójnego powołania, zresztą bardzo sprzecznego — mnicha i żołnierza. Przyjęliście podobne zasady i jesteście im absolutnie posłuszni, bezwzględnie prąc naprzód, nie uznając żadnych ograniczeń ani półśrodków. Macie ten sam cel — odbudować Świątynię. To przecież nie może być dziełem przypadku.

— Podobnie jak Koskka sądzisz, że templariusze znali zasady esseńczyków?

— Nie mam co do tego żadnych wątpliwości.

— Czy wiedzieli także o ofierze składanej w Dzień Sądu?

Jane wstała i, okrywając się żakietem, powiedziała:

— Tak przypuszczam.

Gdy zatrzymałem samochód przed domem w dzielnicy Porte Brancion, dochodziła czwarta rano. Ulica była pusta. Miasto spało, pogrążone w ciemnościach i ciszy. Pchnęliśmy ciężkie drzwi. Znowu szliśmy tym samym korytarzem, który prowadził do sali, gdzie znajdował się Zwój Srebrny. Odczekaliśmy kilka minut. Nie odezwał się żaden alarm.

Jane wyjęła latarkę i omiotła pomieszczenie wąskim promieniem światła.

Czekało nas bardzo trudne zadanie — otworzyć oszkloną szafę i zabrać zwój. Tę delikatną operację miała wykonać Jane, która włożyła czarny trykot, czarne rajstopy i takież buty. Podeszła na palcach do szafy, otworzyła ją i wyjęła drewnianą szkatułkę. Podałem jej szczypce. Bez wahania chwyciła nimi zwój, a ja wziąłem go od niej delikatnie i owinąłem lnianym szalem.

Nagle usłyszeliśmy kroki. Ktoś wchodził po schodach. Ledwo zdążyliśmy się schować. Zobaczyliśmy, że to właściciel restauracji, którego poznaliśmy poprzedniego dnia. W ręku trzymał miecz templariuszy, broń cherubinów. Miał on kształt litery ז, *zajin* — siódma litera alfabetu, litera walki i siły, mocy, potrzebnej do walki o życie.

ZWÓJ SZÓSTY

Zwój Templariuszy

Albowiem oni mnie znieważyli
i nie zważali na mnie,
gdy Ty moc swoją przeze mnie okazałeś.
Wypędzili mnie bowiem z mojej ziemi
jako ptaka z gniazda swojego,
a wszystkich moich przyjaciół i bliskich
ode mnie odsunęli
i uważali mnie za bezużyteczne narzędzie.
Ale to oni, tłumacze kłamstwa i prorocy fałszu,
knuli spisek przeciw mnie z Belialem,
chcąc Twoje Prawo, które Ty wyryłeś w sercu moim,
zamienić na pochlebstwa zwodnicze dla Twego ludu.
Oni spragnionym nie dali napoju Poznania,
lecz pragnącym podawali ocet,
aby patrzeć na ich odurzenie,
gdy będą zachowywać się jak szaleni
podczas swoich świąt
i wpadać będą w ich sieci.

Zwoje z Qumran
Hymny *

* Witold Tyloch, *op.cit.*

Nigdy nie uczyłem się historii i niewiele wiem o Zachodzie i jego tajemnicach. Znam historię, która jest we mnie żywa poprzez rytuał. To pamięć mojego ludu i nie widzę różnicy między przeszłością, teraźniejszością i przyszłością.

Wiedziałem jednak, że teraz chodzi o czasy obecne, nie tylko o epokę chrześcijaństwa, ale i o czas teraźniejszy oraz przyszły, że teraźniejszość nie jest niczym innym jak tylko przyszłością, a ta znowu jest czasem, który powrócił, albowiem działania wypełniające nasz czas zawsze są interpretacją czasu przeszłego. I dlatego walka przeciw siłom przeszłości nie dziwiła mnie ani nie przerażała. I pewnie z tego powodu Shimon Delam wybrał mnie do tego zadania.

Dotarliśmy do hotelu i weszliśmy do obszernego pokoju Jane. Przepuściłem ją, po czym otworzyłem okno wychodzące na ulicę. Zaczęliśmy oglądać naszą cenną zdobycz. Zwój miał dwadzieścia centymetrów długości i był zawinięty z dwóch końców. Wyglądał jak elastyczna srebrna blacha, poczerniała od upływu czasu. Spoczywał w spokoju przez tysiąc lat. Dotknąłem go. Chropawa faktura kontrastowała z miękkimi refleksami srebra. Od Zwoju Miedzianego różnił się jak księżyc od słońca, noc od dnia. Nasze księgi podają, że gdy Bóg stworzył te dwa wielkie źródła światła, na początku były równorzędne, dzieląc tę samą tajemnicę. Potem zostały rozdzielone i ich dramatem stało się to, że ciągle się ze sobą mijają, nigdy nie mogąc się spotkać.

— Nieprzypadkowo ten zwój został wykonany na srebrze — stwierdziła Jane. — Srebro stanowi wielką tajemnicę templariuszy. Tajemnicę, której nikt nigdy nie wyjaśnił.

Jane opowiedziała mi, jak templariusze oparli się inwazji Saracenów w XII wieku w Prowansji i Hiszpanii, jak wzięli na siebie finansowanie wojen przeciw muzułmanom. Opowiedziała mi o tajemnicy związanej ich bogactwami. Przez prawie dwieście lat dysponowali większą częścią kapitałów Europy. Dzięki zaufaniu, jakim ich darzono, zostali skarbnikami Kościoła, królów, książąt i szlachty.

— No i jak, czytamy? — zapytała, wskazując zwój.

— Poczekaj, najpierw muszę zadzwonić do Shimona. Tak się z nim umówiłem.

— A może boisz się tego, co znajdziesz w tym zwoju?

Rzeczywiście bałem się go czytać i chciałem zdać Shimonowi relację z ostatnich wydarzeń, zanim poznam zawartość zwoju.

Drżącą ręką wykręciłem numer i po chwili usłyszałem chrapliwy głos Shimona. Opowiedziałem mu o naszym spotkaniu z Koskką, o templariuszach i o kradzieży zwoju.

— W porządku — powiedział Shimon. — W tajemnym przejściu pod Placem Świątyni znów próbowano za pomocą materiałów wybuchowych odsłonić wejście do podziemi. Władze muzułmańskie zareagowały natychmiast, obstawiając to miejsce wojskiem. Ci, którzy usiłowali odsłonić tajemne przejście, należeli do jakiegoś sekretnego stowarzyszenia. Zamierzali przebić się do Świętego Świętych. — Na chwilę zapadła cisza. — Śledźcie dalej Koskkę. To bardzo ważne. Wspomniałeś, że templariusze zbierają się w Tomarze?

— Tak. Tak usłyszała Jane w Instytucie Kultury Świata Arabskiego.

— Kiedy ma się odbyć to zgromadzenie?

— Wkrótce, nie znamy dokładnej daty.

— Jutro na lotnisku będą czekały na was dwa bilety do Tomaru.

— Nie wiem, czy to dobry pomysł...

— Chciałbym też jak najszybciej otrzymać raport w sprawie Zwoju Miedzianego. Jeśli o mnie chodzi, nie sądzę, aby był w nim klucz do zagadki... Średniowieczny zwój miałby ułatwić rozwiązanie zagadki zabójstwa sprzed tygodnia? To brzmi absurdalnie. No dobra, do usłyszenia!

— Do usłyszenia — mruknąłem, słysząc, że połączenie zostało przerwane.

Shimon się mylił. Po prostu nie potrafił wyobrazić sobie, że Zwój Srebrny może zawierać potrzebne nam informacje. Zresztą kto mógł to sobie wyobrazić?

Jane podeszła do mnie i gdy zaczęła rozwijać zwój, poczułem dreszcz podniecenia. Miałem wrażenie, że zaraz ktoś do nas przemówi.

Ja, Filemon de Saint-Gilles, w roku Pańskim 1320, w wieku dwudziestu dziewięciu lat, zakonnik opactwa Cîteaux, chcę wam opowiedzieć zadziwiającą historię, którą usłyszałem przed świtem pewnej strasznej nocy. Byłem bowiem świadkiem męczeństwa i agonii pewnego człowieka, który wyjawił mi ważną tajemnicę, wystawiając mnie przez to na niebezpieczeństwo utraty życia. Musiałem go jednak wysłuchać i wszystko spisać, bo takie jest moje zajęcie, kopisty i kaligrafa, które wykonuję bardzo starannie, używając ptasiego pióra, kałamarza i dwóch pumeksów. Robię to nie z rozkazu jakiegoś możnego szlachcica lub wyższego duchownego, ale z poczucia obowiązku wobec Boga i tylko Boga. Mam także jeden rylec zwykły i drugi cieńszy, gdyż nie piszę na pergaminie, ale na srebrnej blasze, by tekst nie uległ zatarciu i przetrwał wieki. Przy pisaniu będę stosował Carolinę, albowiem ten rodzaj pisma jest wyjątkowo wyraźny i piękny, zarówno dla liter dużych, jak i małych, cienkich i kwadratowych. Carolina najlepiej nadaje się do rycia w srebrze.

Rzeźbię ten zwój z liter krągłych niczym sklepienie katedry i ostrych niczym łuki okien pięknego opactwa, w którym niegdyś przebywałem, zanim doszło do tego spotkania, które odmieniło mój los. Oby to, co piszę, nigdy nie dostało się w ręce Kościoła, duchownych ani możnych tych czasów, albowiem zostałoby natychmiast zniszczone. Żywię nadzieję, że przeczyta to ktoś dopiero w dalekiej przyszłości.

A więc zaczynam.

21 października 1319 roku w więzieniu w Luwrze wysłuchałem wyznania człowieka, którego byłem spowiednikiem. Człowiek ten, oskarżony o herezję, skazany na śmierć, wyjawił mi niezwykłej wagi tajemnicę, która mogła zmienić bieg historii. Był on rycerzem i zakonnikiem. Miał cierpliwość tarczy, pokorę pancerza, miłosierdzie włóczni i używał ich w obronie wszystkich, którzy potrzebowali pomocy. Walczył dla chwały Pana.

Nigdy nie zapomnę tego właśnie dnia, kiedy to kazano mi stawić się w ciemnym lochu Luwru, gdzie w świetle dymiących pochodni widać było biegające szczury i walające się na podłodze ich truchła. Za masywnym stołem siedzieli sędziowie z twarzami stężałymi od nienawiści. Przed nimi stał młody mężczyzna, dzielny rycerz pięknej postawy, wysoki, którego ciało zahartowane było trudami, z nadzwyczaj delikatnymi rysami twarzy, z czarnymi jak węgiel włosami i z czarnymi oczyma, błyszczącymi niezwykłym blaskiem — Adhémar d'Aquitaine. W owym czasie byłem członkiem inkwizycji i widziałem, jak ten człowiek odpowiadał na pytania swych katów, jak cierpiał, gdy polewano go wrzącą oliwą. Régis de Montségur, bezzębny mężczyzna z potężnym brzuchem i niebieskimi, stalowymi oczyma, oświetlił pochodnią wykrzywioną bólem twarz rycerza.

— Adhémarze — powiedział — twierdzisz, że należysz do zakonu templariuszy?

— Tak.

— Powiedz nam, czy templariusze są gnostykami i doketami?

— Nie jesteśmy gnostykami i doketami.

— Powiedz nam, czy jesteście manichejczykami, którzy twierdzą, że są dwie postacie Chrystusa — wyższa, boska i niższa, ziemska?

— Nie jesteśmy manichejczykami.

— Nie.

— Nikolaitami?

— Jesteśmy templariuszami.

— Czy jesteście sektą bezbożną?

— Jesteśmy chrześcijanami.

— Jesteście chrześcijanami? — powtórzył zdziwiony Montségur. — Czy nie przyjęliście, jak powiadają, religii Mahometa?

— Nie zawarliśmy żadnej umowy z islamem.

— Czy nie twierdzicie, że Jezus był fałszywym prorokiem, a nawet zbrodniarzem?

— Jezus jest naszym prorokiem i naszym Panem.

— Czy nie odrzuciliście boskości Jezusa?

— Nie.

— A jednak utworzyliście w łonie oficjalnego zakonu pewne stowarzyszenie z własnymi mistrzami, zasadami i sekretnymi celami?

— To prawda.

— A czy nie trzeba zdeptać krzyża, by zostać przyjętym do waszego zakonu?

— To oszczerstwo — jęknął Adhémar, cierpiąc straszliwe męki.

— Czy nie zamierzaliście opanować świata?

— Nie mamy takiego zamiaru.

— Wiemy, że nowych członków przyjmujecie nocami przy drzwiach zamkniętych, w kościołach i kaplicach zakonu...

— Tak — szepnął Adhémar.

— Mów głośniej, nie słyszymy cię.

— Tak jest — powtórzył skazaniec. — Przyjmowanie kandydatów odbywa się przy drzwiach zamkniętych.

— Powiedz nam, czy taki kandydat nie musi wyprzeć się Boga, Syna Bożego, Świętej Dziewicy i wszystkich świętych?

— To kłamstwo.

— Powiedz mi, czy nie głosicie, że Jezus nie jest prawdziwym Bogiem, ale fałszywym prorokiem i że jeśli cierpiał na krzyżu, była to kara za jego zbrodnie, a nie odkupienie win rodzaju ludzkiego?

— Niczego takiego nie głosimy.

— Powiedz nam — pytający podniósł głos — czy nie zmuszacie neofitów, by spluwali trzy razy na krzyż, który podstawia im jeden z rycerzy.

— To oszczerstwa. — Adhémar ciężko dyszał.

— Czy nie zdejmujecie szat, by wymienić się bezwstydnymi pocałunkami, najpierw w usta, potem między barki, a na koniec w pępek?!

— Nie całujemy się bezwstydnie.

— Mając takie bogactwa, czy nie zapieracie się Chrystusa, który był ubogi? — zapytał prałat, który stawiał to pytanie po raz trzeci.

Wówczas Adhémar nadludzkim wysiłkiem podniósł głowę i wyprostował się.

— Karmimy jednego biedaka przez czterdzieści dni, gdy umiera któryś z braci i odmawiamy sto razy Ojcze nasz *przez cały tydzień po jego zgonie. Mimo wydatków wojennych każdy klasztor zakonu templariuszy ofiarowuje trzy razy w tygodniu strawę wszystkim biedakom, którzy zechcą tam przyjść.*

— Pytam jeszcze raz, czy nie wypieracie się naszej wiary?

— Na potwierdzenie żarliwości naszej wiary przywołam chwalebny przykład rycerzy z Safadu, pojmanych przez sułtana po upadku bronionej przez nich twierdzy. Było ich osiemdziesięciu. Sułtan przyrzekł im, że ocalą życie, jeśli wyprą się swej wiary. Wszyscy oni odmówili i wszystkim osiemdziesięciu ścięto głowy.

— Czy nie pragnęliście odbudować Świątyni, aby podporządkować sobie świat?

— Respektujemy słowo Jezusa. Czyż on sam nie wygnał kupców ze Świątyni? Czy nie rozdzielał razów, czy nie przewrócił stołów lichwiarzy oraz klatek sprzedawców gołębi? I wszystkim im przypomniał słowa świętej księgi: „Mój dom będzie nazywany domem modlitwy, a wy zrobiliście z niego jaskinię zbójców". Potem dodał: „Powalę Świątynię wzniesioną rękami człowieka i po trzech dniach postawię nową, która już nie będzie dziełem rąk człowieka".

Obserwowałem, jak prałaci zdwajali wysiłki, by udowodnić więźniowi winę.

— Czy nie głosicie, że Jezus wcale nie cierpiał i nie umarł na krzyżu? — zapytał jeden z nich.

— Mówimy, że cierpiał i umarł na krzyżu — odpowiedział Adhémar.

— Czy nie nosicie pod koszulami bożków przymocowanych sznureczkami do pasków?

— Nasi bracia przewiązują koszule pasami lub sznurami i nie noszą żadnych bożków na piersi.

— W jakim celu noszą te pasy?

— By oddzielić ciało i rozum, część niższą od wyższej.

— Czy zaprzeczacie boskości Jezusa?

— Wielbię i czczę mego Pana Jezusa Chrystusa. Zakon Świątyni został powołany i zatwierdzony przez Świętą Stolicę Apostolską!

— A przecież każdy członek zakonu w momencie wtajemniczenia musi zapierać się Chrystusa, krzyża, a także wszystkich świętych, na rozkaz tych, którzy go przyjmują.

— Są to straszliwe, diabelskie zbrodnie, których nie popełniliśmy!

— Nie twierdzicie więc, że Chrystus jest fałszywym prorokiem?

— Wierzę w Chrystusa, który cierpiał męki i który jest moim Zbawicielem.

— Nie kazano wam pluć na krzyż? — zapytał inkwizytor, dając znak katom, by ponownie wylali wrzącą oliwę na nogi Adhémara.

— Nie! — z okropnym jękiem zawołał nieszczęśnik.

— Przysięgnij!

— Przysięgam! To dla uczczenia Chrystusa noszę biały płaszcz naszego zakonu, na którym wyszyty jest czerwony krzyż, na pamiątkę krwi wylanej przez Jezusa przybitego do krzyża.

— A czy nie nosicie białych płaszczy na pamiątkę pewnej żydowskiej sekty, żyjącej nad Morzem Martwym, której członkowie nosili białe lniane szaty?

— Jezus, nasz Pan, był Żydem!

Na te słowa prałaci spojrzeli po sobie.

— Ten człowiek — orzekł inkwizytor — jest heretykiem!

Inkwizytorzy popatrzyli na siebie z zadowoleniem. Dobrze wykonali swoją pracę. Niektórzy gratulowali Montségurowi, który tak umiejętnie prowadził śledztwo i wydobył na światło dzienne ukryte oblicze heretyka. Régis de Montségur w obecności wszystkich sędziów wydał wyrok:

— Adhémarze d'Aquitaine, skazuję cię w imieniu trybunału

świętej inkwizycji na spalenie żywcem na stosie. Czy chcesz o coś poprosić, zanim zostanie wykonany wyrok?

— Tak — szepnął Adhémar. — Pragnę się wyspowiadać.

W tę wietrzną i smutną noc wysłuchałem spowiedzi Adhémara d'Aquitaine, bo tak rozkazał mi Régis de Montségur. W ciemnym lochu ponurego więzienia w Luwrze poznałem człowieka dumnego, udręczonego mękami, które dopiero co mu zadano, a mimo to palił się w nim przedziwny płomień. W lochu śmierdzącym zgnilizną, zanieczyszczonym przez szczury, człowiek ten, cierpiący od potwornych ran, skazany na spalenie na stosie, uśmiechał się do mnie z taką dobrocią i wdzięcznością, że poczułem głębokie wzruszenie.

Byłem młodym zakonnikiem i po raz pierwszy brałem udział w śledztwie inkwizycji. Żyjąc zamknięty w klasztorze, nie miałem pojęcia, co czeka mnie poza nim, nie wiedziałem, ile zła może wyrządzić człowiek drugiemu człowiekowi.

— Podejdź bliżej — poprosił Adhémar — bo wydaje mi się, że się mnie boisz.

Usiadłem więc blisko niego na podłodze. Zobaczyłem jego otwarte straszne rany.

— Mów, synu — zachęciłem go. — Słucham cię.

— Powiem wszystko — szepnął — bo widzę po twoich oczach, że jesteś dobrym człowiekiem i że będziesz umiał mnie wysłuchać.

Siedzieliśmy w ciemnym pokoju z zasuniętymi roletami. Czytaliśmy przy małej nocnej lampce, której światło padało na zwój ze srebra, pokryty czarnymi literami. Od czasu do czasu przerywałem lekturę tylko po to, by spojrzeć na Jane siedzącą w milczeniu obok mnie.

— Działo się to osiem lat temu, w roku Pańskim tysiąc trzysta jedenastym — zaczął Adhémar. — Postanowiłem wyje-

chać z Francji, albowiem pragnąłem umrzeć w Jerozolimie tak, jak Hugon de Vermandois, brat króla Francji, jak hrabia Stefan de Blois, jak Wilhelm Carpentier, jak książę Dolnej Lotaryngii, Gotfryd de Bouillon i jego bracia Baldwin oraz Eustachy, hrabia de Boulogne. Wszyscy oni wyruszyli do Jerozolimy, by zdobyć szturmem to miasto, z legionami dzielnych wojowników na białych koniach, z białymi sztandarami, posłani tam przez Chrystusa, pod wodzą świętego Jerzego, świętego Merkurego i świętego Demetriusza. Urzeczony ich chwałą i ja chciałem stawić czoło wiatrom pustyni, trzęsieniom ziemi i burzom, idąc na świętą wojnę po dwóch wiekach ogromnych zmagań tak sławnych postaci jak Saladyn, Ryszard Lwie Serce i dwudziestu dwóch mistrzów zakonu Świątyni, prowadzących walkę na śmierć i życie, byleby tylko wyrwać Ziemię Świętą z rąk nieprzyjaciół Chrystusa. W końcu dokonali tego po straszliwym oblężeniu Antiochii, która broniła się ponad rok, a potem, po upadku Maraszu, poddały się kolejno wszystkie posterunki tureckie w Iconum, Heraklei i Cezarei.

Wsiadłem więc na statek, mając za sobą doświadczenia w sztuce wojennej zdobyte w turniejach i na polowaniach. Zabrałem ze sobą osiem koni oraz kilku giermków. Ubrany byłem w biały płaszcz z czerwonym krzyżem, w kolczugę okrywającą mnie od głowy po kolana, w hełm z osłoną na nos, zaopatrzony w ciężki miecz, z którym nigdy się nie rozstawałem, nawet wtedy, gdy kładłem się spać. Miałem także topór, sztylet oraz długą włócznię, na wypadek gdyby trzeba było zmierzyć się z wrogiem. Należałem do bractwa podobnych mi ludzi, którzy nosili na białych płaszczach czerwony krzyż i którzy byli posłuszni tylko rozkazom mistrza, a on z kolei podlegał regule zakonnej. Jako zakonnicy byliśmy związani z naszymi braćmi i przełożonymi przysięgą posłuszeństwa tak bezwzględnego, jakby rozkazy pochodziły od samego Boga. Bo Pan powiedział: „Gdy jego ucho to usłyszało, był mi posłuszny". Tak więc bez zwłoki i sprzeciwu powierzyłem moje życie zakonowi, albowiem przybyłem na ten świat czynić to, co podyktuje mi miłość do Boga, który jest cierpliwy, który nas wspiera, nie zna zawiści, nie wpada w gniew, nie odwraca się od nas. Zakon, do którego należałem, to zakon Świątyni.

Złożyłem ślubowanie i byłem zdecydowany pozostać do końca życia w tej wspólnocie. Mieszkałem w miejscowości Tomar, w Portugalii, w jednej z głównych siedzib bractwa templariuszy. Tam właśnie w dniu wstąpienia do zakonu przyjąłem jego regułę i potwierdziłem to na piśmie. Zobowiązałem się tym samym, że nie będę komentował reguły i nie będę się jej sprzeciwiał. Podstawową zasadą reguły zakonu Świątyni było dochowanie tajemnicy.

Płynęliśmy statkiem należącym do zakonu w kierunku Jaffy, ubezpieczani przez okręty patrolowe na wypadek ataku piratów. Do Ziemi Świętej zmierzała także cała flotylla — przeróżne statki, a wśród nich wielkie salandry z dwoma masztami i sześcioma żaglami, z których niektóre miały ponad trzydzieści metrów wysokości! Były też galery poruszane wiosłami przez galerników, a także galeoty i inne, mniejsze statki. Wszystkie one wyruszyły w długą i niebezpieczną podróż przez nieznane i dalekie morza.

Adhémar przerwał na moment. Po jego twarzy naznaczonej cierpieniem przemknął lekki uśmiech. Przypomniał sobie tamten szczęśliwy czas odjazdu i nadziei, co przyniosło mu pewną ulgę.

— Nie napotkaliśmy piratów, lecz musieliśmy przetrwać burzę na pełnym morzu — podjął — walczyliśmy z nią dzielnie, aż w końcu nastała cisza. Patrząc na uspokojone morze, myślałem o Chrystusie, o jego dzieciństwie, życiu i męce. Myślałem o Świątyni, w której Maria, jego matka, przyjęła nowinę przy sadzawce do mycia owiec ofiarnych. To w Świątyni Maria została przyprowadzona przed Ołtarz Całopalenia,

gdzie otrzymała błogosławieństwo kapłanów. A potem przybyła do Świątyni, by poddać się rytuałowi oczyszczenia i świętować odkupienie pierworodnego. W tej to Świątyni nauczał Jezus i wieczorami, z Góry Oliwnej, podziwiał jej piękno.

Adhémar znowu przerwał i wyciągając do mnie rękę, powiedział:

— Przysuń się jeszcze bliżej, bo obawiam się, że nas podsłuchują.

Przysunąłem się i widziałem, jak mimo ciemności błyszczą w jego umęczonej twarzy oczy pełne życia.

— Templariusze mają pewną tajemnicę, którą mistrzowie przekazują swoim uczniom. Opowiedziano nam następującą historię:

Gdy Jezus był jeszcze chłopcem, Józef i Maria udali się do Jerozolimy, aby pójść do Świątyni. Tego dnia ceremonii przewodniczył arcykapłan. Jezus ujrzał dwunastu kapłanów przybyłych z północy, którzy mieli na głowach korony i odziani byli w długie, niezbyt obszerne szaty. Kapłan odprawiający ofiarę zwrócił się ku północnej fasadzie dziedzińca, gdzie zabijano zwierzę ofiarne. Położył rękę na głowie zwierzęcia, a potem podciął nożem jego gardło. Wówczas lewici zebrali krew jagnięcia do naczynia, a inni ściągnęli z niego skórę. Podano kapłanowi krew, którą pokropił ołtarz, po czym spalił tłuszcz i wydobył wnętrzności. Następnie zostawił mięso zwierzęcia, aby spłonęło w ogniu na ołtarzu.

W sanktuarium kapłan dopełnił aktu — przelał krew do misy z brązu, wsypał kadzidło, pomodlił się nad krwią wylaną przed ołtarzem, po czym zrobił siedem znaków na ciele ofiarnego zwierzęcia palcem umoczonym w jego krwi. Na koniec wyszedł na dziedziniec i poprosił kapłanów, aby pobłogosławili zgromadzonych tam wiernych. Lewici rzekli „amen". Jeden z kapłanów odczytał święte wersety, drugi wszedł do sanktuarium i rozmawiał z Bogiem, wypowiedziawszy przedtem

Jego imię, które zawiera cztery litery: jod, he, waw i he. *Była to ofiara na dzień Sądu Ostatecznego.*

Jane i ja podnieśliśmy jednocześnie głowy i spojrzeliśmy na siebie.

— Myślisz, że człowiek, który zabił Ericsona, czytał ten tekst i poznał rytuał obowiązujący w Dniu Sądu?

— Niewykluczone — odpowiedziałem. — Ale czytajmy dalej.

— Oglądasz rytuał składania ofiary w dniu Sądu Ostatecznego.

Jezus odwrócił się i ujrzał podchodzącego do niego starca.

— Tak — odrzekł chłopiec, przyglądając się temu człowiekowi ubranemu na biało. Obok niego stało wielu innych mężczyzn, podobnie jak on ubranych w białe lniane szaty.

— Już wkrótce nastanie dzień Sądu Ostatecznego. Już wkrótce przyjdzie ten dzień i nastanie Królestwo Boże. Bo już wkrótce przyjdzie Mesjasz!

— Kim jesteście? — zapytał Jezus.

— Jesteśmy dawnymi kapłanami Świątyni, którzy odeszli, by żyć na pustyni. Ta Świątynia, którą widzisz, gdzie składane są ofiary, jest sprofanowana obecnością Rzymian. Dlatego też zostanie zburzona i trzeba będzie czekać długie lata, zanim znów powstanie.

— Skąd to wiecie? Skąd przybywacie? Kim jesteście? — dopytywał się chłopiec.

— Żyjemy w pobliżu Morza Martwego, w głębi pustyni. Porzuciliśmy rodziny i prowadzimy żywot pustelniczy, modląc się i żałując za grzechy, albowiem wierzymy, że bliski jest koniec świata. Dlatego właśnie trzeba wyrażać skruchę w obecności innych. Trzeba głosić nadejście Królestwa Bożego, aby wszyscy mogli być zbawieni.

— Słyszałem o was. Nazywają was esseńczykami.

— I my słyszeliśmy o tobie. Ty jesteś dzieckiem Bożym, które potrafi tłumaczyć Prawo.

Tak oto Jezus poznał esseńczyków, którzy objaśnili mu swoją wiarę i w taki sposób esseńczycy poznali Jezusa, w którym poznali długo oczekiwanego Mesjasza.

W jakiś czas później Jezus przybył ponownie do Jerozolimy i wygnał kupców ze Świątyni. Bił ich batem zrobionym ze sznurów, służących do przywiązywania zwierząt przeznaczonych na święte ofiary. Zgodnie z życzeniem ludzi z pustyni chciał zburzyć Świątynię, którą skalali Rzymianie, sprofanowali saduceusze i ich bezprawnie wyznaczony kapłan, ustalający według własnego uznania dni święte i dni świeckie. Pragnął na nowo wznieść Świątynię, która nie będzie dziełem rąk ludzkich.

— To znaczy — przerwałem mu, aby mógł odetchnąć — że obecnie templariusze, założywszy własny zakon, czczą tę właśnie Świątynię.

— W istocie jest to powód, dla którego przybyliśmy do Jerozolimy. Gdy Turcy musieli ustąpić z Jerozolimy, oddali to święte miasto w ręce Egipcjan. Po pięciu wiekach okupacji Jerozolima została uwolniona z muzułmańskiego jarzma i stała się nareszcie miastem chrześcijańskim. Wtedy zaczęli coraz tłumniej przybywać do niej osadnicy i pielgrzymi. Byli jednak dziesiątkowani przez zuchwałych zbójców, którzy zaczajali się na drogach z zamiarem ograbienia pielgrzymów z całego ich mienia. Z tego powodu rycerze templariusze, umiłowani przez Boga, chcący Mu służyć, porzuciwszy światowe życie, poświęcili się bez reszty Chrystusowi. W uroczystym ślubowaniu, złożonym w obecności patriarchy Jerozolimy, zobowiązali się chronić pielgrzymów przed bandytami i rabusiami, strzec dróg do miasta, będąc rycerzami w służbie króla Jerozolimy. Początkowo było ich tylko dziewięciu i podjąwszy to święte postanowienie, żyli wyłącznie z jałmużny. Potem król nadał

im pewne przywileje i pozwolił zamieszkać w swoim pałacu w pobliżu Świątyni Pana. W roku Pańskim tysiąc sto dwudziestym ósmym, po dziewięciu latach spędzonych w tym pałacu, w całkowitym ubóstwie, otrzymali regułę swego zakonu z rąk papieża Honoriusza i patriarchy Jerozolimy, Stefana. Wtedy także zezwolono im nosić białe płaszcze. Za czasów papieża Eugeniusza umieścili na płaszczach czerwony krzyż — biel płaszczy miała być symbolem niewinności, a czerwień krzyża przypominać mękę Jezusa.

Tak oto narodził się zakon Świątyni. Jego rola jednak nie ograniczała się tylko do obrony pielgrzymów. Rycerze zakonu Świątyni byli najdzielniejszymi i najodważniejszymi ze wszystkich rycerzy. Francja wiele im zawdzięcza, albowiem byli najbardziej wytrwałymi obrońcami Królestwa Jerozolimskiego, najgroźniejszymi w wojnie przeciwnikami, którzy nigdy nie prosili o litość, nigdy nie płacili okupu za wolność. Dlatego muzułmanie, gdy brali ich żywcem, ucinali im głowy, po czym zatykali je na włóczniach.

Po długim rejsie — ciągnął Adhémar, któremu pozostało niewiele czasu do świtu — gdy wreszcie dotarłem do Ziemi Świętej, wierzyłem, że stało się to za sprawą cudu. Burza przedłużyła znacznie naszą podróż, zapasy wody malały z dnia na dzień. I oto niespodzianie ujrzałem błogosławioną ziemię z jej palmami daktylowymi, jabłoniami, drzewami cytrynowymi, figowcami i wysokimi cedrami rosnącymi nad morzem. Poczułem cudowny aromat mirry i kadzidła. Zobaczyłem także plantacje trzciny cukrowej, goździkowców, muszkatołowców i drzew pieprzowych. Oraz zamki, a przy każdym z nich patio i ogrody pełne róż, zraszane fontannami, z posadzkami z marmuru i podłogami zasłanymi tureckimi dywanami. Po zejściu na ląd ruszyłem w drogę z całą grupą, wziąwszy konie, osły, muły, woły i owce, psy i koty, jak również zakupione wielbłądy. Zrzuciłem moje ciężkie ubranie i zamieniłem je na turban oraz długą tunikę bez rękawów, a buty na skórzane sandały, krótko mówiąc, przebrałem się w strój orientalny.

Zadzwonił budzik w telefonie. Była już szósta wieczorem, pora, by jechać na lotnisko.

W taksówce nadal czytaliśmy Zwój Srebrny.

Gdy przybyłem do obozu templariuszy, który znajdował się na przedmieściach Jerozolimy, dano mi siennik, prześcieradło i wełnianą, lekką derkę, jaka służy do ochrony przed zimnem, deszczem i słońcem nie tylko ludziom, ale i koniom. Dano mi też dwie torby, jedną na pościel i zmianę bielizny, drugą na ubranie. Miałem ponadto torbę z metalowej siatki do przechowywania zbroi. Otrzymałem dwa płócienne ręczniki, jeden, bym mógł rozkładać na nim jedzenie, drugi do wycierania się.

W wieczór mego przyjazdu komtur odpowiedzialny za dyscyplinę wezwał wszystkich rycerzy, by stawili się na wieczorny posiłek. To on właśnie wznosił podczas bitwy chorągiew na znak, że należy się zgromadzić. Był także komtur zajmujący się zaopatrzeniem w mięso, co zapowiadało obfity posiłek.

Weszliśmy do refektarza. Część rycerzy posilała się przy pierwszym stole, inni, ci niższej rangi, jedli osobno, a wszyscy najpierw wysłuchali mszy i odmówili sześćdziesiąt razy Ojcze nasz *— trzydzieści za dobroczyńców żyjących, drugie trzydzieści za dobroczyńców zmarłych. Zajmowaliśmy swoje miejsca, czekając, aż zbiorą się wszyscy. Na stołach nie brakowało niczego i jak zawsze podano chleb, wino i wodę. Po zakończonym posiłku mistrz, rycerz ze skórą spaloną słońcem, polecił mi stawić się w sali obok.*

— Adhémarze — powiedział, gdy zostaliśmy sami — wysłany przez naszych braci przybyłeś do Ziemi Świętej nie po to, by bronić pielgrzymów, lecz by wykonać pewne zadanie. Doskonale wiesz, że przelano tutaj bardzo dużo krwi. Krzyżow-

cy zabili dziesiątki tysięcy muzułmanów i żydów. Jerozolima, zdobyta za cenę krwi, w ten sam sposób zostanie nam odebrana. Turcy odebrali już Cezareę i szykują się do szturmu na zamek Arsuf. Nasze królestwo, które nazywamy Królestwem Jerozolimskim, wciąż się kurczy. Padły już zamki templariuszy Beaufort, Chastel Blanc oraz Safad, jak również uważany za nie do zdobycia Karak w Syrii należący do szpitalników. Jestem mistrzem templariuszy i widzę, jak słabnie siła naszych oddziałów. Widzę, jak padają nasze zamki, widzę mordowanych chrześcijan. Nie potrafię zliczyć, ilu już bliskich mi braci opłakałem, tych powieszonych i tych pozbawionych głów przez Saracenów. Wkrótce dojdzie do oblężenia twierdzy Świętego Jana w Akce. A jutro będzie to Jerozolima. Mieszkam w Ziemi Świętej już od ponad trzydziestu lat i czuję, że zbliża się koniec mych dni, nie z powodu wieku, bo nie jestem stary, choć na takiego wyglądam za sprawą trudów życia, wojen, ran i klęsk. Powinieneś znać prawdę: kiedyś ta ziemia należała do nas, dziś jest nas garstka, otoczona rzeszą wrogów. Wschodnie Królestwo straciło tyle, że nigdy się nie podźwignie. Syria przysięgła, że żaden chrześcijanin nie pozostanie tutaj, ani w świętym mieście, ani w ogóle w tym kraju. Postawią meczety na miejscu naszych kościołów, na Placu Świątyni, gdzie znajduje się nasza pierwsza siedziba, Świątynia Pana, i na miejscu kościoła Najświętszej Marii Panny. I nie zdołamy nic zrobić bez wsparcia, którego nam odmawiają.

— Jak to? — zapytałem. — Nie pomagają wam nasi bracia z Francji?

— Nie chcą nam pomóc w niesieniu Krzyża, który wzięliśmy na swe barki. Zresztą, aby nas ocalić, potrzebna byłaby znaczna pomoc wojskowa. Z tych właśnie przyczyn przysłano cię tutaj. Jesteś młody i silny, dzielny w walce, wykształcony. Juro oczekują cię w Jerozolimie. Jedź tam, Adhémarze, ocal to, co zdołasz ocalić!

— Ale co mam zrobić? Co mam ocalić?

Mistrz popatrzył na mnie uważnie i powiedział coś, czego nie zrozumiałem:

— Nasz skarb.

Nazajutrz o świcie wyruszyłem więc do Jerozolimy, zatrwożony tym, co usłyszałem od mistrza, ale jednocześnie uradowany widokiem miasta mych marzeń. Podczas żmudnej wspinaczki do świętego miasta mój koń okulał. Serce drżało we mnie z radości i z niecierpliwości — nareszcie zostało mi dane ujrzeć to święte miasto, miasto pokoju! Uradowałem się, gdy na szczycie wzgórza, między dwiema dolinami, ujrzałem jego mury.

Adhémar urwał, wspominając tamte chwile. Jego oddech był krótki, urywany. Choć nie poskarżył się ani słowem, rany musiały sprawiać mu ogromny ból.

— Jerozolima! — westchnął, jakby widział wieczne miasto, które odbudował szlachetny Gotfryd de Bouillon i ustanowił w nim swoje królestwo, aby mogły tu przybywać tysiące pielgrzymów pragnących zobaczyć grób Chrystusa, pielgrzymów ze wszystkich chrześcijańskich krajów Europy — Francji, Włoch, Niemiec, Rusi, Hiszpanii, Portugalii...

— Ujrzałem na szczycie wzgórza mury obronne Jerozolimy z bramami wychodzącymi na pustynię i jakby przyciągany jakimś światłem, wjechałem do białego miasta, które o tej wieczornej porze wydawało się bardzo spokojne. Ujrzałem jego błyszczące kopuły, które oślepiły mnie niczym miraż. Za mną rozciągała się pustynia i niebieskawe góry, przed sobą miałem lśniące kamienie i niskie rzadkie krzewy, wśród których Beduini wypasali owce.

Wjechawszy do miasta przez Bramę Damasceńską, zobaczyłem budowle templariuszy, szpitalników i benedyktynów. Wyglądało na to, że każdy zakon chciał zbudować własną świątynię, własne sanktuarium. Dostrzegłem dwie dominujące nad miastem kopuły. Jedna, kościół Ecce Homo, *był to meczet zamieniony na kościół. Po stronie zachodniej wznosiła się wielka kopuła Bazyliki Grobu Świętego. Nad dzwonnicą Golgoty górowała kaplica z Wieżą Szpitalną. Te trzy wysokie budowle dominowały nad całą masą wieżyczek, dzwonnic i tarasów. Większe ulice łączące kościoły, klasztory i domostwa stłoczone w wąskich zaułkach dzieliły miasto na cztery różne dzielnice. Najważniejsza była żydowska, leżąca na północy. Wielka Brama Miejska i Brama Świętego Stefana prowadziły do dzielnicy krzyżowców. Dwie ulice wytyczone na osi północ—południe — ulica Świętego Stefana i ulica Syjonu, brały początek od Bramy Świętego Stefana, skąd jedna biegła w kierunku Świątyni i Bramy Garbarskiej, a druga do Bramy Syjonu. Były też dwie poprzeczne ulice — ulica Świątyni, łącząca Świątynię z Bazyliką Grobu Świętego, oraz ulica Dawida, którą można było dojść do bramy tego samego imienia, mijając kościół Saint-Gilles, aż do wielkiego placu, zwanego dawniej Placem Świątyni.*

Gdy minąłem Bazylikę Grobu Świętego, skierowałem się na ulicę Zielarską, gdzie znajdowały się sklepiki z przyprawami korzennymi i owocami. Następnie poszedłem ulicą Sukienników z kramami wielokolorowych tkanin. Potem ulicą Świątyni, gdzie można było kupić muszle i gałązki palmowe pielgrzyma, dotarłem do Placu Świątyni. Początkowo stanowił on teren oddany przez kanoników Świątyni ubogim rycerzom Chrystusa. Stąd schodami dochodziło się do Kopuły Skały i na koniec do kościoła Ecce Homo.

Właśnie tutaj przed Placem Świątyni, między murami Jerozolimy i Złotą Bramą, znajdowała się pierwsza siedziba zakonu Świątyni, zbudowana na tym samym miejscu, gdzie niegdyś wznosiła się Świątynia Salomona. Ujrzałem wspaniałą budowlę, lśniącą bielą marmuru. Obok znajdowała się wielka stajnia, w której trzymano ponad dwa tysiące koni i tysiąc pięćset wielbłądów. Rycerze mieszkali w budynkach przylegających do pałacu, będącego obecnie kościołem Najświętszej Marii Panny Laterańskiej.

Byliśmy już prawie na miejscu. Jane, starając się ukryć niepokój, siedziała przy okrągłym okienku samolotu, a ja ją obserwowałem.

Ubrana była w dżinsy i białą bluzkę. Włosy ściągnęła gumką w koński ogon, na nosie miała okulary przeciwsłoneczne, które zasłaniały jej ciemne oczy.

Gdy wysiedliśmy z samolotu, wziąłem bagaż Jane — niewielką torbę i walizeczkę z laptopem. Nie umiem wyjaśnić dlaczego, ale przez ten zwykły gest zdałem sobie nagle sprawę, że jestem szczęśliwy i że uczucie to jest źródłem, z którego piję, odkąd opuściliśmy Izrael.

W autobusie z trudem oparłem się chęci, by rozwinąć zwój i kontynuować lekturę.

— Jakim sposobem zakon templariuszy zdołał przetrwać przez ponad pięćset lat? — zapytałem.

— Niektórzy powołują się na akt przekazania władzy, pochodzący jakoby z tysiąc trzysta dwudziestego czwartego roku. Jakub de Molay, ostatni mistrz zakonu, wyznaczył na swego następcę Jana Marka Larmeniusza z Jerozolimy, a ten z kolei przekazał godność mistrza Franciszkowi Theobaldowi z Aleksandrii. Larmeniusz sporządził wielki akt sukcesyjny, podpisywany potem przez wszystkich wielkich mistrzów, od czternastego do dziewiętnastego wieku.

— Skąd pochodzi ich fortuna?

— To jest właśnie tajemnica. Według wszelkiego prawdopodobieństwa ich skarbu nie tworzyły pieniądze, lecz przedmioty sakralne, drogie kamienie i biżuteria... No i udało im się ukryć go na czas.

— Być może odpowiedź znajduje się w Zwoju Srebrnym.

— Zostałem przyjęty przez templariuszy z Jerozolimy, którzy wskazali mi kwaterę. Zdziwiłem się, że nie wyznaczono mi miejsca w dormitorium, między innymi braćmi rycerzami,

lecz przydzielono jedną z cel z wyjściem na korytarz. Umeblowanie mojej celi stanowiło jedno krzesło, skrzynia na ubrania, łóżko z siennikiem, poduszką, prześcieradłem i pledem. Było przykryte kapą. Takiego luksusu nie znałem od wielu lat, często sypiając na sienniku lub pod gołym niebem na pustyni.

Po obiedzie wezwano mnie do sali posiedzeń kapituły. Kapituła to najwyższa rada zakonu, a jej posiedzenia odbywały się co tydzień wszędzie tam, gdzie było przynajmniej czterech braci. Rozpatrywano na niej występki popełnione przeciw regule zakonu i podejmowano decyzje dotyczące codziennych spraw. Ta kapituła nie była jednak podobna do innych. Tej nocy dokonano wyboru wielkiego mistrza, a ja przeżyłem jedną z najważniejszych chwil mego życia.

Przybywszy do Tomaru, kazaliśmy się zawieźć do małego hoteliku, w którym wcześniej zarezerwowaliśmy pokoje. Kiedy już się rozlokowaliśmy, uznaliśmy, że dobrze będzie po tak długiej podróży trochę się przejść.

Spacerując ramię w ramię, poznawaliśmy to małe portugalskie miasteczko. Jak mam wam, przyjaciele, przekazać moje wrażenia? Był już wieczór, szary zmierzch okrywał nas miękkim, łagodnym, tajemniczym płaszczem. Nie istniał już ani czas teraźniejszy, ani przeszły, liczył się tylko ten wieczór przed czekającą nas nocą. A jeśli miłość nie jest reminiscencją czasu przeszłego, tylko czystą przyszłością? Nie miało dla mnie znaczenia nic, co działo się przed nią, szedłem w ciszy, by głębiej ją kontemplować.

— Ary — odezwała się nagle Jane, łapiąc mnie za ramię — jestem pewna, że ktoś nas śledzi.

— Co ty opowiadasz?

— Już od lotniska w Paryżu śledzi nas jakiś mężczyzna.

Usłyszeliśmy za plecami czyjeś przyspieszone kroki.

— Dlaczego nie powiedziałaś mi o tym wcześniej?

— Nie byłam pewna.
— Wracajmy do hotelu.

Odprowadziłem Jane do jej pokoju.
— Boże! — krzyknęła, otworzywszy drzwi.
W pokoju panował nieopisany bałagan. Najwyraźniej czegoś tu szukano. Jane podbiegła do walizki i zaczęła nerwowo przeglądać swoje rzeczy.
— Gdzie jest zwój? — zapytała.
Wyjąłem mój szal modlitewny, który zostawiłem w walizce Jane.
— Ary — Jane nie kryła oburzenia — właśnie ukradziono nam coś bezcennego, a ty oglądasz swój szal... Nigdy cię nie zrozumiem.
Usiadła ciężko na łóżku, na którym leżały jej rzeczy i otwarta walizka. Podniosła poduszkę, by podłożyć ją sobie pod głowę.
— Ary, spójrz!
Podążyłem za jej wzrokiem. Pod poduszką leżał mały antyczny sztylet, inkrustowany drogimi kamieniami.
Spojrzeliśmy na siebie zaskoczeni. Widziałem w jej oczach strach. Jej powieki drżały. Sztylet odpowiadał literze נ, *nun*. Od strony negatywnej litera ta symbolizuje pięćdziesiąt nieczystych bram. W Egipcie lud Izraela omal nie wpadł w pięćdziesiątą bramę wszeteczności. Pojawił się jednak Mojżesz, by ocalić dzieci Izraela i wyprowadzić je z niewoli. Wyjście z Egiptu jest wspomniane w Torze pięćdziesiąt razy, ponieważ lud żydowski musiał opuścić Egipt, by spotkać się z Bogiem.

ZWÓJ SIÓDMY

Zwój Wojny

Powstań Mocarzu, pojmaj Twych pojmanych, Mężu Chwały,
i zabierz Twój zdobyczny łup, o Waleczny!
Połóż rękę Twoją na karku Twoich wrogów,
a nogę Twoją na stosie pobitych.
Rozbij narody nieprzyjaciół Twoich,
a miecz Twój niech pochłonie grzeszne ciało.
Napełnij chwałą Twoją ziemię,
a dziedzictwo Twoje błogosławieństwem.
Niech będzie mnóstwo zwierząt na polach Twoich,
a srebro i złoto i drogie kamienie w pałacach Twoich.
Rozraduj się wielce Syjonie,
wśród radosnych okrzyków ukaż się Jerozolimo
i weselcie się wszystkie miasta Judy!
Otwórz na zawsze twoje bramy,
aby przyniesiono tobie bogactwa narodów.

Zwoje z Qumran
Reguła wojny *

* Witold Tyloch, *op.cit.*

Jane i ja popatrzyliśmy na siebie bez słowa.

Odwinąłem szal i wyjąłem z niego Zwój Srebrny.

I wówczas niespodzianie, mimo lęku i smutku, coś się w nas zmieniło, wszystko znikło i zostaliśmy pozostawieni sami sobie w obliczu niebezpieczeństwa, sami, ale zjednoczeni przed czekającą nas próbą. I w tym samym momencie zapomniałem o zagrożeniu, albowiem poznałem miłość, która, pokonując wszelkie zagrożenia, udowadnia, że naprawdę istnieje.

Czy nie ryzykowaliśmy, że mogą nas zabić w najokrutniejszy sposób? Czy nie wydaliśmy bitwy barbarzyńcom, czy nie groziło nam, że zginiemy w ciemnościach, jako nieświadome ofiary historii i wszelkich nieszczęść, jakie ona niesie? A mimo to byłem szczęśliwy, że jestem z nią, pośród czyhających na nas niebezpieczeństw, że takie jest moje miejsce na tym świecie. Nareszcie! Wziąłem ją w ramiona, przytuliłem do serca, które waliło tak mocno, że omal nie wyskoczyło mi z piersi. Wziąłem w ręce głowę Jane i spojrzałem głęboko w jej oczy, a ona czekała na pocałunek. Oparłem czoło o jej czoło, złożyłem usta na jej ustach. Był to pocałunek miłości, w którym odnalazłem młodość i siłę ducha.

I wówczas wszystkie litery uniosły się ponad zwojem. Siedemdziesiąt liter drwiło z człowieka, dla którego czas przestał istnieć. Wszystkie swoim kształtem i formą zbuntowały się przeciw mnie, zjednoczone gniewem. Poznajcie, litery, moją straszną niezwykłą historię: opuściłem moich braci, zostawiłem wszystko dla tej kobiety. Wyruszyłem, by wypełnić misję, która stała się naszą wspólną. Lecz litery ulatywały, kpiły sobie ze mnie, a każda po kolei komentowała to po swojemu, bo wszystkie były obecne, wszystkie oprócz, oczywiście, litery א, *alef*.

Ach, wy drwiące litery, posłuchajcie mojej historii. Byłem więc w pokoju z tą, którą kocham. Nigdy przedtem nie zaznałem tej radości, poznali ją tylko nieliczni, bo, moi przyjaciele, jest to tajemnica tajemnic dostępna tylko dla światłych serc. Ogarnięty byłem radością, najgłębszym szczęściem, w końcu odnalazłem siebie takiego, jakim się jeszcze nie znałem. W tej chwili liczyła się tylko ta, której pragnęło moje serce. Wzburzone litery ulatują do góry i opadają na dół, do góry i na dół, a ja głoszę chwałę kobiety, która mnie unosi do świata dusz. *Niech mnie obdarzy pocałunkami swych ust.*

Z drżeniem, przyciskając Jane do serca, przytulając ją mocno, by dać jej ukojenie, ujrzałem litery imienia w najgłębszej z głębokich przepaści, w głębinie mojego żywota.

Położyliśmy się jedno obok drugiego, moje czoło przy jej czole, moja dłoń na jej piersi, moja noga przy jej nodze. Pocałunki miłości karmiły nasze serca i dusze, gdyż jest powiedziane: *Niech mnie obdarzy pocałunkami swych ust.*

I tak leżeliśmy w półmroku, objęci, gdy usłyszeliśmy, że ktoś otwiera kluczem drzwi. Przerażone litery rozpierzchły się na wszystkie strony.

Zobaczyliśmy zbliżający się do nas cień. Rzuciłem się na intruza, przygwoździłem go do podłogi. Uniosłem butelkę, chcąc rozbić mu ją na głowie.

Jane zapaliła lampę i krzyknęła zaskoczona. Człowiekiem, który wślizgnął się do pokoju, był Józef Koskka.

— Co pan tu robi? — zapytałem, pomagając mu wstać.

— To ja mógłbym zadać to pytanie — odrzekł, rozglądając się. — Co tu się działo?

— Nic takiego — powiedziała Jane.

— Dlaczego mnie śledzicie?

— Już panu mówiliśmy, prowadzimy dochodzenie.

— I podejrzewacie mnie? Jesteście w błędzie. Co chcecie wiedzieć?

— Przede wszystkim chcemy panu pomóc — powiedziała Jane.

Zapadła cisza. Koskka patrzył na nas podejrzliwie.

— Zgoda. Niech pan będzie jutro o dziewiętnastej w katedrze w Tomarze, w głównej nawie — zwrócił się do mnie.

— Co się tam będzie działo? — zapytała Jane.

Koskka kątem oka dostrzegł sztylet leżący na łóżku.

— Nasi wrogowie są bezwzględni. Wszyscy narażamy się na ogromne niebezpieczeństwo...

— Wszyscy? — zdziwiła się Jane. — Panu również grozi niebezpieczeństwo? A może raczej zamierza pan narazić na nie innych?

— Nasz zakon zawsze cenił wolność i głosił miłosierdzie. *Non nobis, Domine, non nobis, sed nomini Tuo da gloriam...* Nie nam, Panie, nie nam, ale imieniu swemu daj chwałę.

— Czy to wasza dewiza? — zapytała Jane.

— To dewiza profesora Ericsona.

— Psalm sto piętnasty, werset pierwszy — wtrąciłem.

— Profesor Ericson — rzekł Koskka — był kierownikiem sekcji amerykańskiej naszego zgromadzenia. Za najwyższe prawo uważał konstytucję Stanów Zjednoczonych. — Koskka przeszedł kilka kroków po pokoju. — Ten, kto go zabił, pozbawił nas wybitnego przywódcy.

— Jaki jest cel waszej działalności?

— Ingerować w politykę zagraniczną Izraela. Razem z dyplomatami amerykańskimi, kanadyjskimi, australijskimi, angielskimi, europejskimi, jak również z przedstawicielami krajów Wschodu, szukać sposobu na zawarcie pokoju. Chronić Jerozolimę jako stolicę Izraela i gromadzić środki, by... — przerwał na moment — odbudować Świątynię.

— Dlaczego właśnie wy chcecie się tym zająć? — zapytałem.

— Niech pan będzie dziś wieczorem w katedrze.

Wieczorne słońce zachodziło za górujące nad miastem wzgórze, prześlizgiwało się między murami obronnymi Convento de Cristo, otulając ziemię — niczym kochająca matka swoje małe dziecko — wielobarwną kołderką w odcieniach od brunatnożółtego, złotawobrązowego, jasnobrązowego, po czerwono-pomarańczowy.

Po cichu weszliśmy na teren należący niegdyś do templariuszy. Na szczycie wzgórza znajdowała się wąska platforma, nad którą sterczała dumnie smukła sylwetka wieży strażniczej. Nad tą niezwykłą świątynią, wzniesioną wysoko w górach, przepływała chmura. Opiekuńcza chmura.

Minęliśmy klasztorny cmentarz założony w XVI wieku, a następnie skierowaliśmy się do Convento de Cristo, ogromnej przepięknej budowli, z łukami i żłobkowanymi pilastrami, z masywnymi kapitelami. Pomyślałem, że świątynia ta jest świadectwem czystości drogi templariuszy, ponieważ wszystko zostało zbudowane na planie kwadratu, z prostymi liniami biegnącymi aż ku niebu, jak w Świątyni Salomona. Templariusze wznieśli na szczycie tego wzgórza mur obronny, wewnątrz którego znajdował się zamek i ośmioboczna bryła kościoła.

W części klasztornej tej fortecy panowała niczym niezmącona cisza. Łagodne, ciepłe światło przedostawało się przez wąskie otwory w fasadzie budynku i niskie okna boczne. Pobożni templariusze, podobnie jak morabitunowie, muzułmanie z Ribatejo, przybyli tu, by łączyć modlitwę z walką.

— Od połowy dziesiątego wieku — wyjaśniła Jane — Hiszpania oraz Portugalia, znajdowały się w rękach muzułmanów. Zakon templariuszy uczestniczył aktywnie w odzyskaniu Lizbony i Santarém w tysiąc sto czterdziestym piątym roku. Templariusze, wspomagani przez joannitów oraz rycerzy z Santiago de Compostela, bronili dzielnie tych ziem. Mówi się, że to dzięki templariuszom powstała Portugalia. Jeszcze w tysiąc trzysta dwunastym roku, gdy papież Klemens Szósty wydał bullę, nakazującą likwidację zakonu, król Portugalii Dionizy Rdnik ogłosił, że templariusze na zawsze mają prawo do tych terytoriów i że nikt nie może ich tego prawa pozbawić. Po rozwiązaniu zakonu templariuszy król Dionizy, aby umożliwić jego dalsze istnienie, powołał do życia nowy zakon, podobny do tamtego pod każdym względem — zakon Chrystusa, którego główną siedzibą był Convento de Cristo.

— A więc dlatego templariusze postanowili zebrać się właśnie tutaj...

Do kościoła wchodziło się przez rotundę wspartą na ośmiu kolumnach. Budowla miała fasadę gotycką, a w samym jej środku znajdowała się gigantyczna rozeta z symbolem — taką samą gwiazdą, jaką widziałem na grobach zakonników, gdy przechodziliśmy przez cmentarz.

— Czy nie jest to gwiazda Dawida? — zapytała Jane.

— To symbol Salomona, znak templariuszy.

— Gwiazda Dawida wpisana w różę o pięciu płatkach.

— Róża i krzyż...

— Wchodzisz? — zapytała Jane.

— Nie wolno mi tego robić — odpowiedziałem. — Nie mam prawa wchodzić do kościoła.

— Dlaczego?

— Nasze prawo zabrania sporządzania wizerunków Boga. Bóg jest niepoznawalny, a więc nie może być przedstawiony w żaden sposób.

— A jak przechodzicie od widzialnego do niewidzialnego? — W ciszy, która zapadła, Jane patrzyła na mnie zdezorientowana.

— Wymawiając imię Boga.

— Tak zwyczajnie? Wymawiając jego imię?

— Tak. Znamy spółgłoski tworzące to imię: *jod, he, waw, he*. Nie znamy jednak samogłosek. Zna je tylko arcykapłan i tylko on ma prawo wymówić je w Świątyni, w Świętym Świętych. Nie mamy sposobu na przedstawienie tego, co niewidzialne... Wystrzegamy się też nadmiernych emocji, wchodząc w kontakt z Bogiem.

— Rozumiem. A co robisz, gdy śpiewasz i tańczysz, by dojść do *dvekut*? Obrazy nie są przecież tak jak fotografie, przedstawieniem wydarzeń uchwyconych na żywo. Są skomponowane w określonym celu. Przedstawiają samo wydarzenie, mają znaczenie alegoryczne, zapowiadają nadejście Jezusa, mają znaczenie przenośne, objaśniający, jak to, co ujawniło się dzięki Jezusowi, może wypełnić się w każdym człowieku, sens mistyczny, ukazujący poprzez antycypację finalną postać człowieka doskonałego w obecności Boga. Spójrz na tę tetramorfę nad wejściem.

— Nie, nie chcę tego widzieć.

— Przecież to nie jest wizerunek Boga.

Otworzyłem oczy. W tetramorfie ukazana była wizja proroka Ezechiela — człowiek, lew, byk, orzeł. Jane wyjaśniła mi, że teologowie widzieli w tym portret Jezusa: był człowiekiem z racji narodzin, bykiem, ponieważ złożył krwawą ofiarę, lwem, ponieważ zmartwychwstał, i orłem, bo wstąpił do nieba. Uważano to również za metaforę realizacji człowieka w świecie rozumu. Byk symbolizował ofiarę dla dobra innych, lew moc zwyciężającą zło, orzeł zaś lot ku niebiosom i światłu.

— Dzięki tym wartościom człowiek stanie się podobny do Jezusa.

Nagle ujrzałem wizję Ezechiela. Znajdujący się w jej centrum motyw przypominał cztery istoty, z których każda miała coś z człowieka, lwa, byka i orła. Połączone ze sobą dwa skrzydła każdego z nich wzniesione były do góry, pozostałe dwa zwisały wzdłuż ciała. Nad głową każdej z tych istot widoczny był szafir w kształcie tronu, na którym zasiadała postać podobna do człowieka, otoczona świetlistą aureolą.

Korytarz w głębi rotundy wiódł do cmentarnego wirydarza z gotyckimi arkadami, płomienistymi fryzami oraz licznymi patio pełnymi różnobarwnych kwiatów. Kierując się ku nawie, doszliśmy do wysokiego budynku klasztornego, którego okna wychodziły na Tomar i ogród z wijącymi się pnączami, przeróżnymi roślinami, tworzącymi przebogate królestwo zieleni.

Z najwyższego tarasu klasztoru można było podziwiać wszystkie zabudowania klasztorne i całą okolicę. Aż po horyzont nie było widać żywej duszy. Zaczęliśmy się zastanawiać, gdzie ma się odbyć to spotkanie...

Usiedliśmy w cieniu skały. Była dokładnie dziewiętnasta.

— Byłem tam i nikt nie zdołałby mnie stamtąd zabrać, przeszkodzić temu, co miało się stać. Wszyscy ubrani byli na tę uroczystą chwilę w białe szaty, albowiem biel to kolor niewinności i czystości. Obecni byli komturowie z wszystkich prowincji zakonu. Za rycerzami weszli niżsi rangą zakonnicy, potem kapłani, a na końcu bracia pełniący służbę.

W panującej ciszy podszedł do mnie komtur Domu w Jerozolimie. Okryty obszernym białym płaszczem z czerwonym krzyżem, imponującego wzrostu. Miał przenikliwy wzrok i twarz bez zarostu, pooraną zmarszczkami. Zgodnie ze zwyczajem ukląkłem przed nim. Wtedy on wziął berło, na końcu którego znajdował się czerwony krzyż, i podał mi je. Był to abakus — znak wielkiego mistrza zakonu.

— Abakus — powiedział — symbolizuje nauczanie i znajomość najwyższych prawd. Wielki mistrz zakonu jest jednak przede wszystkim dowódcą wojskowym.

W sali nadal było cicho.

— Przyjmuję go — wykrztusiłem w końcu, nie podnosząc głowy — ale nie rozumiem... Wielki mistrz zakonu został już wybrany. Jest nim Jakub de Molay.

— Znam twą dzielność — powiedział komtur — i twą ogromną wiedzę. Dowiedzieliśmy się o twych czynach wojennych i wielkiej odwadze. Tak nam przekazano. Rzeczywiście, Jakub de Molay został wybrany na wielkiego mistrza zakonu, ale... chcemy, abyś został naszym tajemnym mistrzem.

— Jaka będzie moja rola? Czego ode mnie oczekujecie?

— Nasz król, Filip Piękny, jest nam nieprzyjazny...

— Z jakiego powodu?

— Posiadamy armię składającą się ze stu tysięcy ludzi i piętnastu tysięcy rycerzy. Stanowiliśmy potęgę, której nie mógł kontrolować. Podczas buntu paryżan król Francji zorientował się, że jedynym bezpiecznym miejscem jest nie jego pałac, lecz wieża kościoła templariuszy, gdzie się schronił. Ale ten czas, Adhémarze, już minął. Wybraliśmy cię, abyś poznał prawdę: Filip Piękny chce zniszczyć nasz zakon, chce unicestwić naszą potęgę i przejąć nasze skarby!

— Ależ to niemożliwe! Papież Klemens Szósty nas obroni!

— Nie obroni.

— Jak to?! — wykrzyknąłem przerażony.

— Niestety! To spisek, a my nie możemy temu zaradzić. Jest jednak jeszcze drugi zakon, tajemny, który ma za zadanie nie dopuścić, aby kiedykolwiek zgasł szlachetny płomień, ma przekazywać go dalej.

Komtur wstał i spoglądając na mnie, dokończył:

— To tajny zakon i ty jesteś teraz jego przywódcą!

Zbliżała się godzina wyznaczonego mi spotkania.

— Muszę już iść — powiedziałem do Jane. — Czekaj tu na mnie.

— Boję się. — Jane podniosła na mnie niespokojne oczy. — A jeśli to pułapka?

— Umówmy się więc w tym miejscu za dwie godziny, dobrze?

— Zgoda.

W jej głosie brak jednak było przekonania. Patrzyła na mnie z niepokojem.

— A jeśli nie wrócisz za dwie godziny?

— Wtedy zawiadomisz Shimona Delama.

Wszedłem do zamku przez sklepioną arkadę. Kamienne schody prowadziły na pierwsze piętro. Wszystko pogrążone było w śmiertelnej ciszy. Nagle otworzyły się na oścież dwuskrzydłowe drewniane drzwi. Pojawił się w nich Koskka.

— Jest pan gotowy?

— Tak.

— Świetnie. Mam nadzieję, że zdaje pan sobie sprawę z sytuacji. Przybyli tu bracia pochodzą z całego świata. Proszę iść za mną i robić dokładnie to, co panu każę. Wtedy nic się panu nie stanie. Z naszej strony nie ma pan czego się obawiać, ale wiemy, że zabójcy są niedaleko.

Poszedłem więc za tym dziwnym człowiekiem labiryntem

wysokich wąskich korytarzy, aż do krętych schodów, które zaprowadziły nas do piwnic zamku. Tam, w przedsionku o łukowatym sklepieniu, Koskka podał mi biały płaszcz, który włożyłem. On również ubrał się w ten sposób. Weszliśmy przez małe drzwiczki w grubym murze, na którym dostrzegłem pieczęć templariuszy. Wyryto też wizerunek ośmiobocznej budowli, zwieńczonej gigantyczną kopułą pokrytą złotem, niezwykle podobną do tej w meczecie Omara.

W niewielkiej kaplicy oświetlonej pochodniami znajdował się ołtarz. Przed ołtarzem klęczał mężczyzna z dłońmi złożonymi do modlitwy. Nie widziałem jego twarzy. Przed nim stał inny mężczyzna, w stroju rycerza templariusza. Idąc za Koskką, znalazłem się w głębi sali, mając nadzieję, że nikt mnie nie zauważył.

— Teraz nasz brat — komtur zwrócił się do wszystkich obecnych, podczas gdy ja nadal klęczałem przed nim, twarzą do ziemi — został wprowadzony w nowy świat, na wzniosłą drogę, na której może odkupić swoje dawne grzechy i ocalić nasz zakon. Jeśli ktoś jest przeciwny przyjęciu tego kandydata, niech powie o tym natychmiast albo zamilknie na zawsze.

Głuche milczenie odpowiedziało jego słowom.

Wówczas komtur zapytał donośnie:

— Czy chcecie go przyjąć w imieniu Boga?!

Zgromadzeni odpowiedzieli jednym głosem:

— Niech będzie przyjęty w imieniu Boga!

— Panie — powiedziałem — przybyłem, by stanąć tu przed Bogiem, przed tobą, przed wszystkimi braćmi. Tak więc proszę cię i błagam w imieniu Boga i Najświętszej Marii Panny, abyście przyjęli mnie do waszej wspólnoty jako tego, który do końca swych dni pragnie być sługą i niewolnikiem Domu.

Komtur milczał przez chwilę, po czym zapytał:

— Czy chcesz od tej pory przez wszystkie dni twego życia pozostać w służbie Domu?

— Tak, panie, jeśli taka jest wola Bogu.

— A więc, czcigodny bracie, posłuchaj, co mamy ci do powiedzenia. Czy przyrzekasz Bogu i Najświętszej Marii Pannie, że wszystkie dni twego życia poświęcisz zakonowi Świątyni? Czy chcesz dobrowolnie przez wszystkie dni twego życia podporządkować się woli zakonu i wypełniać misję, która zostanie ci powierzona, bez względu na to, jaka ona będzie?

— Tak, panie, jeśli taka jest wola Boga.

— Czy przyrzekasz Bogu i Najświętszej Marii Pannie, że przez wszystkie dni twego życia nie będziesz miał niczego na własność?

— Tak, panie, jeśli taka jest wola Boga.

— Czy przyrzekasz Bogu i Najświętszej Marii Pannie, że przez wszystkie dni twego życia będziesz szanował regułę naszego Domu?

— Tak, panie, jeśli taka jest wola Boga.

— Czy przyrzekasz Bogu i Najświętszej Marii Pannie, że przez wszystkie dni twego życia, z całą siłą i mocą, jakimi obdarzy cię Bóg, będziesz walczył o ocalenie Ziemi Świętej, Jerozolimy i wszystkich ziem, które należą do chrześcijan?

— Tak, panie, jeśli taka jest wola Boga.

Wtedy komtur dał wszystkim znak, by uklękli.

— A my w imieniu Boga i Najświętszej Marii Panny, w imieniu naszego ojca apostoła, w imieniu wszystkich braci zakonu Świątyni przyjmujemy cię, abyś kierował Domem zgodnie z regułą, która została ustanowiona na początku i pozostanie aż do końca. A ty, bracie, przyjmij nas ze wszystkimi dobrodziejstwami, które już uczyniłeś i które jeszcze uczynisz, kieruj nami jako nasz wielki mistrz.

— Tak, panie, jeśli taka jest wola Boga, przyjmuję tę rolę.

— Szlachetny bracie — mówił dalej komtur — oczekujemy od ciebie jeszcze więcej niż do tej pory! Prosimy cię bowiem, abyś nami kierował — to wielka rzecz, bo ty, który dotąd byłeś sługą, stajesz się przywódcą. Będąc jednak naszym przywódcą, nie będziesz niczego robił według własnego życzenia — kiedy zechcesz być na lądzie, wyślą cię na morze, kiedy zechcesz być w Akce, wyślą cię do Trypolisu lub do Antiochii. Gdy będziesz chciał spać, każą ci czuwać, a gdy zapragniesz czuwać, będziesz zmuszony położyć się spać. Zasiądziesz do stołu i będziesz chciał jeść, a w tym momencie każą ci jechać tam, dokąd wezwie cię obowiązek. My będziemy należeli do ciebie, lecz ty sam nie będziesz należał do siebie.

— Tak — rzekłem — zgadzam się.

— Szlachetny bracie, nie powierzamy ci kierownictwa nad Domem, abyś miał przywileje lub bogactwa. Powierzamy ci nasz Dom, byś unikał grzechów tego świata, byś służył Naszemu Panu i nas ocalił. I o to powinieneś go prosić. Wtedy będziesz naszym wybrańcem.

Pochyliłem głowę na znak zgody.

Wówczas komtur wziął płaszcz zakonny, narzucił go uroczyście na moje ramiona i zawiązał tasiemki, podczas gdy brat kapelan czytał psalm: Ecce quam bonum et quam iucundum habitare fratres in unum.

— Jak dobrze, jak przyjemnie jest mieszkać razem jak bracia — powtórzył komtur.

Potem przeczytał modlitwę do Świętego Ducha, a każdy z braci odmówił Ojcze nasz.

Gdy skończyli, komtur zwrócił się do zgromadzonych tymi słowami:

— Szlachetni bracia, widzicie, że ten dzielny człowiek bardzo pragnie służyć i kierować Domem, że pragnie być

przez wszystkie dni swego życia wielkim mistrzem naszego zakonu. Proszę więc jeszcze raz, jeśli któryś z was wie o czymś, co mogłoby mu przeszkodzić w wypełnieniu jego misji w pokoju i łasce Bożej, niech powie o tym natychmiast albo zamilknie na zawsze.

Odpowiedziała mu niczym niezmącona cisza, komtur powtórzył więc raz jeszcze:

— Czy przyjmujecie go w imieniu Boga?

Zapadła ciężka cisza. W sali znajdowało się około stu osób ubranych w białe płaszcze z czerwonymi krzyżami, gdy mistrz ceremonii, mężczyzna koło pięćdziesiątki, z siwą brodą i czarnymi włosami, powtórzył pytanie:

— Czy przyjmujecie go w imieniu Boga?

Nagle ktoś wysunął się do przodu. Rozpoznałem właściciela restauracyjki, który z taką swadą demonstrował nam swoją kartę dań.

— Bracie komturze — powiedział — ta ceremonia nie jest zgodna z przepisami, a więc nasz brat nie może być wyświęcony.

— Wyjaśnij dokładniej, o co ci chodzi.

— Szlachetny panie, między nami jest zdrajca. W sali znajduje się ktoś obcy.

Dał się słyszeć szmer przerażenia. Komtur dał znak, aby się uciszono.

— Mów — powiedział do restauratora templariusza.

Wówczas restaurator wskazał palcem na mnie. Stałem przy wejściu, z tyłu za wszystkimi. Uczestnicy spotkania odwrócili się w moją stronę. W tym samym momencie dwaj mężczyźni zastąpili mi drogę.

Wszyscy milczeli, jakby wstrzymując oddechy, nie spuszczając ze mnie wzroku. Stojący obok mnie Koskka nawet nie drgnął. Komtur skinął na mnie, abym podszedł bliżej.

Gdy przed nim stanąłem, obejrzał mnie dokładnie od stóp do głów, po czym kazał mi klęknąć, co też uczyniłem.

— Szlachetny bracie, widzisz tu zgromadzenie templariuszy, przeznaczone wyłącznie dla nich. Odpowiedz szczerze na nasze pytania, bo jeśli skłamiesz, zostaniesz surowo ukarany.

Skinąłem głową na znak, że zrozumiałem.

— Czy jesteś żonaty lub zaręczony, czy istnieje jakaś kobieta, która miałaby powód oskarżać cię, że ją zhańbiłeś?

— Nie.

— Czy masz długi, których nie możesz spłacić?

— Nie.

— Czy jesteś zdrów na ciele i umyśle?

— Tak.

— Czy jesteś kapłanem, diakonem lub subdiakonem?

— Nie.

— Czy jesteś ekskomunikowany?

— Nie.

— Ponownie ostrzegam cię przed kłamstwem, jeśli masz być potraktowany łagodnie.

— Nie — powtórzyłem drżącym głosem, bo przecież niewiele brakowało, a esseńczycy rzuciliby na mnie klątwę.

— Czy możesz przysiąc, że czcisz naszego Pana Jezusa Chrystusa?

Na to pytanie nie mogłem odpowiedzieć twierdząco, ponieważ zabraniała mi tego moja reguła. Usłyszałem za sobą metaliczny szczęk. Podniosłem głowę i ujrzałem, że wszyscy unieśli tarcze z brązu, wypolerowane niczym lustra. Każda z nich obramowana była splotem ze złota, srebra i brązu, wysadzanym różnobarwnymi drogimi kamieniami. Zasłonili się nimi, jakby chcieli ochronić się przed nieszczęściem.

Stojący przede mną komtur trzymał oburącz miecz, którym dotykał mojego policzka.

— Wtedy komtur rozkazał mi podejść bliżej, aby poddać mnie rytuałowi pocałunków. Najpierw całował mnie w usta — centrum tchnienia słów, potem między ramionami — centrum tchnienia niebieskiego. Na koniec pocałował mnie w zagłębienie między nerkami, gdzie nosi się pas — miejsce, które stanowi nerw życia ziemskiego. W ten sposób dał mi do zrozumienia, że zostałem poświęcony zakonowi Świątyni. Potem zaprowadzono mnie do małej izby, gdzie zostałem sam aż do wieczora. Wtedy przyszli trzej bracia i trzy razy zapytali, czy nadal gotów jestem przyjąć tak odpowiedzialną funkcję. Gdy potwierdziłem swoją wolę, znów zaprowadzono mnie do sali posiedzeń kapituły, gdzie czekał komtur.

— Oto biały płaszcz wielkiego mistrza — powiedział — który dla tego, kto go nosi, symbolizuje związek między boskością i nieśmiertelnością. A oto tarcza z wybitym na niej czerwonym krzyżem naszego zakonu.

Do prawej ręki włożył mi ciężki miecz inkrustowany złotem i drogimi kamieniami i rzekł:

— Przyjmij ten miecz w imię Ojca i Syna, i Ducha Świętego. Używaj go w obronie własnej, w obronie zakonu i nie rań nim nikogo, kto nie wyrządził ci krzywdy.

Schował miecz do pochwy.

— Noś ten miecz przy sobie, ale pamiętaj, iż nie za pomocą oręża święci rządzą Królestwem Niebieskim.

Wyjąłem miecz z pochwy, machnąłem nim trzy razy każdą ręką, włożyłem do pochwy, a wówczas kapelan uściskał mnie ze słowami:

— Bądź wielkim mistrzem miłującym pokój, wiernym i posłusznym Bogu.

Stałem bez ruchu przed komturem, który czekał na moją odpowiedź. Znalazłem się w pułapce: mogłem powiedzieć, że jestem kawalerem, że nie mam żadnych bogactw ani długów, ale nie mogłem przysięgać na Jezusa. Wokół mnie rozległo się groźne dzwonienie mieczy, gwizdy i złorzeczenia.

Komtur przyłożył ostrze do mojego gardła. Nie miałem możliwości ucieczki — znałem regułę, ich regułę, która była zarazem i moją: *Obowiązuje całkowite posłuszeństwo niższego wobec wyższego, w trudzie i w pomyślności.*

Każdy zobowiązany był do bezwzględnego posłuszeństwa wobec tych, którzy mieli wyższe numery porządkowe. Każdy, kto sprzeciwił się rozkazowi wyższego w hierarchii, był surowo karany. Inaczej mówiąc, każdy był podporządkowany rozkazom drugiego, a ten podlegał rozkazom komtura, który z kolei wypełniał rozkazy wielkiego mistrza. Tylko on jeden mógł mnie uratować. Zrozpaczony, poszukałem wzrokiem Józefa Koskki, lecz on stał w głębi sali, milczący, z nieruchomą twarzą.

Czy to zasadzka? Czy nie zwabił mnie tu po to, żeby mnie zabito?

Czułem, jak silny wiatr porywa mnie do bram śmierci. Zostałem schwytany przez Beliala, za pomocą podstępnego planu wciągnięty wbrew mojej woli w szaleńczą zawieruchę.

I wtedy, gdy nie mogłem nic zrobić, mając na gardle ostrze miecza, gotowy umrzeć niczym zwierzę, w pustce przed sobą ujrzałem nagle literę ה.

Litera *he* — długotrwałe natchnienie, tchnienie życia, okno na świat, myśl, słowo i czyn, z których powstała dusza. *He*, jak tchnienie Boga, który dziesięcioma słowami stworzył świat. Wziąłem głęboki oddech. *He* było już na początku, gdy Bóg stworzył niebo i ziemię, a na ziemi panował chaos i ciemności spowijały otchłań. Jak jednak mógł być tworzony świat, skoro istniały już niebo i ziemia? Nie da się wyjaśnić tajemnicy stworzenia, ale można dać się unieść tchnieniu, którego źródłem jest serce. *Ruach* — wiatry i delikatne materie, opary i mgły. Gniew, pożoga życiodajnego tchnienia, słowo z głębi oddechu. *Réach* — woń powietrza, które przedostaje się do ciała dzięki zmysłowi powonienia. Gdy człowiek znajduje się w trudnej sytuacji i myśli tylko o tym, ma wtedy urywany oddech, ale gdy jest spokojny, wtedy może wdychać powietrze, które go odświeża i przynosi ulgę.

Spróbowałem odetchnąć głęboko, aby uspokoić puls i nie myśleć o strasznym pytaniu dręczącym moje serce: co zamierzają ze mną zrobić? Czego ode mnie chcą? I co ja, znalazłszy się w takiej pułapce, mogę uczynić? Jak uciec?

Wtedy przypomniałem sobie o tchnieniu Boga rozchodzącym się po powierzchni wód, o wietrze, który Bóg zesłał, aby oddzielić niebo i wody.

Nagle w mojej duszy, a może nawet poza nią, uformował się obraz czysty w swej treści. Z woli Najwyższego wiedziałem już, jak dotrzeć do dwudziestu dwóch iskier poruszających się w spontanicznym akcie miłości. I pojawiło się światło — światło ognia.

— Ceremonia dobiegła końca przy płonących pochodniach. Bracia się rozeszli. W wielkiej sali Domu zakonu Świątyni komtur kazał mi usiąść obok siebie. Byliśmy sami i tylko na podłodze rysowały się nasze wydłużone cienie. Patrzyliśmy na siebie, ja, młody, pełen zapału rycerz, wciąż zaskoczony tym, co się wydarzyło, ale gotów do walki, i stary komtur o przenikliwym spojrzeniu docierającym aż do najgłębszych zakamarków duszy, ze słabym ciałem rycerza steranego licznymi wojnami.

— Wielki mistrzu — odezwał się komtur — nasi bracia sprowadzili cię, abyś służył naszemu szlachetnemu rycerskiemu zakonowi Świątyni. Czas, abyś dowiedział się o pewnych sprawach nas dotyczących.

Wyliczył błędy, które mogły pozbawić mnie mojej funkcji, dokładnie przedstawił spoczywające na mnie obowiązki i dokończył tymi słowy:

— Powiedziałem ci, co powinieneś i czego nie powinieneś robić. Jeśli coś pominąłem, jeśli jest coś, o czym chciałbyś wiedzieć, pytaj, a ja ci odpowiem.

— Przyjmuję twoją propozycję z wdzięcznością — odrzekłem. — Powiedz, dlaczego kazałeś mi tu przybyć, dlaczego sprawiłeś, że wybrano właśnie mnie i jaką misję zamierzasz mi powierzyć? Jestem wprawdzie młody, ale nie głupi i widzę, że mam być narzędziem w twoim ręku.

Komtur nie zdołał powstrzymać uśmiechu.

— Dowiedziałeś się, jaki nam przeznaczono los, lecz nie wiesz, że istnieje sposób zachowania naszej tajemnicy, najwyższych idei i fundamentalnych zasad naszego zakonu.

— Słucham cię uważnie.

— Poznałem twą mądrość, dlatego dowiesz się wszystkiego, co sam wiem, o naszych pilnie strzeżonych tajemnicach. Przedtem jednak przysięgnij, że postarasz się, aby nasz zakon przetrwał aż do dnia Sądu Ostatecznego, kiedy będziesz musiał zdać sprawę ze swych uczynków przed Wielkim Architektem świata.

— Przysięgam. Mówiłeś mi, że zawiązano spisek przeciw nam, ponieważ należy do nas jedna trzecia Paryża, a potężna sylwetka naszego kościoła przesłania niebo niczym wyzwanie, znajdując się tak blisko pałacu w Luwrze, gdzie mieszka król! Mówiłeś, że przeraża go to, iż zakon Świątyni jest tak potężny i bogaty. Czy jednak, biorąc pod uwagę niezależność naszego zakonu, bogactwo to nie czyni nas nietykalnymi? Nikt nie ośmieli się okradać zakonu Świątyni, jak okradano lombardy i Żydów.

— Nie wierz w to. Według moich informatorów już zaczęto konfiskować dobra zakonu.

— Król chce naszego dobra. Templariusze nie mogą być podporządkowani żadnej władzy. Chroni nas kościelny immunitet.

— Zdecydowaliśmy się wezwać cię, ponieważ znaleźliśmy się w wielkim niebezpieczeństwie. Uknuto przeciw nam potworną intrygę.

— Kto to uczynił? Czego od nas chce?

— Papież Klemens Szósty, przedstawiciel Boga na ziemi.

— Papież? — powtórzyłem z niedowierzaniem.

— Musisz wiedzieć, Adhémarze, że papież przekonał króla. Wysłannicy króla rozpalili już stosy w całej Francji. Inkwizytorzy zdobyli zeznania Jakuba de Molay, wielkiego mistrza naszego zakonu, Gotfryda de Gonaville, komtura Poitou i Akwitanii, Gotfryda de Charney, komtura Normandii, Hugona z Pyrando, wielkiego inspektora zakonu. Z rozkazu komisji kardynałów w ciągu jednej nocy ustawiono na dziedzińcu przed katedrą Notre Dame szafot, zanim jeszcze ogłoszono wyrok. Wprowadzono templariuszy na dziedziniec. Kazano im uklęknąć. Jeden z kardynałów odczytał ich zeznania i ogłosił wyrok: w drodze łaski templariuszom oszczędzono śmierci na stosie, ponieważ minionej nocy wyznali swe winy. Dlatego zostali skazani na dożywotnie więzienie.

— Mój Boże — krzyknąłem wzburzony — kiedy to się stało?!

— Dowiedzieliśmy się o tym od naszych emisariuszy przybyłych z Francji. Wszystko to działo się niedługo po twoim wyjeździe do Ziemi Świętej.

— Opowiedz mi, co było dalej. Jaki był los naszego wielkiego mistrza, Jakuba de Molay?

— Wielki mistrz i komtur Normandii zbuntowali się przeciw sędziom. Odwołali swoje zeznania, na których opierał się wyrok. Oświadczyli, że podczas przesłuchań poddano ich

torturom. Zgodzili się tak zeznać, ponieważ król obiecał im uwolnienie. Zażądali od inkwizytorów, aby uchylili straszliwy wyrok. Na to sędziowie odpowiedzieli, że skazani zgrzeszyli kłamstwem przed Bogiem, królem i kardynałami. W rzeczywistości kłamstwo to nie miało większego znaczenia wobec obietnicy wolności, złożonej przez króla. Tymczasem jednak wydano najstraszliwszy dla nich wyrok: dożywotnie więzienie w ciemnym wilgotnym lochu, skąd wyzwoleniem może być tylko śmierć. Dlatego woleli przyznać się do kłamstwa przed inkwizycją, ponieważ pociągało to za sobą natychmiastową śmierć na stosie.

Tak więc wielki mistrz, Jakub de Molay, przemówił w imieniu wszystkich: „Oświadczamy, że nasze zeznania, wymuszone torturami, podstępem i oszustwem, są nieważne i nieprawdziwe".

Inkwizytorzy wezwali wówczas burmistrza Paryża. Ten rozkazał odprowadzić więźniów do lochów Temple. Filip Piękny zwołał bezzwłocznie radę. Jeszcze tego samego wieczoru ogłoszono, że wielki mistrz zakonu Świątyni i komtur Normandii zostaną spaleni na stosie ustawionym na wyspie pałacowej, między ogrodem królewskim i Augustianami. Ponieśli śmierć w obecności króla Filipa Pięknego, przeklinając króla i Klemensa Szóstego i zapowiadając, że staną oni przed boskim trybunałem, zanim skończy się ten rok.

Byłem wstrząśnięty, usłyszawszy, że moi bracia padli ofiarą takiej niesprawiedliwości. Nie przypuszczałem nawet, że już wkrótce i mnie spotka taki sam los...

— Oto dlaczego, Adhémarze, wezwaliśmy cię — powiedział komtur. — Powierzamy ci misję, dzięki której, mimo iż my sami znikniemy, zakon nadal będzie potajemnie istniał.

— Co mam zrobić?

— Wiesz, że w ciągu minionych wieków z Jerozolimy wielokrotnie usuwano jej żydowskich mieszkańców i nawet nada-

no jej nową nazwę — Aelia Capitolina, *albowiem miała być miastem poświęconym Jowiszowi Kapitolińskiemu. Naród żydowski przetrwał w diasporze. Wspólnoty żydowskie, rozsiane po całym świecie, żyły nadzieją, którą znajdowały w studiowaniu świętych ksiąg. Nasz zakon opiera się na prawdziwym słowie Chrystusa, który był, jak wiesz, uczniem esseńczyków. Nie wiesz jednak tego, że nasz zakon powstał, gdy kilku krzyżowców znalazło w twierdzy Chirbet Qumran nad Morzem Martwym pewien manuskrypt — zwój sekty esseńczyków.*

— Co to takiego?

— Rzecz dziwna, ale ten zwój jest z miedzi... Wymienione są w nim miejsca ukrycia ogromnego skarbu. Nasi bracia templariusze odcyfrowali ten zwój przy pomocy mnichów, którzy umieli pisać i czytać. Sprawdzili wszystkie te miejsca, kierując się ścisłymi wskazówkami zawartymi w manuskrypcie, i odnaleźli skarb. Zabrali sztabki złota i srebra, a resztę schowali, gdyż były to przedmioty rytualne ze Świątyni. I to jest tajemnica naszego ogromnego bogactwa, której nikomu nie wyjawiliśmy. Ty masz zabrać stamtąd skarb i ukryć go w bezpiecznym miejscu. Z tego powodu już jutro wyjedziesz do zamku w Gazie, gdzie spotkasz się z pewnym człowiekiem.

— Kim on jest?

— Saracenem. Przekonasz się, że nie wszyscy Saraceni są naszymi wrogami. On właśnie zaprowadzi cię do miejsca, do którego musisz się udać. Wyruszaj jak najprędzej i pamiętaj o twych uwięzionych towarzyszach, o tych, których dotknęło takie nieszczęście jak trąd, o tych, którzy walczą mieczem i z mieczem w ręku giną, pamiętaj o stosie, na którym spłonęli wielki mistrz zakonu Świątyni i komtur Normandii, i przyrzeknij mi, że to wszystko nie okaże się daremne.

Na te słowa podniosłem się i powiedziałem:

— Ja, Adhémar d'Aquitaine, rycerz i nowo obrany wielki mistrz zakonu Świątyni, ślubuję Jezusowi Chrystusowi posłuszeństwo i wierność dozgonną, przyrzekam też, że będę bronił nie tylko słowami, ale i siłą mego oręża, Ksiąg Nowego *i* Starego Testamentu. *Obiecuję być posłuszny głównym zasadom naszego zakonu zgodnie ze statutem, który stworzył nasz patron święty Bernard. Ślubuję, że ilekroć trzeba będzie, przepłynę morza, by walczyć w naszej sprawie. Że będę walczył przeciw niewiernym królom i książętom. Że nigdy nie zostanę pojmany bez konia i bez oręża, że zaatakowany przez trzech wrogów nie ucieknę i podejmę z nimi walkę. Że nie użyję dla siebie bogactw zakonu, że nie będę miał niczego na własność, że zachowam na zawsze czystość. Że nigdy nie wyjawię tajemnic zakonu i nigdy nie odmówię pomocy — czy to zbrojnej, czy to materialnej — ludziom wiary, zwłaszcza z Cîteaux.*

Przysięgam z własnej i nieprzymuszonej woli przed Bogiem, iż dotrzymam wszystkich tych obietnic.

— Niech Bóg cię wspiera, bracie Adhémarze, a także wszyscy Jego święci.

Nagle w wielkiej sali zamku wybuchł pożar i rozprzestrzeniał się z szaloną szybkością, jakby jego źródła były wszędzie. Paliło się wszystko — ściany, podłoga, boazerie — wydzielając duszący dym. Uczestnicy spotkania rzucili się do panicznej ucieczki. Jęczeli, mdleli i osuwali się na podłogę.

Domyśliłem się, że ten pożar pojawił się za sprawą Pana, i mówiłem sobie w głębi ducha: Panie, okaż swoją moc, podnieś swe potężne ramię, jak dawno temu w minionych wiekach. *Czy to nie Ty wznieciłeś ogień w tej sali*?

W regule bowiem jest powiedziane: źli zostaną wypędzeni, zło zostanie przegnane dymem, a wtedy sprawiedliwość, niczym słońce, odrodzi się ponownie na ziemi, i świat pozna prawdę. W uniesieniu przekraczającym granice rozumu, choć jeszcze przed chwilą przerażony, nie wiedząc, co robić, uciekłem, korzystając z zamieszania, biegłem do utraty tchu w ciemną noc, unoszony literami, dodającymi mi sił.

ג, *gimel*, trzecia litera alfabetu, symbol dobra i życzliwości, מ, *mem*, mająca wartość numeryczną 40, jak czterdzieści lat, które Żydzi spędzili na pustyni, zanim znaleźli Ziemię Obiecaną. I na koniec ס, *samech*. Jej okrągły kształt przypomina będące ustawicznie w ruchu koło przeznaczenia.

ZWÓJ ÓSMY

Zwój Zniknięcia

Kobieta chowa się w sekretnych zakamarkach.
Kobieta przebywa na placach miasta.
Kobieta czeka u bram miasta.
Kobieta nie lęka się niczego.
Patrzy wszędzie.
Jej bezwstydne oczy obserwują
rozumnego mężczyznę, by go uwieść,
by go osłabić.
Obserwują sędziów, by zapominali o sprawiedliwości,
dobrych mężów, by stali się złymi,
prawych, by zeszli na złą drogę,
skromnych, by pobłądzili
i by oddalili się od sprawiedliwości,
by stali się pełni próżności,
daleko od drogi Dobra.
Obserwują wszystkich mężczyzn, by stoczyli się do przepaści.
Syna człowieczego, by zbłądził.

Zwoje z Qumran,
Pułapki kobiety

Ocknąłem się z rozpaczy, w głębi mojej pamięci pojawiło się dawno zapomniane wspomnienie, które zawładnęło mną tak silnie, że nie byłem w stanie mu się oprzeć i w końcu zacząłem się głośno śmiać. Miałem trzy lata, ojciec nazywał mnie Ary i opowiadał mi o lwie, który odznacza się w walce wielką siłą.

Otworzyłem oczy. Leżałem na polu, w nieznanym mi miejscu. Wokół mnie wszystko wirowało. Upadłem na ziemię, nieświadom tego, kim jestem, gdzie się znajduję, w jakiej epoce, ile mam lat. Otaczali mnie wieśniacy, przyglądający mi się ze strachem, jakby mieli przed sobą trupa. Leżałem na plecach, z wywróconymi oczami, czując, jak całe moje ciało drży od wewnętrznej wibracji. Rozumiałem, że coś musiało się wydarzyć, ale nie pamiętałem niczego.

Niby podróżnik zmęczony długą drogą, podniosłem się wolno przy wtórze muzyki, którą słyszałem tylko ja. Nade mną, wysoko na niebie, szybował orzeł. W tym momencie przypomniałem sobie wszystko, co się wydarzyło poprzedniego dnia — byłem uwięziony przez templariuszy i w chwili, gdy komtur przyłożył mi miecz do gardła, gdy już szykowałem się na śmierć, w sali wybuchł pożar, a ja rzuciłem się do ucieczki.

Teraz wszystko wydawało mi się płaskie i wyblakłe, dziwnie spokojne, jak po śnie, jakby świat dnia wczorajszego gdzieś się ulotnił. Pomyślałem, że najrozsądniej będzie wrócić do kościoła w Tomarze i odnaleźć Jane.

Gdy dotarłem tam, gdzie ją zostawiłem, nie było nikogo. Z budki telefonicznej zadzwoniłem do naszego pensjonatu. Powiedziano mi, że Jane wróciła kilka godzin temu, ale potem znowu gdzieś wyszła. Wróciłem więc do pensjonatu i wziąłem klucz do jej pokoju. Wśród porozrzucanych rzeczy zobaczyłem mój szal. Rozwinąłem go ostrożnie i wyjąłem Zwój Srebrny. Jane musiała schować go przed wyjściem, podobnie jak zrobiłem to ja poprzedniego dnia. Usiadłem i czekałem na nią do późna w nocy. W końcu nad ranem zasnąłem, wyczerpany przeżyciami.

Kiedy się obudziłem, nie miałem wątpliwości, że Jane została porwana. Ale do kogo mam się zwrócić? Do policji portugalskiej, francuskiej, amerykańskiej czy izraelskiej? Nie wiedziałem, kim był profesor Ericson, nie wiedziałem też, kim jest i co zamierza Józef Koskka, nie wiedziałem, kim jest Jane, ani co każde z nich ukrywa w sercu.

Chciałem zadzwonić do Shimona, ale jednocześnie coś mnie przed tym powstrzymywało. Bałem się, że narażę Jane na niebezpieczeństwo. Żeby się uspokoić, spróbowałem odtworzyć w pamięci wszystko to, co wydarzyło się od chwili, gdy opuściłem groty, i znaleźć w tym jakiś sens. Musiałem się skoncentrować, oderwać od rzeczywistości, by usłyszeć głos prawdy.

Rozwinąłem zwój i nie czytając, kontemplowałem litery.

Ujrzałem literę „c", która odpowiada hebrajskiej literze כ. *Kaf* symbolizuje wnętrze dłoni, działanie zmierzające do pokonania sił natury. Ta litera widoczna była na czole profesora Ericsona, zabitego na ołtarzu, jakby złożono go w rytualnej ofierze, składanej w Dniu Sądu. Był masonem, ale jednocześnie przywódcą tajnego stowarzyszenia — zbrojnego ramienia bractwa masońskiego — zakonu Świątyni, który, jak się okazało, nadal istnieje. Wspólnie z wielkim mistrzem, Józefem Koskką, dążyli do odbudowy Świątyni, co umożliwiłoby im przejście od widzialnego do niewidzialnego, czyli spotkanie z Bogiem. Zadaniem Ericsona było odnalezienie skarbu Świątyni, który obejmował wszystkie przedmioty rytualne i popioły czerwonej jałówki, niezbędne do rytuału oczyszczania w Dniu Sądu. Pomagała mu w tym jego córka, Ruth Rothberg, i jej mąż, Aaron, będący członkami ruchu chasydzkiego. Do nich należało zlokalizowanie położenia Pierwszej Świątyni i dokładne sprecyzowanie, gdzie znajdowało się najsekretniejsze miejsce — Święte Świętych — w którym arcykapłani spotykali się z Bogiem. Dzięki potędze finansowej i politycznej masonów — budowniczych i konstruktorów — można było zebrać fundusze konieczne do rekonstrukcji Świątyni.

Tak, teraz rola każdego z nich była dla mnie jasna. Fragmenty łamigłówki zaczynały układać się w całość — Samarytanie mieli popioły czerwonej jałówki, chasydzi wiedzieli, gdzie stała niegdyś Świątynia, masoni mogli ją odbudować, templariusze zaś odnaleźć cenne przedmioty rytualne. Jednak poszukiwany skarb nie znajdował się w miejscach wymienionych w Zwoju Miedzianym. Nową wskazówkę zawarto w Zwoju Srebrnym, sporządzonym w średniowieczu przez nieznanego duchownego. W jaki sposób zwój znalazł się w posiadaniu Samarytanów? Czy Ericson odnalazł skarb Świątyni po przeczytaniu Zwoju Srebrnego? A jeśli go znalazł, to co z nim zrobił? Dlaczego interesował go Melchizedek, arcykapłan z ostatnich lat istnienia Świątyni? Znowu pomyślałem o literze *kaf*, symbolizującej pokonanie sił natury. Nad jaką siłą chciał zapanować Ericson?

Następnie skoncentrowałem się na literze „n", która odpowiada hebrajskiej literze נ, *nun*, symbolizującej sprawiedliwość oraz nagrodę. *Nun* widnieje na czole Shimona Delama. Z jakiego powodu wciągnął mnie w tę sprawę? Mój udział może doprowadzić do ujawnienia istnienia esseńczyków. Czego ode mnie oczekuje? Że stanę się przynętą, dzięki której schwyta zabójców?

Potem przyszła kolej na literę „l", czyli hebrajskie ל, *lamed*, litera symbolizująca uczenie się, jak również nauczanie. Litera mojego ojca, Davida Cohena. Czego chciał mnie nauczyć? Co chciał zataić? Dlaczego przez tyle lat ukrywał przede mną swój związek z tymi, którzy zostawili swoich braci, żeby żyć na pustyni, dochowując absolutnej wierności światu objawionemu? Jak mógł mieszkać w Jerozolimie, w murach miasta, które powinno być tak samo święte jak obozowisko na pustyni, a gdzie wszyscy kpili z jej świętości? Jak, będąc esseńczykiem, mógł koegzystować w tym mieście z ludźmi, którzy nie pamiętają o rytuale oczyszczenia? Jak można żyć pod tym samym dachem z tymi, którzy umieszczają w jednym miejscu zwierzęta różnych gatunków, noszą jednocześnie ubrania z lnu i wełny, sieją różne zboża na tym samym polu? Jak on, z rodu Cohenów, potrafił żyć z tymi, którzy nie przywiązują żadnej wagi do kontaktu ze zmarłymi lub z tymi, którzy nie podzielają poglądu, że przez krew przenosi się zepsucie moralne? Jaka była jego rola w całej tej sprawie i dlaczego to on wtedy do mnie przyszedł?

Spojrzałem na literę „q", czyli ק , *gof* — litera świętości i zarazem nieczystości, litera widniejąca na moim czole... Czy ja, który, w przeciwieństwie do ojca, przystąpiłem dobrowolnie do wspólnoty esseńczyków, który przeszedłem wszystkie stopnie wtajemniczenia, obserwowany bacznie przez nauczyciela, znalazłem się bliżej świętości, czy też wpadłem w pułapkę moralnego zepsucia? Na każdym etapie dawałem dowody postępów w bezwzględnym poszanowaniu prawa.

Aby być członkiem wspólnoty synów światła, trzeba było wejść do królestwa światła.

Dlaczego rola, jaka mi przypadła, okazała się tak trudna? Czy od tego ma zależeć moje wtajemniczenie? Dlaczego kapłani i lewici wybrali mnie, powierzając obowiązki Syna Człowieczego? Starałem się skoncentrować, jednak litery nie dawały mi spokoju, jakby chciały pomóc w znalezieniu sensu. Tak więc sytuacja się odwróciła i już nie ja je kontemplowałem, lecz to one mi się przyglądały, przekazując słowa, które tworzyły, odpowiadając na zadane im pytania.

— Otrzymałem najwyższą oznakę — atrybut wielkiego mistrza, bullę i pieczęć templariuszy z rysunkiem przedstawiającym dwóch rycerzy na koniach, z wysuniętymi do przodu włóczniami. Tak zaopatrzony wyruszyłem do Gazy. Znajdowała się tam, na wprost portu, jedna z twierdz templariuszy. Jako znak rozpoznawczy trzymałem w ręku Baucéanta, biało-czarną chorągiew templariuszy, świadczącą o tym, że jesteśmy otwarci i życzliwi dla naszych przyjaciół, ale bezlitośni i straszni dla wrogów.

Jechałem do twierdzy templariuszy, gdzie miałem się spotkać z pewnym Saracenem, o którym wspominał komtur. Spodziewałem się ujrzeć warownię dobrze strzeżoną, z liczną załogą braci rycerzy, lecz było w niej pusto. Zastałem tylko jednego templariusza, który widząc, że zsiadam z konia, podbiegł z przestraszoną miną. Przedstawiłem się i podałem powód mego przybycia: mam tu wyznaczone spotkanie z człowiekiem, który zaprowadzi mnie do tajnego miejsca.

— Czy znasz imię tego człowieka? — zapytał młody templariusz.

— To Saracen.

— Ach, tak — templariusz odetchnął z widoczną ulgą. —

Muszę ci wyznać, że znaleźliśmy się w strasznym położeniu, twierdza w Gazie wkrótce padnie.

— Co się dzieje?

— Dziesięć dni temu Turcy zdobyli port w Gazie. Odcięliśmy wówczas port od strony lądu. Broniły go solidne mury, za wysokie i za szerokie, abyśmy mogli go zdobyć szturmem. Mimo to rozpoczęliśmy bitwę, którą dowodził komtur naszej twierdzy wraz z mistrzem naszego zakonu oraz mistrzem szpitalników, który zgodził się udzielić nam zbrojnej pomocy. Po czterech dniach byliśmy już gotowi zrezygnować z próby odbicia portu, gdy Turcy otrzymali wsparcie z morza. Turcy to groźni wojownicy, a ich wódz, straszny Muhammad, widząc swoją przewagę, wydał rozkaz podpalenia naszych machin wojennych, taranów i wież, stojących przed bramami miasta. Płomienie jednak dosięgły murów, czyniąc w nich duży wyłom, przez który natychmiast wtargnęliśmy do środka. Było nas jednak znacznie mniej niż Turków, którzy rzucili się na nas ze wszystkich stron. Wpadliśmy we własną pułapkę. W tej nierównej walce zginęło czterdziestu naszych rycerzy. Turcy zabili ich i powiesili na murze, który usiłowaliśmy zdobyć. Co ci mam mówić, bracie, to był koniec oblężenia, a z tej piekielnej zasadzki uratowało się tylko nas dwóch!

— Gdzie jest ten, który ocalał wraz z tobą?

Młody templariusz nie odpowiedział.

— Gdzie on jest? — powtórzyłem pytanie. — Turcy niebawem zechcą zdobyć twierdzę.

— Rozkazano nam czekać w twierdzy, dopóki nie przyjedzie karawana Nasr-Eddina, dlatego zostaliśmy.

— Nie ma już czasu — powiedziałem, dosiadając konia.

— Nie możemy wyjechać, dopóki nie przybędzie karawana Nasr-Eddina i Saracen, z którym masz się spotkać. Taki był rozkaz komtura i musimy być mu posłuszni.

— Gdzie jest nasz brat?

Młody templariusz zbliżył się do mnie i powiedział drżącym głosem:

— Powiesił się wczoraj, gdy zobaczył, że nadchodzą Turcy.

Zamilkliśmy obaj.

— Rozkazuję ci — rzekłem po chwili, pokazując mu abakus — abyś udał się ze mną.

Dosiedliśmy koni i byliśmy już daleko od twierdzy, gdy ujrzeliśmy zbliżającą się karawanę. Człowiek, który ją prowadził, zsiadł z konia i pozdrowił nas. Był to młody mężczyzna, ubrany w niebieską szatę, jaką noszą ludzie pustyni.

— Nazywam się Nasr-Eddin — powiedział. — A ty, kim jesteś?

— Nazywam się Adhémar d'Aquitaine, jestem rycerzem templariuszem, uciekam przed Turkami.

— Pozwól więc, że ofiaruję tobie i twemu towarzyszowi gościnę, bo to ja jestem człowiekiem, z którym miałeś się spotkać. Ja także jestem ścigany. Podąża za mną siostra kalifa Kairu, ponieważ zabiłem jej brata. Powiedziano mi, że ruszyła za mną w pogoń z setką ludzi. Obiecała dużą nagrodę temu, kto dostarczy jej Nasr-Eddina żywego lub martwego.

— No to jesteś w dużych tarapatach. Dlaczego zabiłeś kalifa?

— Nie pozwalał mi widywać się ze swą siostrą, piękną Leilą, ponieważ nie pochodzę z ich dynastii. Pewnego wieczoru, kiedy szedłem na spotkanie z nią, zasadził się na mnie i musiałem go zabić w obronie własnej. Nie zobaczę już nigdy więcej pięknej księżniczki. Ona zaś chce pomścić brata, chociaż wiem, że w głębi serca za mną tęskni. Dlatego wolałaby ujrzeć mnie martwego, niż wiedzieć, iż żyję gdzieś z dala od niej! Templariusze, poznawszy moją historię, zaproponowali mi schronienie w zamian za...

— Za co?

— Za przysługę.

— Jaka to przysługa?

— Dowiesz się później, bo teraz nie mamy już czasu i czeka nas długa droga.

Przebrałem się w niebieską szatę i dołączyłem do poruszającej się w szybkim tempie karawany Nasr-Eddina.

Po kilku dniach tej podróży nikt nie mógłby mnie rozpoznać. Moja skóra prażona słońcem nabrała brązowozłotego odcienia, wokół stale przymrużonych oczu pojawiły się drobne zmarszczki, jak u ludzi pustyni, a i usta miałem tak suche jak oni, bo nauczyłem się oszczędzać wodę.

Minęliśmy klasztory templariuszy w Château Pèlerin, w Cezarei i Jaffie. Potem jechaliśmy szeroką drogą pielgrzymów, przy której stał zamek krzyżacki Beaufort. Widzieliśmy też trzy wielkie twierdze templariuszy: La Fève, Les Plalins i Kakun. Za każdym razem z rozpaczą stwierdzałem, że te uważane za nie do zdobycia twierdze były opuszczone lub zajęte przez Turków.

Wreszcie po długiej męczącej podróży karawana dotarła na miejsce przeznaczenia, do portowego miasta Akki, gdzie wysiadali na ląd pielgrzymi, zmierzający do Jerozolimy.

Dom templariuszy stał między ulicą Mieszkańców Pizy a ulicą Świętej Anny, granicząc z kościołem parafialnym Świętego Andrzeja, który swoją ogromną kwadratową wieżą i grubymi murami dominował nad pięknym nabrzeżem Akki. Dom templariuszy wzniesiony został na planie kwadratu, z okrągłymi i prostokątnymi wieżami na czterech rogach, będąc, podobnie jak twierdze muzułmańskie, twierdzą i zarazem klasztorem. Schroniliśmy się tu w obszernych i cichych salach podziemia, ugoszczeni i nakarmieni przez moich braci templariuszy.

Nasr-Eddin był młodym mężczyzną nieprzeciętnej urody. Jasne oczy, twarz o ciemnej karnacji, okolona czarnymi wło-

sami, nadawały mu wygląd księcia. Jego niezwykły urok i inteligencja sprawiły, że templariusze z radością przyjęli go do siebie, zapoznali z głównymi zasadami wiary chrześcijańskiej, a także nauczyli francuskiego.

Któregoś dnia, o zmierzchu, poszliśmy z Nasr-Eddinem do portu, otoczonego murami zbudowanymi przez rycerzy, którzy chcieli w ten sposób zapewnić ochronę swoim ziemiom. Widać stąd było morze, a z tyłu miasto z minaretami i arkadami budowli krzyżowców. Wzburzone fale rozbijały się o molo, jakby chciały wtargnąć na stały ląd. Widok aż po horyzont, za którym leżała moja rodzinna ziemia, wydał mi się tak cudowny, iż z rozkoszą pełną piersią wdychałem morskie powietrze, myśląc z tęsknotą o ukochanej Francji.

— Twoje serce jest smutne — zauważył Nasr-Eddin.

— Myślę o mej ojczyźnie — odrzekłem. — Nie wiem, kiedy i czy w ogóle ją zobaczę.

— Jesteś moim przyjacielem, chciałbym więc cię pocieszyć. Uratowałeś mi życie, tak jak ja uratowałem twoje. Nauczyłeś mnie swojej religii i odtąd nasze losy są ze sobą związane. Czas, żebyś dowiedział się, kim jestem.

— Mów, chętnie posłucham.

Pod niebem rozświetlonym ogniem tysiąca gwiazd, wśród których jaśniał wąski sierp księżyca, przy szumie rozkołysanego morza i fal uderzających o mury Nasr-Eddin wyjawił mi, kim jest i jaką ma odegrać rolę w mej misji.

— Należę do tajnego bractwa, którego przywódcą jest Starzec z Gór. Tak jak i wy walczymy z Saracenami. I podobnie jak wy winni jesteśmy całkowite i ślepe posłuszeństwo naszemu przywódcy. Wywodzimy się z młodszej gałęzi Mahometa, od Ismaila, syna Ibrahima i Hagar. Oderwaliśmy się jednak od muzułmanów, by przestrzegać prawdziwych zasad islamu. Cieszymy się opinią groźnych wojowników, nie atakujemy jednak ani templariuszy, ani szpitalników, ponieważ nasza

dewiza to: po co zabijać mistrza, skoro oni natychmiast wybiorą na jego miejsce drugiego? Czy chcesz posłuchać naszej historii?

— Tak, chcę.

— Adhémarze, to, co zamierzam ci opowiedzieć, jest dosyć skomplikowane, ale konieczne, byś nas zrozumiał. Po śmierci naszego proroka Mahometa wspólnotą islamską kierowali czterej jego towarzysze, wybrani przez lud, nazywani kalifami. Jednym z nich był Ali Ibn Abi Talib, zięć proroka. Ali miał własnych żarliwych i wiernych uczniów, którzy nazywali siebie szyitami, czyli „stronnikami". Szyici uważali, że zgodnie z prawem rodzinnym tylko Ali ma prawo do sukcesji po Mahomecie. Głosili, że, w przeciwieństwie do sunnitów z Bagdadu, oni sami pochodzą bezpośrednio od proroka. Szósty imam szyicki miał dwóch synów. Starszy, Ismail, powinien był przejąć dziedzictwo po ojcu, ale umarł przed nim. Wówczas imam wyznaczył na swego następcę młodszego syna, Musę al-Karima. Jednakże Ismail spłodził wcześniej syna, który nosił imię Muhammad Ibn Ismail, i jego właśnie zdążył przed śmiercią ogłosić następnym imamem. Zwolennicy Ismaila odłączyli się od Musy i poszli za jego synem. Nazwano ich izmaelitami. Imami izmaeliccy musieli się jednak ukrywać, byli bowiem przywódcami ruchu, z którego zrodziły się mistyczne i rewolucyjne idee szyizmu. Było ich tak wielu, że stworzyli armię, podbili Egipt i ustanowili tam dynastię Fatymidów, z której ja właśnie pochodzę. Nadążasz za mną?

— Sądzę, że tak. Pochodzisz od Fatymidów, którzy pochodzą od izmaelitów, którzy pochodzą od szyitów, a ci od Alego, zięcia proroka.

— Fatymidzi — podjął Nasr-Eddin z uśmiechem, zadowolony, że podążam za tokiem jego opowieści — byli ludźmi otwartymi i wykształconymi. Dzięki nim Kair stał się naj-

wspanialszą stolicą naszego narodu. Nie udało im się jednak przeciągnąć wszystkich na swoją stronę, bo większość Egipcjan nie przyjęła izmaelizmu. Dwieście lat później do Kairu przybył pewien nawrócony Pers. Doszedł on potem do najwyższych godności religijnych i w polityce. Nazywał się Al--Hasan Ibn as-Sabbah. Nie zdołał jednak zdobyć władzy, albowiem kalif Al-Mustazhir wyznaczył na swego następcę starszego syna, Nizara, którego uwięził i zabił jego młodszy brat Al-Mustali.

Al-Hasan Ibn as-Sabbah, który intrygował na rzecz Nizara, musiał opuścić Egipt. Gdy znalazł się w Persji, został przywódcą radykalnego ruchu nizarytów. Zawładnął jedną z gór na północy Iranu, na której szczycie znajdowała się twierdza Alamut. Al-Hassan Ibn as-Sabbah stał się postacią legendarną w świecie islamu. Wraz ze swymi zwolennikami wzniósł na szczycie tej góry drugi Kair. Trzeba było jednak znaleźć sposób na zapewnienie bezpieczeństwa twierdzy Alamut... Al-Hasan Ibn as-Sabbah zastosował więc straszną, lecz skuteczną metodę skrytobójstwa. Jeśli jakiś władca lub polityk zagrażał nizarytom, groziła mu nieuchronna śmierć. Nie chodziło jednak tylko o to, żeby zabić. Wyrok musiał być wykonany publicznie. Na tym polegało okrucieństwo pomysłu Al-Hasana. W ten sposób zamordowano między innymi seldżuckiego ministra Nizama al-Mulha. Nizarytom nie brakło ludzi gotowych oddać życie za sprawę, o którą walczyli.

— Jak udawało się Hasanowi nakłaniać do tego swoich zwolenników? — zapytałem.

— O tym dowiesz się później, bo to nasza tajemnica...

Nasr-Eddin zamilkł, zapatrzony w dal, uśmiechając się zagadkowo.

— W każdym razie — podjął po chwili — groźba śmierci była na tyle skuteczna, że wkrótce niewielu ludzi ośmielało się występować przeciw nizarytom. Czasem ludzie Hasana ogra-

niczali się tylko do podrzucenia sztyletu pod poduszkę tego, kogo zamierzali zabić, i to wystarczało...

Słysząc to, nie mogłem opanować drżenia.

Poczułem na plecach zimny pot. Sztylet pod poduszką — jak ten znaleziony w pokoju Jane. Co to ma oznaczać? Z niepokojem w sercu wróciłem do lektury zwoju.

— Gdy Al-Hasan Ibn as-Sabbah umarł — mówił dalej Nasr-Eddin — na jego następcę został wyznaczony człowiek, któremu nadano przydomek Starca z Gór. Dziś kieruje nami piąty następca Hasana. Obecny Starzec z Gór jest człowiekiem wykształconym, mistykiem, gorącym zwolennikiem izmaelizmu i sufizmu. Nie potrafi jednak zapobiec niebezpieczeństwu grożącemu naszej sekcie. Ścigają nas Mongołowie, którzy zdobywają kolejno wszystkie nasze zamki. Twierdza Alamut już padła... Starzec z Gór musiał schronić się w Syrii. Z tego właśnie powodu wyruszyłem do Egiptu. Chciałem uzyskać wsparcie Fatymidów. Nie udało mi się jednak z powodów, które już znasz...

— Jak nazywa się wasz zakon?

— Nazywają nas asasynami, czyli zabójcami. Wy i my mieliśmy te same początki.

— O jakich początkach mówisz?

— Wiem, co ci opowiedziano. Dowiedziałeś się, że w tysiąc sto dwudziestym roku szlachcic Hugon de Payns, rycerz z Szampanii, wysłany do Ziemi Świętej, postanowił utworzyć zbrojną grupę ludzi, którzy mieli bronić pielgrzymów zdążających do świętych miejsc. Zobowiązani oni byli także wieść życie zakonne, zgodnie z regułą zatwierdzoną przez króla Baldwina Drugiego, który dał im siedzibę w Jerozolimie, na fundamentach Świątyni Salomona, oraz powierzył opiece patriarchy Jerozolimy i kanoników Bazyliki Grobu Świętego.

— To wszystko prawda — przyznałem. — Nasz zakon powstał, by bronić pielgrzymów i świętych miejsc.

— To jest wersja oficjalna. W rzeczywistości zakon Świątyni powstał z innego powodu.

— Co chcesz przez to powiedzieć?

— Wyprawy krzyżowe podejmowano nie po to, by wyzwolić święte miejsca, które nigdy nie przestały być dostępne. Mój przyjacielu, wiedz, że to właśnie templariusze rozpoczęli krucjaty, by pokonać Bizancjum, zdobyć Jerozolimę i odbudować w niej Świątynię. To nie wszystko. Teraz muszę wyjawić ci pewien sekret. Nad brzegiem Morza Martwego, w miejscu zwanym Chirbet Qumran, istnieje komandoria templariuszy, założona w tysiąc sto czterdziestym drugim roku przez trzech rycerzy: Raimbauda de Simiane-Saignon, Balthazara de Blacas oraz Ponsa de Baux. Komandoria została zbudowana na miejscu rzymskich fortyfikacji, które z kolei powstały na miejscu twierdzy esseńczyków. Pierwszym komturem był rycerz z Blacas. Polecono im odnaleźć i zgromadzić w jednym miejscu skarb Świątyni.

— Skarb Świątyni? Po co?

— Nad brzegami Morza Martwego napotkali ludzi... esseńczyków, którzy nadal tam żyli, ukryci w grotach, z dala od świata. Poświęcili swoje życie przepisywaniu zwojów ujawniających prawdę o Jezusie, albowiem Jezus miał być Mesjaszem, na którego czekali. Kiedy jednak templariusze po zapoznaniu się z treścią zwojów zaczęli mówić o tym głośno, Kościół przestraszył się i postanowiono zlikwidować zakon Świątyni.

— Nie pojmuję tego.

— Wy i my wypełniamy misję, która sięga czasów, gdy w siedemdziesiatym roku legiony cesarza Tytusa, zająwszy Jerozolimę, splądrowały, a następnie spaliły Świątynię Salomona. Grupa dzielnych ludzi pod wodzą skarbnika Świątyni,

człowieka z rodu Akkosów, zdążyła ukryć skarb Świątyni, zanim Rzymianie ograbili i spustoszyli to święte miejsce. Na polecenie skarbnika pięciu ludzi, umiejących pisać, sporządziło listę kryjówek, w których umieszczono skarb. Żeby wykaz przetrwał dłuższy czas, sporządzono go na miedzi i powierzono Żydom, byłym kapłanom, którzy opuścili Świątynię, uważając ją za nieczystą, i odtąd żyli w grotach nad Morzem Martwym, w pobliżu Qumran.

— Esseńczycy... — szepnąłem.

— Tak. A dalszy ciąg tej historii zaczyna się tysiąc lat potem, gdy krzyżowcy odkryli groty z manuskryptami i wydobyli je na światło dzienne... Jeden z manuskryptów szczególnie przyciągnął ich uwagę, ponieważ był z miedzi. Zawierał wskazówki, jak odnaleźć bajeczny skarb, skarb Świątyni. Wówczas krzyżowcy ci postanowili stworzyć zakon i przyjęli nazwę rycerzy Świątyni — templariuszy. Nie roztrwonili jednak tego gigantycznego skarbu. Byli doskonałymi bankierami i zadowolili się tylko pewną liczbą sztabek złota i srebra, które przeznaczyli na budowę katedr i zamków...

— Tak więc templariusze odnaleźli skarb Świątyni...

— Templariusze wydobyli z ukrycia skarb Świątyni, zbadawszy wszystkie miejsca na Pustyni Judzkiej, wymienione w Zwoju Miedzianym. Leżał tam cały, nietknięty. Bajeczny skarb, Adhémarze. Nieziemskiej piękności! Sztabki złota i srebra, naczynia sakralne inkrustowane rubinami i innymi drogimi kamieniami, świeczniki i przedmioty rytualne, a wszystko ze złota!

Słuchałem tego ogromnie wzburzony. Okazywało się, że tak jak mówił komtur i potwierdził to Nasr-Eddin, zakon Świątyni nie powstał z troski o pielgrzymów, ale po to, by odbudować Świątynię. To dlatego bracia kupowali domy i stawiali zamki, z tego powodu używali pieczęci z tajemnym znakiem, zwracali uwagę na liczby i kolory, całowali się symbolicznie, co wskazywało, iż znali tajne doktryny żydowskiej wiedzy ezoterycznej!

— Wy, templariusze — mówił dalej Nasr-Eddin — jesteście nowymi esseńczykami, zakonnikami żołnierzami, którzy czekają na koniec świata, by wtedy odbudować Świątynię...

— I w tym celu współdziałamy z przedstawicielami innych religii, potajemnie jednocząc w ten sposób siły dla odbudowania Świątyni...

— A w szczególności związaliście się z nami, zabójcami... Komtur z Jerozolimy w obliczu bliskiej klęski zawarł sojusz ze Starcem z Gór i powierzył mu skarb, aby strzegł go w swej twierdzy, w Alamut. Kiedy jednak Alamut padło, Starzec z Gór przewiózł skarb do Syrii, gdzie nie jest on bezpieczny. Bo, jak ci już wspominałem, nam samym zagrażają Mongołowie. W dodatku Starzec z Gór wykorzystuje skarb na zakup broni... Jeśli ty, Adhémarze, masz za zadanie ocalić zakon Świątyni, musisz odebrać ten skarb i ukryć go aż do...

— Aż do końca świata — dokończyłem szeptem.

— Zaprowadzę cię do Starca z Gór. Muszę cię jednak ostrzec, że budzi on w ludziach szacunek, ale także lęk, ponieważ posługuje się terrorem. Wyznaje jedną zasadę: nic nie jest do końca jednoznaczne, wszystko jest dozwolone. Ma w swojej sekcie władzę absolutną, albowiem wszyscy się go boją. Jego ludzie, którzy przysięgli mu ślepe posłuszeństwo, sieją wszędzie strach. Nikt nigdy nie widział, żeby Starzec z Gór jadł, pił, spał lub choćby pluł. Od świtu do zachodu słońca przebywa w twierdzy na szczycie góry, głosząc swoją potęgę i chwałę. Dowodzi legionem ludzi nieznających litości, gotowych na wszystko, nawet oddać życie.

Nazajutrz po modlitwach porannych wyruszyliśmy w drogę, wzdłuż wybrzeża na północ, w kierunku Syrii. Trzy dni i trzy noce jechaliśmy wśród nagich pagórków i gór pustyni. Co jakiś czas zatrzymywaliśmy się w jakiejś wiosce, by napoić konie i zaopatrzyć się w żywność. Czasami spotykaliśmy karawany kupców mówiących po arabsku, persku, grecku, hiszpańsku, a nawet językami słowiańskimi. Żeby dostać się z Azji do Afryki, przejeżdżali przez Palestynę, która leżała na skrzyżowaniu szlaków handlowych. Wyruszali z Egiptu, docierali do Indii lub Chin, a potem wracali tą samą drogą, wioząc piżmo, kamforę, cynamon i inne orientalne towary, za które płacili niewolnikami.

W końcu dojechaliśmy do pięknej, zielonej, żyznej okolicy, przypominającej mi Portugalię. Na szczycie jednej z gór ujrzeliśmy gigantyczną twierdzę z czterema wieżami obronnymi. Była to siedziba Starca z Gór.

Po przejechaniu mostu wiszącego nad głęboką fosą zobaczyliśmy niezwykle wysokie mury twierdzy, wzniesione na kolumnach rzymskich, służących za fundament.

Wjechaliśmy do twierdzy, zostawiwszy broń u wartowników. Na obszernym dziedzińcu przywitali nas dwaj refikowie, ubrani w białe suknie ozdobione czerwonymi pasami, przypominające strój templariuszy.

Zaprowadzili nas do darów — kapłanów ubranych w białe, lniane szaty — którzy zebrali się w obszernej ośmiobocznej sali, pełnej kilimów i haftowanych złotem poduszek. Na środku stała wielka złota taca z czajniczkiem i czarkami. Darowie pozdrowili nas i zaprosili, byśmy usiedli. Potem podali nam herbatę. Zanurzyłem w niej usta. Miała dziwny smak, zawahałem się więc, nie wiedząc, czy mogę ją pić.

— Widzę, że nie masz do nich zaufania — powiedział Nasr-Eddin, biorąc ode mnie czarkę. Upił trochę herbaty, po czym mi ją oddał. — Teraz możesz pić spokojnie!

Wokół nas siedzieli darowie, pijąc w milczeniu. Niektórzy leżeli na poduszkach, sprawiając wrażenie, że drzemią w opa-

rach słodkiej herbaty i kadzidła, które paliło się w czterech rogach sali.

Po chwili zacząłem czuć dziwne odrętwienie. Moje usta uśmiechały się mimowolnie. Miałem ochotę mówić, śmiać się i śpiewać. Później darowie podnieśli się i powiedli nas ciemnymi korytarzami do wielkiej, jasnej sali, w której stały krzesła oraz stoły inkrustowane drogimi kamieniami. Czekali tam na nas fedaini. Skłonili się na powitanie i otworzyli drzwi do wspaniałego, niezwykłego ogrodu. Delikatne złote promienie słońca przeświecały na różowo przez postrzępione chmury. Lekki wiaterek nadawał powietrzu przyjemną świeżość. Bujna roślinność tworzyła celowo zaplanowany nieład. Między wysokimi krzewami płynął, szemrząc melodyjnie, strumień o tak czystej wodzie, że wydawała się zielonoturkusowa. Nad strumieniem rosły na pół rozkwitłe róże, tak świeże, iż miałem ochotę ich spróbować. Ze szczytu góry, gdzie był ogród, widziałem linię horyzontu. Odnosiłem wrażenie, że znajduję się tu i jednocześnie gdzie indziej, poza czasem.

Nagle ziemia przestała istnieć, byłem sam nad płynącą wodą. Moje oczy śmiały się, olśnione tym pięknem, zadziwione, szczęśliwe, zauroczone, jakbym otworzył drzwi rozkoszy, szczęścia i radości.

Zobaczyłem, nieruchome mimo wiatru, zielone i niebieskie krzewy, o tak cudownych konturach, jakby zaprojektował je artysta. Zobaczyłem wypielęgnowane drzewa, w różnych odcieniach zieleni, jakby utkane na zielonym jedwabiu, okryte złocistobrązowym woalem jesieni... jabłonie, grusze, morwy i wiśnie. Wydało mi się, że ów wieczorny pejzaż został stworzony tylko dla mnie, ten welon liści i ciemnych obłoków, welon szarozielonego nieba i zieleń przedłużających się w nieskończoność godzin, zieleń herbaty o brązowym odcieniu, przecudowne barwy drzew, dających swym cieniem wytchnienie pod bezkresnym niebem, w zielonej szkatule ogrodu.

— Popatrz, popatrz! — zawołałem do Nasr-Eddina.

Potem zjawiły się kobiety. Poruszały się wolno, śpiewały i tańczyły przy wtórze muzyki mandolin. Przyniosły tace pełne słodyczy. Nigdy nie czułem takiego aromatu, nigdy jedzenie nie miało takiego smaku. Pojąłem wówczas znaczenie słowa rozkosz. Jedna z kobiet podeszła do mnie i przywarła ustami do mych ust. Jak długo to trwało? Godzinę, dwie, może więcej? Choć jej postać była niewyraźna, zamazana, widziałem, jak się uśmiecha, widziałem jej długie jedwabiste włosy, oczy jasne niby przejrzysta woda w strumieniu. Powiedziała: „Złącz się ze mną". Odpowiedziałem jej na to: „Ukochana, moje oczy cię pożerają, ale nie śmiem cię widzieć". I rzekłem jej: „Szukam twego spojrzenia, ale nie udaje mi się ciebie podziwiać". I rzekłem: „Jestem oślepiony twoim widokiem. Widzę tylko niejasny twój obraz. Nie znam koloru twych oczu, ale znam ich głębię". I rzekłem: „Nie znam zarysu twych ust, ale znam czar twego uśmiechu. Wiem, że twój nos nadaje im szlachetny i dumny wyraz. Zachwycam się płynnością ruchu twoich rąk, ale nie wiem, czy są małe, czy duże. Znam tylko ruchy twego ciała. Znam ich rytm, ich siłę. Widzę cię wszędzie; wydaje mi się, że każda kobieta to ty". I rzekłem: „Jesteś we wszystkich kobietach i tylko twój chód cię wyróżnia". I jeszcze:

„Nie znam twojego kształtu".

„Nie umiem patrzeć ci w twarz".

„Znam cię, bo stworzyło cię życie".

„Poznałem cię oczyma miłości".

Czułem, że moje ciało unosi się i leci nad wodą, jakby porwane niezwykłym tchnieniem, że płonie, przez cały czas krzyczy z rozkoszy, że unosi się nad gorącym piaskiem, i słyszałem melodię, śpiewaną słodkim głosem, melodię bez słów, czułą, radosną i zarazem smutną, intensywną, przedziwną. Nabrawszy głęboko powietrza, odetchnąłem z całych sił, aż oddech mój uleciał ku wolności. Zdejmując jej woale, poko-

nując jej moc, szukałem granic jej ciała, poruszony jej dotykiem i rozkoszą, której doznawała. Wdychając słodki, różany zapach tej kobiety, byłem szczęśliwcem w jej raju. Znalazłem się w innym świecie, gdy refikowie przyszli po mnie i wyrwali mnie z objęć mojej ukochanej.

Przerwałem lekturę. Przyszła mi do głowy pewna myśl, która z kolei wywołała najważniejszą z liter, literę początku י. Zastanawiałem się nad nią bardzo długo. I nagle wszystko nabrało sensu, wprawiając mnie w osłupienie. Jak długo to trwało? Nie potrafiłbym odpowiedzieć, tak byłem pochłonięty oczywistością tego przesłania. *Jod*, litera widoczna na czole Jane. Jest tysiąc powodów, by kochać tych, których nie kochamy, i nie ma żadnego powodu, by kochać jakąś konkretną osobę, a jednak kochamy właśnie ją. Istniało tysiąc sposobów, by zapomnieć czarny blask jej oczu, a jednak go nie zapomniałem, ponieważ porwał mnie niczym ulatujący dym ku innemu światu, w którym wszystko było posępne, a zarazem piękne, do którego uleciałem wzruszony do głębi; moje serce zabiło mocno, gdy na pustyni podniosłem wzrok, słysząc, że ktoś wypowiada moje imię. Od tej chwili wszystko inne przestało dla mnie istnieć. Żyłem w oczekiwaniu. Czekałem cierpliwie, tak jak robiłem to od zawsze.

Oddałem jej wszystko. Moje serce, a także mój czas, moje marzenia, poświęciłem dla niej moją misję i ideały. Oddałem jej wszystko, nawet to, czego nie miałem. I sprowadziłem na siebie zgubę, bo oddałem tyle, że przestałem być sobą, nic ze mnie nie zostało, tylko to jedno — litera י...

Lassikowie, członkowie organizacji, z trudem mnie stamtąd zabrali. Nie chciałem opuścić ogrodu. I chociaż sam Nasr-Eddin usiłował przemówić mi do rozsądku i przypominał powód, dla którego tu przybyliśmy, nie chciałem go słuchać.

W końcu Nasr-Eddin siłą odciągnął mnie od rozkoszy, która owładnęła mym sercem.

Szliśmy długimi korytarzami i niekończącymi się tunelami, na końcu których znajdował się pałac Starca z Gór. Wejścia do niego strzegło dwudziestu jego wiernych ludzi, uzbrojonych w miecze i sztylety. Wprowadzeni przez refików, weszliśmy do wielkiej komnaty, w której Starzec z Gór siedział na tronie z drewna inkrustowanego drogimi kamieniami.

Ujrzeliśmy starego człowieka z biała brodą, z opadającymi na ramiona włosami, okrytego połyskującą jak mora czerwono-czarną tkaniną. Ciemne oczy w pobrużdżonej zmarszczkami twarzy błyszczały zadziwiająco młodo.

— Długo na ciebie czekałem — powiedział cicho.

— Wybacz, miałem kłopoty w Kairze... — odrzekł Nasr-Eddin.

— Wiem.

— Przybyłem do ciebie w towarzystwie mego przyjaciela...

— Nie musisz go przedstawiać — przerwał mu Starzec z Gór i zwrócił się do mnie: — Nazywasz się Adhémar d'Aquitaine i jesteś wielkim mistrzem zakonu Świątyni. Ja natomiast jestem tym, z którym miałeś się spotkać.

Skłoniłem się nisko przed Starcem z Gór, który dał mi znak, bym usiadł naprzeciwko niego. Nasr-Eddin uczynił to samo.

Wtedy Starzec z Gór otworzył srebrną skrzynię, w której spoczywała złota korona oraz złoty siedmioramienny świecznik.

— Przyjrzyj się dobrze, Adhémarze — powiedział. — Poznajesz to?

— Sądząc po rzeźbach na świeczniku, powiedziałbym, że pochodzi ze Świątyni!

— Czy wiesz, dlaczego znalazł się tutaj?

— Tak, panie. Skarb Świątyni jest teraz w twoim posiadaniu, ale mamy go od ciebie przejąć.

Starzec z Gór przyglądał mi się przez chwilę, po czym powiedział:

— Przejąć? A to z jakiego powodu? Teraz to my, asasyni, mamy zapewnić wieczne trwanie zakonu Świątyni. Podobnie jak wy, naśladujemy wojskowy i religijny system esseńczyków, opierający się na regule zgromadzenia. Mamy identyczną organizację. Wasi kapłani, żołnierze i posługujący odpowiadają naszym darom, refikom i fedainom. Nosimy białe szaty obramowane na czerwono, podobne do białych płaszczy z czerwonym krzyżem, jakie nosicie w waszym zakonie. Mamy tę samą regułę — regułę wspólnoty esseńczyków — w oparciu o którą Al-Hasan Ibn as-Sabbah stworzył nasze sekretne bractwo.

Wy i my wywodzimy się z tego samego źródła: z tajnej sekty esseńczyków.

Jane miała więc rację, gdy zwróciła mi uwagę na dziwne podobieństwo templariuszy do esseńczyków. Okazuje się, że templariusze przyjęli za swoją regułę esseńczyków... I tak samo postąpili asasyni.

Rzuciłem niespokojne spojrzenie w kierunku Nasr-Eddina, który wbił niewzruszony wzrok w Starca z Gór. Co zamierza uczynić Nasr-Eddin? Czy w ogóle ma jakiś plan, jak odebrać skarb?

— Odpocznijcie teraz — rzekł Starzec z Gór. — Widzę, że jesteście zmęczeni długą drogą.

— Czy moglibyśmy dostać jeszcze tej cudownej herbaty, którą zostaliśmy przedtem poczęstowani? — zapytał Nasr--Eddin.

Zrozumiałem, że prosi Starca z Gór o gościnę, albowiem święte prawo gościnności zakazuje zabijać tych, których przyjęło się pod swój dach.

Starzec z Gór wydał rozkaz jednemu z refików, który wkrótce przyniósł tacę z jakąś suszoną rośliną o słodkim zapachu. Refik wziął kilka gałązek i wrzucił je do czajniczka z gorącą wodą, po czym podał go Starcowi z Gór.

— Proszę — powiedział do mnie Starzec z Gór.

— Co to jest?

— Liście, z których napar piłeś. To zioło zwane haszyszem, przenosi do raju. Moi ludzie zrobią wszystko, co im rozkażę, byle tylko tam się dostać.

Wezwał jednego z młodych chłopców stojących przy drzwiach, a ten podszedł i klęknął przed nim.

— Jak widzisz — rzekł Starzec z Gór — mam na dworze młodych, kilkunastoletnich chłopców, którzy zamierzają w przyszłości zostać nieustraszonymi asasynami. Nachyl się, Ali.

Chłopiec skłonił się nisko przed Starcem z Gór.

— Czy chciałbyś znowu znaleźć się w raju?

Chłopiec skinął głową.

— Zrobię wszystko, by dostać się tam nie tylko jeden raz.

— Chciałbyś tam zostać na wieczność?

— Oddałbym za to życie!

Starzec z Gór wstał i podchodząc do drzwi, zapytał:

— Czy widzisz tę skałę, tam w dole?

— Widzę.

— Idź tam, rzuć się z niej, a trafisz do raju na zawsze!

— Niech tak się stanie — powiedział chłopiec, kłaniając się znowu przed Starcem z Gór.

Wyszedł pewnym krokiem i ruszył w stronę skały.

— Nie zatrzymasz go, panie?! — krzyknąłem.

— Zatrzymać go? Ależ to niemożliwe! On tego nie chce. Obiecałem mu to, czego pragnie najbardziej na świecie. Odnaleźć rajski ogród...

Chłopiec, dotarłszy do skały, rzucił się bez wahania w przepaść.

Zapadła cisza. Nie mogłem wykrztusić słowa, tak byłem wstrząśnięty.

Starzec z Gór i Nasr-Eddin, jak gdyby nic się nie stało, ułożyli się naprzeciw siebie na miękkich poduszkach i zaprosili mnie, bym uczynił to samo.

— Raj... — wyszeptałem, znów czując, jak owiewają mnie opary haszyszu. — Co to takiego jest?

Ledwie wymówiłem te słowa, a ogarnęła mnie dziwna błogość, mój rozmówca stał mi się nad wyraz bliski. Miałem wrażenie, że go rozumiem, zanim jeszcze przemówił, że zgłębiłem jego spojrzenie; czułem się, jakbym złączył się z nim, gotów słuchać go godzinami, jakbym płynął wolno z czasem, który się do mnie uśmiecha i jest mi przyjazny. Miałem wrażenie, że unoszę się ponad słowami Starca z Gór i widzę z niezwykłą ostrością, jak słowa te przybierają kształt rzeczy, a rzeczy, krążąc wokół nich, przybierają z kolei ich postać; nagle wszystko stało się doskonałe — herbata, którą piłem, poduszki, na których siedzieliśmy, komnata o kątach zamazanych przez kadzidlany dym unoszący się nad nami, wzbijający się ku niebu.

— Raj — powiedział Starzec z Gór — to jest to, co przedtem ujrzałeś i przeżyłeś, będąc w ogrodzie. W naszej kulturze mamy dwie zasady: prawo boskie — szariat, oraz droga duchowa — tarikat. Poza prawem i drogą jest ostateczna rzeczywistość — hakikat, to znaczy Bóg lub byt absolutny. Rzeczywistość, Adhémarze, jest w zasięgu ludzi. Objawia się na poziomie świadomości i tego właśnie doświadczyłeś. Przeżycie to jest tak silne, tak niebywałe i tak przyjemne, że myślisz teraz tylko o jednym — jak je odnaleźć.

— Czy jest to możliwe? — zapytałem.

— Jest to możliwe dla człowieka doskonałego, dla imama, gdyż jego wiedza wynika z bezpośredniego postrzegania rzeczywistości. Nasz mistrz Al-Hasan Ibn as-Sabbah pokazał, iż *jest to możliwe, gdy ogłosił* kiyamat, *czyli Wielkie Zmartwychwstanie, to znaczy koniec świata!* Kiyamat *jest zaproszeniem dla wszystkich, którzy przeżyją, by zaznali rozkoszy raju na ziemi. Tak według nas będzie wyglądać koniec świata. My, Adhémarze, wierzymy, że na tamtym świecie zaznamy tylko rozkoszy.*

Starzec z Gór upił łyk herbaty, po czym zwrócił się do nas z pytaniem:

— Powiedzcie mi teraz prawdę. Dlaczego tu przybyliście?

— Zostaliśmy wysłani przez templariuszy — odpowiedział Nasr-Eddin — i mamy ci przekazać, co następuje. Templariusze i asasyni współdziałali przez jakiś czas w pokoju...

— Płaciliśmy templariuszom coroczną daninę w wysokości dwóch tysięcy besantów w zamian za ich opiekę — przerwał mu Starzec z Gór. — Templariusze żądali tej daniny, bo czuli się silni i niepokonani!

— Jednak asasyni nie płacą daniny od pięciu lat. Templariusze ofiarowują wam pokój w zamian za skarb Świątyni, którego mieliście strzec w twierdzy Alamut.

Starzec z Gór popatrzył na niego przenikliwie. Ja tymczasem, ułożywszy się wygodnie, zacząłem zapadać w słodki sen, zapominając o tym, po co tu przybyłem.

Było już późno, gdy Starzec z Gór dał nam do zrozumienia, że nadszedł czas odjazdu. Wyszedłem na dwór, by odmówić poranne modlitwy. Trzynaście razy wyszeptałem Ojcze nasz *ku czci Najświętszej Marii Panny i drugie trzynaście pacierzy na cześć światła dziennego. Dodało mi to sił, albowiem straciłem poczucie czasu i nie wiedziałem już, kim jestem ani po co przybyłem.*

Potem udałem się do stajni, by sprawdzić, czy zadbano o moje konie, i wydać rozkazy stajennym. Stało tam dwadzieścia koni, a każdy dźwigał dwie sakwy, w których znajdował się skarb Świątyni. Dołączył do mnie Nasr-Eddin i opuściliśmy zamek, wiodąc długą karawanę powiązanych ze sobą koni. Jechaliśmy spokojnie, nie podejrzewając, iż u stóp góry czeka na nas dwudziestu ludzi, a z nimi Starzec z Gór.

Na ich widok zsiedliśmy z koni. Spojrzałem zaniepokojony na Nasr-Eddina i w jego oczach ujrzałem przerażenie.

— Czego się spodziewaliście? — odezwał się Starzec z Gór. — Że członkowie naszej sekty dadzą się ochrzcić... tak jak ty, Nasr-Eddinie?

Nasr-Eddin, czując na sobie pełen nienawiści wzrok Starca z Gór, nie śmiał się odezwać.

— Pragniemy pokoju — powiedziałem. — Sam, panie, mówiłeś, że jesteśmy tacy sami.

— Ale ty, Nasr-Eddinie, jesteś renegatem, zabiłeś kalifa Kairu. Jego siostra szuka cię wszędzie. Ofiarowała mi sześćdziesiąt tysięcy dinarów za twoją głowę.

Skinął na dwóch refików, którzy wymierzyli miecze w Nasr-Eddina.

— Wiesz, co się z tobą stanie, jeśli oddam cię siostrze kalifa? Każe odciąć ci ręce i nogi, a twoje serce zatknąć na bramie miasta.

Pojąłem wówczas, że Starzec z Gór, by uszanować prawo gościnności, czekał, aż opuścimy jego terytorium, że jego okrutne serce przepełniała nienawiść.

Z oddali dochodziły śpiewy i modlitwy muzułmanów z sąsiedniego miasteczka. Nasr-Eddin, klęcząc, błagał o litość, a ja szykowałem się już na śmierć, gotów umrzeć z podniesioną głową, bez słowa skargi, jak przystało na templariusza.

— Tej nocy — powiedział do mnie Nasr-Eddin — będziemy razem w raju!

— Nie sądzę. — Mówiąc to, Starzec z Gór rozkazał gestem jednemu ze służących, by podał mi czarkę parującej herbaty.

Napiłem się, niepewny, czy to trucizna, czy haszysz. Potem, widząc spojrzenie mojego towarzysza, podałem mu czarkę. Wtedy Starzec z Gór podszedł do niego. Z obojętną, nieruchomą twarzą odebrał czarkę Nasr-Eddinowi.

— Powiedz twojemu przyjacielowi, że tutaj tylko ja mogę częstować herbatą.

Po czym Starzec z Gór sięgnął po miecz z damasceńskiej stali i jednym strasznym ciosem odciął ramię Nasr-Eddina. Przez chwilę spoglądał na swoje dzieło z triumfalnym uśmiechem, a następnie odciął mu głowę. Głowa Nasr-Eddina potoczyła się pod moje nogi. Spojrzałem Starcowi z Gór prosto w oczy. Nie okazując najmniejszego wzruszenia, wskoczyłem na konia. Odjechałem, zająwszy miejsce na czele karawany.

Podniosłem oczy ku niebu, lecz nie dostrzegłem tam żadnego znaku. W mojej głowie wirowały obrazy, myślałem o zabójstwie profesora Ericsona, Rothbergów, widziałem sztylet pod poduszką Jane. Byłem przerażony. Co się wydarzyło podczas ceremonii templariuszy? Dlaczego moje wspomnienia są takie mgliste? Skąd wziął się ogień, kto go wzniecił, jeśli nie On, ratując mnie w swojej wspaniałomyślności? Dlaczego więc nie ma żadnego znaku dla mnie? Błądziłem w ciemnościach, cierpiąc piekielne męki, wyobrażałem sobie najgorsze i czułem się całkowicie bezsilny. Czekałem na coś — na jakiś znak, żądanie, szantaż — ale nic się nie działo.

Zapadł wieczór. Usiłowałem dojrzeć Go na dalekim firmamencie, lecz on zawiesił nad nami sklepienia swej niebiańskiej siedziby, abym zszedł jeszcze bardziej w głąb przepaści. Usiłowałem odnaleźć Jedynego, ale Ten, o którym myślałem, milczał, nie sposób było przeniknąć jego tajemnicy. Przybyłem z lądu, którego już nie ma, i zmierzałem ku nieznanej krainie. Samotny marsz ku końcowi świata i dniu Sądu Ostatecznego.

Kim jednakże byłem, żeby móc Go ujrzeć? Kim byłem tak naprawdę? Czy człowiekiem ze zwoju ósmego, tym, którego nazywają lwem, byłem synem, czy też nim nie byłem? Czy tym, który zostanie związany jak baranek i ocalony, bo Bóg tak chce, by wypełniło się jego słowo, czy też odroślą ufającą korzeniom, czy Duch Wieczny czuwa nade mną? A skoro już wyruszyłem, zanim wybuchła wojna, czym była pogoń synów światła — potomków Lewiego, Judy, Beniamina, wygnańców z pustyni — za synami ciemności, zastępami Beliala, Filistynami, bandami Kitima z Assuru i zdrajcami, którzy im pomagali? Kim w końcu byli synowie światła i synowie ciemności? A ja? Czy byłem synem człowieka z rodu Dawida, z linii synów pustyni, bo namaszczono moją głowę olejkiem? A może byłem słabą rośliną, wyrosłą na wysuszonej ziemi? A później, gdy zacznie się na całym świecie bezpardonowa wojna przeciw synom ciemności, przeciw bezbożnemu kapłanowi, jaka będzie tak naprawdę moja rola? I kiedy nadejdzie moja godzina? Mówili, że trzeba usunąć wszystkie przeszkody na drodze Boga, mówili, że gdzieś na pustyni znajduje się skarb złożony z drogich kamieni i świętych przedmiotów, pochodzących ze starożytnej Świątyni, że wszyscy przygotowują się, by wrócić w chwale do Jerozolimy i odbudować w niej Świątynię.

Nie, nie jestem człowiekiem niezachwianej wiary, tym, który potrafi zdziałać, że tryśnie woda na pustyni lub pojawią się potoki na stepie, nie jestem pocieszycielem we wszystkich nieszczęściach, łajdactwach, siejących zagładę szaleństwach; nie twierdzę, że Bóg wszystko naprawi. Jestem po prostu synem Adama, dzieckiem Boga, istotą śmiertelną z krwi i kości. Nic nie zapowiadało moich narodzin, nikt ich nie pragnął. Duch Pana nie spłynął na mnie. Dręczą mnie najprzeróżniejsze lęki... O Boże! Co stało się z Jane? Gdzie ona jest?

Udręczony, zrozpaczony, szukałem pociechy w alkoholu. Tak, wypiłem butelkę whisky, którą kupiłem w hotelowej restauracji. Upiłem się, straciłem kontakt ze światem zewnętrznym. Moje serce ulatywało swobodnie na skrzydłach przeznaczenia, wznosząc się ku Temu, który nie ma imienia.

Czym to się skończy? Muszę wiedzieć, czy źli staną się lepszymi, mając nadzieję na nagrodę, czy pohamują swoje żądze ze strachu, że jeśli nawet unikną kary za życia, spotka ich kara wieczna po śmierci. Kto o tym decyduje? Miłość dodała mi odwagi, miłość inna, radosna, ocalona.

Zanim stanę przed boskim sądem, muszę się w końcu dowiedzieć, czy jestem „mężem sprawiedliwym". W Zwoju Wojny powiedziano, że synowie światła pokonają synów ciemności, zastępy Beliala, oddziały Edomu, zbrojnie, ze sztandarami, w strojach wojennych. W centrum tej wojny znajduje się dwuznaczna postać, „człowiek kłamliwy". A jeśli to kobieta? Jeśli Jane nie zniknęła? Jeśli nie została porwana, lecz zniknęła z własnej woli? „Niech pan będzie jutro, dokładnie o piętnastej, w kościele w Tomarze".

A jeśli to pułapka?

Szalałem, targany bólem i niepewnością. Za dużo romyślałem, a myślenie oznacza słabość. Rozmyślałem, widząc oddzielenie się ciała od ducha na drodze ku przyszłemu życiu, bo prawdą jest, że ciało łatwo ulega zepsuciu, w przeciwieństwie do ducha, ożywianego wyższą siłą.

Jeśli to wszystko jest tylko kłamstwem, maskaradą? Czy jako Mesjasz nie mogę czynić cudów? A jeśli nie jestem Arym, Synem Człowieczym, Mesjaszem esseńczyków, to znaczy, że jestem Arym Cohenem, synem Davida Cohena i wojna, w której uczestniczę, nie jest wojną synów światłości przeciw synom ciemności, ale wojną przeciw mnie samemu. Nie ma więc czasu na czekanie, trzeba działać.

Zdecydowałem się w końcu zadzwonić do Shimona Delama, dowódcy tajnych służb izraelskich, człowieka, który wyciągnął mnie już w przeszłości z niejednej trudnej sytuacji.

Nakręciłem jego numer. Ręka lekko mi drżała. Przeczuwałem niejasno, że za chwilę poznam rozwiązanie, klucz do zagadki, choć wcale tego nie chcę.

— Shimonie, to ja, Ary Cohen — powiedziałem drżącym głosem.

— Ary! Spodziewałem się twojego telefonu.

— Chodzi o Jane Rogers. Potrzebne mi są informacje na jej temat.

— Czy to takie dla ciebie ważne?

— To sprawa życia lub śmierci.

— Dobrze.

Usłyszałem, że zapala papierosa.

— Słusznie podejrzewałeś, że Jane Rogers nie jest zwykłym archeologiem.

— Co to znaczy?

— Pracuje dla CIA.

— Dla kogo?! — krzyknąłem.

— Dla CIA. Nie ma co do tego wątpliwości. Pamiętasz sprawę ukrzyżowań, której rozwiązanie zleciłem tobie i twojemu ojcu?

— Tak. I co z tego?

— Jej stanowisko asystentki było tylko przykrywką. W rzeczywistości już wtedy pracowała dla CIA.

— Dlaczego mówisz mi o tym dopiero teraz?

— Słuchaj, Ary, służyłeś w armii, wiesz, że...

— Tak, oczywiście, wiem.

— Prowadziła dochodzenie w Syrii, działając jako archeolog aż do tego strasznego momentu, gdy zamordowano Ericsona... To ją wówczas ścigano w Masadzie. Jest bardzo dobrym agentem. Kazano jej wycofać się ze sprawy, ale odmówiła. Chciała ci pomóc.

— Skąd to wiesz?
— Ponieważ dzwoniła do mnie wczoraj.
— Czego ode mnie oczekuje?
— Miałem ci przekazać, że gdyby pojawiły się problemy i sytuacja się pogorszyła, powinieneś wrócić do Qumran.

Bardziej samotny nie byłem jeszcze nigdy. Pogrążony w najgłębszej rozpaczy, wyruszyłem na Pustynię Judzką, nad Morze Martwe, ku miejscu, które nosi nazwę Qumran.

O przyjaciele, jakże wielką goryczą przepełnione było moje serce! Jane szpiegiem... Pociągnęła mnie za sobą dla dobra swojej misji, wykorzystała moją miłość, by realizować własne plany. Może wcale mnie nie kochała i okłamywała mnie od pierwszego naszego spotkania dwa lata temu?

Zastawiła na mnie sidła, podniosła na mnie bezwstydne oczy, oczarowała, sprowadziła mnie z dawnej drogi, zmieniła bieg mego życia. Porzuciłem dla niej wszystko, darząc ją ślepym zaufaniem, gotowy na każde niebezpieczeństwo.

Jakże jej nienawidziłem! I jakże byłem szczęśliwy, dowiedziawszy się, że jest cała i zdrowa. Zalanymi łzami oczami spojrzałem w lustro.

Na moim czole widniała litera צ.

Sade. Zgoda na próbę, byleby tylko dotrzeć na inny poziom egzystencji, świadomości lub zmianę cyklu. Sprawiedliwy jest ten, kto potrafi uszlachetnić się w próbie, by uzyskać tym sposobem podstawę, dzięki której jego życie stanie się wznioślejsze.

Przez nią nie byłem już synem człowieka. Przez nią stałem się biedny i samotny, zubożały w sercu, osamotniony na duszy. Ale dzięki niej stałem się też mężczyzną.

ZWÓJ DZIEWIĄTY

Zwój Powrotu

A serce moje zapoznało się z ciosami.
Byłem jak mąż opuszczony,
nie było dla mnie schronienia,
gdyż moje cierpienie rozwijało się w gorzkościach
jako nieprzerwany i nieuleczalny ból
przeciw mnie, jak ci którzy zstępują do Szeolu,
duch mój uwolni się od zmarłych, chociaż do otchłani
sięgały...

Zwoje z Qumran
Hymny *

---

* Witold Tyloch, *op.cit.*

Wracałem do Izraela samolotem. Leciałem nad krajami, które nie znają ani śniegów, ani upałów pustyni. Przeczytałem Zwój Srebrny prawie do końca i teraz już wiedziałem.

Wiedziałem, kto i dlaczego zabił profesora Ericsona, a także rodzinę Rothbergów. Wiedziałem, jaką rolę odegrali masoni oraz templariusze z ich wielkim mistrzem Józefem Koskką. Wiedziałem, w jaki sposób Samarytanie stali się posiadaczami Zwoju Srebrnego i dlaczego przekazali go Ericsonowi. Wiedziałem, dlaczego Shimon wciągnął mnie w tę niebezpieczną historię. Wiedziałem, kto przejął skarb Świątyni i gdzie go ukrył. Byłem jedynym człowiekiem na ziemi, który to wiedział. Ci, co przeczytali Zwój Srebrny, znali miejsce jego ukrycia, ale nie wiedzieli, gdzie ono się znajduje. Ci zaś, którzy znali położenie tego miejsca, nie czytali Zwoju Srebrnego. Shimon miał rację — żeby rozwiązać tę zagadkę, trzeba było być jednocześnie uczonym i żołnierzem.

— Żebyście dobrze wykorzystali czas lotu do ziemi Pana, posłuchajcie, co wam powiem.

Uniosłem głowę. Razem ze mną leciało około dwudziestu chrześcijańskich pielgrzymów, których przewodnikiem był zakonnik, tęgi mężczyzna o poczciwym wyglądzie, w grubej wełnianej sutannie, na której wisiał ciężki, drewniany krzyż.

— Pierwsi apostołowie — mówił zakonnik — przebyli to wielkie morze, by szerzyć słowo Chrystusa. Po wypłynięciu z portu w Cezarei, żeglowali przynajmniej trzy tygodnie. Od czwartego wieku naszej ery niezliczone rzesze pielgrzymów przebywały tę drogę przed nami, żywiąc gorące pragnienie, by postawić stopy tam, gdzie niegdyś chodził Chrystus. Palestyna jest duchową ojczyzną wszystkich chrześcijan, ponieważ jest ojczyzną Zbawiciela i jego matki. Przypomnijcie sobie zakończenie z księgi Dziejów Apostolskich... Święty Łukasz opowiada w niej o podróży Pawła do Rzymu, o tym, co mu się podczas niej przydarzyło, o przymusowym zejściu na ląd na wyspie Malcie i wreszcie o czasach jego kapłaństwa w Rzymie. Opisując próby, jakim apostoł Paweł poddany został w czasie tej podróży, święty Łukasz mówi to, co głosił sam Jezus: droga ucznia będzie taka sama jak droga mistrza, bo nie ma misji bez prób. Jednak próby te, drodzy bracia, przynoszą bogaty plon. Pomódlmy się razem, abyśmy zostali umocnieni w wierze i odwadze pierwszych apostołów i misjonarzy. Pomódlmy się za wszystkich misjonarzy i za tego, kto prowadzi apostołów z Jerozolimy aż na krańce świata! I pomyślcie o świętym Hieronimie, który przybył do Palestyny, pozostał tam aż do śmierci i przetłumaczył Pismo Święte na łacinę, język ludu. Pomyślcie, jak musiał być wzruszony, gdy zwiedzał Jerozolimę, Hebron, Samarię, gdy chodził po ziemi, po której kroczył Jezus. A wtedy, bracia, Ziemia Święta będzie dla was objawieniem.

— *W ciągu jednego dnia doświadczyłem tyle, ile inni przez całe życie: poznałem miłość, posiadłem mądrość i zobaczyłem zło. I tak oto zostałem sam na ziemi, ze smutkiem i rozpaczą w sercu po utracie przyjaciela, który poświęcił się dla mnie.*

Wstrząśnięty okrucieństwem Starca z Gór, miałem tylko jedno pragnienie: wypełnić mój obowiązek i zasnąć na wieki.

Teraz widziałem, że esseńczycy obrali Mesjasza i że był nim Jezus. Czterdzieści lat potem skarbnik Świątyni, człowiek z rodu Akkosów, złożył w grotach Zwój Miedziany, w którym były wymienione wszystkie miejsca ukrycia bajecznego skarbu Świątyni.

Siedemdziesiąt lat później Bar Kochba, „syn gwiazdy", wierząc, iż jest Mesjaszem, usiłował odzyskać Jerozolimę, by odbudować Świątynię, lecz nie udało mu się zrealizować tych zamiarów. Gdy minęło tysiąc lat, skarb odkryli krzyżowcy i oni z kolei postanowili odbudować Świątynię. W tym samym czasie poznali wiarę esseńczyków i stworzyli zakon poświęcony Świątyni. Nie mieli Mesjasza, lecz mieli niezwykłą, wspaniałą ideę. Uznali, iż Mesjaszem ma być ich zakon. Oni także ponieśli klęskę, stając się ofiarami inkwizycji, tak jak Jezus był ofiarą Rzymian.

Ty zaś, Adhémarze, nie ujrzysz Świątyni. Twoim zadaniem jest przewieźć skarb i ukryć go do czasu, aż przyjdzie ten, kto ma przenieść go do ziemi Izraela.

Tak mówił Nasr-Eddin.

Zwróciłem się do siedzącej obok kobiety, której twarz zasłaniał kapelusz z szerokim rondem. Zapytałem ją, czy ma jakąś szczególną okazję do pielgrzymki. Gdy uniosła głowę, zobaczyłem podłużną twarz o delikatnych rysach, i ustach pomalowanych jaskrawoczerwoną szminką. Już ją kiedyś spotkałem, ale nie pamiętałem gdzie.

— Jestem dziennikarką z Polski, a oni jadą z pielgrzymką do Ziemi Świętej, by pójść śladami Chrystusa. Jednak jutrzejszy dzień na pewno spędzą w Jerozolimie — odrzekła kobieta.

— Dlaczego?

— Bo odbywa się tam zgromadzenie zorganizowane przez pewną siostrę zakonną.

— Jak ona się nazywa?

— Siostra Rozalia. Jeśli chce pan dowiedzieć się czegoś więcej, proszę zapytać tego zakonnika.

Zakonnik stał w przejściu, kontynuując swój monolog:

— Miejsce narodzin i życia, męki i zmartwychwstania Pana to zarazem miejsce, gdzie powstał Kościół. Nie wolno zapominać, że apostołowie na Ziemi Świętej ustanowili zasady wiary.

— Przygląda się pan mojemu amuletowi? — cicho zapytała kobieta.

Zdjęła go z szyi i otworzyła. Wewnątrz znajdował się kawałek pergaminu. Wziąłem go do ręki i dokładnie obejrzałem. Jakież było moje zaskoczenie, gdy stwierdziłem, iż jest to fragment jednego z rękopisów znad Morza Martwego.

— Skąd pani to ma?

— To niezwykła historia. Pergamin ten należał do pewnego archeologa... Józefa Koskki.

— Co takiego?!

— Zmarł wczoraj w dziwnych okolicznościach... Zasztyletowano go we własnym domu. Dlatego jadę do Izraela. Nie byłabym zdziwiona, gdyby się okazało, że to morderstwo ma związek z odkryciem tajemniczego Zwoju Miedzianego, wskazującego miejsca ukrycia bajecznego skarbu. Zna pan Qumran?

Czy znam Qumran? Czy mam tak po prostu tam wrócić?

Nagle ze stolika przed kobietą posypały się na podłogę jakieś dokumenty. Schyliłem się, żeby pomóc je zebrać. Na jednej z kartek zobaczyłem narysowany czerwony krzyż. Taki sam, jak leżał pod ołtarzem. Krzyż, który podniosła Jane, mówiąc, że należał do profesora Ericsona.

Dziennikarka zerknęła na prawo i na lewo. Teraz ją rozpoznałem. To kobieta, która wprowadziła nas do gabinetu Józefa Koskki.

— Ani słowa! — szepnęła ostrzegawczo Złotowska.

— Kim pani jest?

Nie odpowiedziała.

— Czy to prawda, co mówiła pani o Koskce?

— Tak, prawda. I jeśli chce pan zobaczyć jeszcze tę śliczną Amerykankę, proszę robić to, co panu każę.

— Nie mogłem postąpić inaczej. Mimo bólu nie mogłem wrócić do kraju, nie wypełniwszy misji. Musiałem wykonać to, co zlecił mi komtur templariuszy. Miałem przed sobą pustynię, wciąż zmieniającą barwę, wydłużającą cienie, z piaskiem połyskującym niczym miriady gwiazd na niebie, rzuconą pod moje stopy jak złoty kobierzec. Gdy niebo nade mną zmieniło się w czarne, diamentowe sklepienie, pozdrowiłem noc i ułożyłem się do snu. Spałem długo, aż nad pustynnym morzem pojawiło się znów światło dnia. Po tej nocy poczułem się wypoczęty.

Mówiąc te słowa, Adhémar zamknął oczy i oparł głowę o mur. Jego głos stawał się coraz cichszy. Jego smutne spojrzenie przywodziło na myśl dogasający płomień. Ująłem jego drżącą dłoń, by zachęcić go do mówienia, albowiem świt zbliżał się nieuchronnie.

Wylądowałem na ziemi izraelskiej jako więzień tej kobiety. Z lotniska poprowadziła mnie do samochodu, który czekał na parkingu. Rozejrzałem się. Wszędzie widać było żołnierzy i policjantów. Nie mogłem jednak nic zrobić, bo Jane znajdowała się w jej rękach. Nie miałem wyboru i musiałem pójść z nią.

— Po wielu dniach podróży w palącym słońcu — podjął swą opowieść Adhémar, jakby mógł tym sposobem zatrzymać

noc — dotarłem do Qumran. Wielkie drzewa palmowe rzucały cień na zbocza wzgórz, usiane połyskującymi kamieniami. Jadąc na czele długiej karawany, posuwałem się wolno i upłynęło sporo czasu, zanim, zgodnie z dokładnymi wskazówkami, odnalazłem Chirbet Qumran.

W końcu dojechałem do miejsca, którego szukałem. W pobliżu dostrzegłem duży cmentarz. Stojące tu zabudowania tworzyły trójkąt, z długim murem na jednym z boków i szerokim placem nad samym Morzem Martwym. Nad dużym prostokątnym budynkiem mieszkalnym oraz kilkoma mniejszymi i licznymi basenami górowała wieża. Wyglądało na to, że nikogo tu nie ma. Słońce prażyło kamienie i skały. Za mną, w różowawej mgiełce pyłu, ledwie widoczne wznosiły się góry Moab. O tej porze dnia nie czuło się żadnego powiewu, nie było najmniejszego cienia, wszystko dokoła przytłaczało duszne powietrze.

Zostawiłem karawanę przed wjazdem do obozu, gdzie uwiązałem konia. Wszedłem do pogrążonego w ciszy obozu. Minąłem baseny pełne wody, kilka prostokątnych cystern, zasilanych wodą z kanału, doprowadzonego od strumieni płynących wśród pustynnych skał. Dotarłem w ten sposób do dużej kamiennej budowli i wszedłem do środka. Ujrzałem dziedziniec, wokół którego znajdowało się kilka pomieszczeń: sala zgromadzeń z ogromnym kamiennym stołem, skryptorium, z niskimi stolikami z kałamarzami, warsztat ceramiczny z piecami.

W głębi dziedzińca stała wieża, widoczna z daleka. Wszedłem do dolnego pomieszczenia, oświetlonego dwoma wąskimi, wykutymi w murze oknami, przez które wpadało słabe światło dnia. Kręte schody wiodły na pierwsze piętro, gdzie znajdowały się trzy izby. Z jednej z nich dobiegał czyjś głos.

— Proszę się nie bać, wkrótce dowie się pan, o co tu chodzi.
Wsiedliśmy do dżipa, prowadziła Złotowska.

Bałem się. Bałem się zabójców, którzy pragnęli mojej śmierci, bałem się tych, którzy porwali Jane. Bałem się też esseńczyków, ponieważ znałem regułę wspólnoty i przewidziane w niej kary. Bałem się, że nie okażą mi litości, że mnie ukrzyżują tak, jak uczynili to dwa lata temu z tamtym człowiekiem.

— Jesteśmy na miejscu.

Kobieta zatrzymała wóz przed wyżyną Chirbet Qumran. Czekał tu inny samochód. W jego drzwiach ujrzałem właściciela restauracji, czyli mistrza intendenta. Jego korpulentną sylwetkę okrywała biała szata, podobna do tych, jakie nosi się na pustyni. Na głowie miał czerwony zawój.

— Cieszę się, że znów pana widzę, panie Cohen — powitał mnie.

— Czego ode mnie chcecie? Gdzie jest Jane?

— Tyle pytań, tyle pytań... Nie wiem, od czego zacząć. Może od tego, że się przedstawię. Nazywam się Omar.

— Czego ode mnie chcecie? Co pan tu robi?

— Nie wie pan?

— Nie. Wiem tylko, że jest pan Starcem z Gór, spadkobiercą asasynów. To pan zabił profesora Ericsona, a także małżeństwo Rothbergów, oraz Józefa Koskkę.

— Gratuluję. Widzę, że wyciągnął pan wnioski z lektury zwoju.

— Gdzie jest Jane?

— Jane jest bezpieczna, niech się pan o nią nie martwi.

— Gdzie ona jest? — powtórzyłem.

— Tutaj ja zadaję pytania. Gdzie są groty? Musi nas pan tam zaprowadzić.

— Jakie groty?

— Dobrze pan wie, o co mi chodzi.

— A jeśli odmówię?

— Ary — wycedził cicho Omar — zna pan regułę templariuszy na wypadek wojny? — Podszedł do mnie bliżej. — Wojsko uformowane jest w oddziały, którymi dowodzi marszałek. Każdy rycerz ma wyznaczone stanowisko i nie wolno mu go opuszczać. Marszałek daje sygnał do ataku, wymachując biało-czarną chorągwią zakonu — Baucéantem. W trakcie bitwy należy gromadzić się wokół niej. Nie wolno opuszczać pola walki, dopóki chorągiew łopocze na wietrze. Zawołanie wojenne brzmi: „Do mnie, szlachetni rycerze! Baucéant na pomoc!". A zna pan naszą regułę? — Nie dał mi czasu na odpowiedź. — My nie uznajemy żadnych reguł.

Pojechaliśmy drogą w głąb rozpalonej żarem Pustyni Judzkiej. Gdy wjechaliśmy do Chirbet Qumran, był już wieczór. Dookoła panowała cisza i spokój, nadal jednak nad tym światem kamieni, nad doliną z uśpionym jeziorem, nad rozpalonymi skałami wisiało gorące, duszne powietrze. Za nami rysowały się niewyraźnie, przymglone różowawym pyłem, góry Moab, rzucając cień na idealnie gładką powierzchnię morza, w którym odbijały się światła gwiazd. O tej porze dnia nie czuło się najmniejszego powiewu, w złocistobrązowej poświacie wieczoru żaden cień nie zakłócał krajobrazu.

Zastanawiałem się, co mi przyniesie dzień jutrzejszy.

Gdy znaleźliśmy się na cmentarzu, doznałem nieoczekiwanego uczucia: jakby towarzyszył nam opar trucizny, złowroga chmura. Dwa tygodnie temu ujrzałem niedający się z niczym porównać straszliwy widok — na tej białej, obojętnej pustyni, nad nieporuszonym morzem o błękitnej, przezroczystej wodzie, wśród nieruchomych skał, pod bezchmurnym niebem poniewierały się wyrzucone z otwartych grobów suche kości zmarłych, ułożonych kiedyś głową na południe i nogami na północ.

— *Zanim wprawię w ruch moje ręce i nogi, pobłogosławię Jego imię* — *mówił głos.* — *Będę się modlił do Niego przed wyjściem i przed wejściem, zanim usiądę i zanim wstanę, i kiedy będę kładł się spać. Pobłogosławię Go ofiarą, przyrzekam to w waszej obecności.*

Wszedłem do wielkiej sali, z której dochodził głos. Grupa około stu osób ubranych w białe lniane szaty, stała zwrócona twarzami ku wschodowi. W środku ujrzałem mężczyznę, który odwrócił się do mnie.

Domyśliłem się, że templariusze czekali tu na mnie, albowiem wiedzieli już, iż spotkałem się ze Starcem z Gór. Taki był plan dotyczący mojej osoby — przewidywał, że spotkam się z Nasr-Eddinem, który doprowadzi mnie do skarbu w zamian za opiekę templariuszy. Niestety nie zdołałem zapewnić mu tej opieki.

— Witaj, Adhémarze — powiedział komtur. — Witaj w naszej siedzibie w Chirbet Qumran. Są tu ostatni rycerze naszego zakonu, przysłani przez esseńczyków, by odbudować Świątynię, czego dokonamy w przyszłości dzięki tobie.

W tej sali zgromadzeń, niepodobnej do innych, wszyscy stali w ciszy, w hierarchicznym porządku.

— Teraz — ciągnął komtur — zabierzesz skarb i ukryjesz go w miejscu tylko tobie znanym. Nikt inny nie będzie miał tam dostępu, nawet my — wskazał na ludzi w białych szatach. — Nikt nie może znać miejsca ukrycia skarbu, żeby ci, którzy go odnajdą po wiekach, mogli dokończyć to, czego nam nie udało się dokonać.

Nazajutrz opuściłem obóz, by ukryć skarb. Tam gdzie czekała na mnie karawana, zastałem małego chłopca. Jego skóra była spalona słońcem. Czarne oczy i czarne włosy kontrastowały z bielą lnianej, lśniącej w słońcu tuniki.

— Czego chcesz? — zapytałem, siodłając konia.

Chłopiec nie odpowiedział.

— Jak się nazywasz?

— Muppim.

Przykucnąłem i uważnie mu się przyjrzałem. Miał nie więcej niż dziesięć lat. Błyszczące oczy świadczyły o tym, że niedawno płakał.

— Skąd jesteś, Muppimie?

Pokazał ręką w kierunku grot, na północ od wybrzeża.

— Zabłądziłeś?

Skinął głową.

— Pojedź z nami — powiedziałem — spróbujemy odnaleźć twój dom.

Wsadziłem go na mojego konia. Długa karawana ruszyła. Podczas jazdy przez pustynię Muppim opowiadał dzieje swego ludu. To tu, na pustyni, wszystko się zaczęło. Tu Bóg przemówił do naszego przodka Abrahama. „Porzuć swój kraj, rodzinę i dom" — rozkazał mu. „Ale dokąd mam się udać?" — zapytał Abraham. I Bóg odpowiedział mu: „Do kraju, który ci wskażę. Porzuć swój kraj, a uczynię twój lud wielkim, rozsławię twe imię. Porzuć ten kraj, a będziesz błogosławiony".

Mupim opowiadał o tułaczce dzieci Izraela, o ich pasterskim, koczowniczym życiu przez czterdzieści lat na pustynnych, suchych terenach. To była straszna droga od Nilu do gór Synaju.

Właśnie na tej pustyni Bóg zawarł Przymierze ze swym ludem i uczynił go narodem wybranym; tu Bóg dał Torę, napisaną Jego ręką i zażądał, aby wybudowali Arkę Przymierza, w której będzie spotykał się z ludźmi.

— Dokąd teraz pójdziemy? — zapytał Omar. — Mam nadzieję, że pamięć ci dopisuje.

— Po co było robić coś tak strasznego? — pokazałem zdewastowane groby.

— Czyż nie jest tak napisane w waszych księgach? Czyż dolina pełna suchych kości nie oznacza końca świata? Idziemy dalej. Ty zostajesz — zwrócił się do pani Złotowskiej, po czym wyjął pistolet i na moich oczach strzelił do niej dwa razy.

Kobieta osunęła się na ziemię, z jej ust wypłynęła strużka krwi.

Niewzruszony tym Omar podjął marsz. Jeśli zrobię to, czego ode mnie żąda, jeśli pokażę drogę do esseńczyków, ściągnę na siebie śmierć. Jestem już dezerterem. Dezerterem, którego esseńczycy uznali za zdrajcę. Jeśli jednak nie spełnię jego żądania, stracę szansę odnalezienia Jane i też pewnie nie przeżyję.

Po półgodzinie dotarliśmy do skalnej ściany, która wydawała się nie do przebycia.

— No więc, dokąd teraz mamy iść? — zapytał niecierpliwie Omar.

Z rozpaczą w sercu pokazałem mu tajemne przejście. Wiele razy na tej ścieżce nasze nogi obsuwały się na kamieniach i byliśmy o krok od runięcia w przepaść.

W końcu znaleźliśmy się po drugiej stronie gór, na płaskowyżu, przed wejściem do pierwszej groty.

Szczelina w skale była tak wąska, że człowiek z trudem mógł się przez nią przecisnąć. Prowadziłem go w głąb jaskiń, co jakiś czas potykając się o kamienie, aż doszliśmy do rozbitych dzbanów, kawałków zniszczonych zwojów, skorup, strzępów ubrań.

— Czy to pan zainscenizował tę makabryczną scenę niczym z końca świata?

— Dzięki Zwojowi Srebrnemu, zdobytemu przez profesora Ericsona — odrzekł Omar — udało nam się w końcu dowiedzieć, gdzie znajdował się skarb Świątyni.

— Ma pan na myśli miejsce, w którym ukrył go Adhémar?

— Ja infiltrowałem templariuszy jako mistrz intendent, a pani Złotowska podjęła pracę w ekipie archeologicznej, w której pracował wielki mistrz zakonu Świątyni, Koskka.

Dzięki temu dowiedzieliśmy się, że profesor Ericson w czasie wizyty u Samarytan usłyszał o Zwoju Srebrnym. Profesor Ericson wiedział, że esseńczycy nadal istnieją, ale nie wiedział, gdzie żyją. Jego córka i zięć przekonali go, iż możliwe jest odbudowanie Świątyni bez wyburzania meczetu Al-Aksa. Ponadto u Rothbergów usłyszał, że chasydzi mówią o jakimś Mesjaszu, który zniknął niespodziewanie dwa lata temu. Gdy Jane powiedziała mu o przyjacielu, chasydzie, żyjącym od niedawna na pustyni, doszedł do wniosku, że to pan jest tym Mesjaszem. Udał się więc ponownie do Samarytan i przekazał im wiadomość o panu. Wówczas Samarytanie oddali mu Zwój Srebrny. Żeby wywabić esseńczyków z ukrycia, zorganizował na pustyni spektakl, mający świadczyć o zbliżającym się końcu świata...

— I wtedy pan go zamordował?

Omar popatrzył na mnie dziwnie i mówił dalej:

— Czy był lepszy sposób, żeby zmusić pana do wyjścia z grot? Zabiliśmy go, a potem kontynuowaliśmy nasze dzieło, profanując groby esseńczyków. I udało nam się: opuścił pan groty. Kilka razy próbowaliśmy pana porwać, ale chroniła pana jakaś siła, za każdym razem wymykał nam się pan... a potem pojawiła się ta kobieta, pański anioł stróż. W Paryżu byliście stale śledzeni przez Mossad i nic nie mogliśmy zrobić. Wciąż nie udawało nam się pana uprowadzić, aż wreszcie, porywając Jane, dopadliśmy i pana.

— Co za „my"? Kim jesteście?

— Sam pan powiedział — jesteśmy asasynami, spadkobiercami Al-Hasana Ibn as-Sabbaha. Chcemy odzyskać skarb Świątyni, który należał do nas, zanim odebrali go nam templariusze, siedemset lat temu.

Doszliśmy do końca groty, gdzie znajdowały się niewielkie drzwi, prowadzące na teren esseńczyków.

Otworzyłem je i nagle usłyszałem jakiś metaliczny dźwięk.

Przede mną stał mój ojciec z rewolwerem w ręku.
— Jesteście mordercami — powiedział — i złodziejami. Skarb Świątyni nie należy do was.
— Co ty tu robisz? — zapytałem przerażony.
Ojciec patrzył na mnie surowo. Dopiero w tym momencie zauważyłem, że ma na sobie białą szatę esseńczyków.
— Robię to, czego nigdy nie przestałem robić. Przede wszystkim jestem Davidem Cohenem z rodu arcykapłanów.
Na te słowa Omar wyszarpnął z kieszeni rewolwer i wycelował we mnie.

— Po odprowadzeniu Muppima do jego wioski ruszyłem z karawaną do Jerozolimy. W Domu zakonu, w jednej z piwnic, złożyłem jutowe torby. Były one jednak wypełnione kamieniami. Sam skarb ukryłem bowiem w innym miejscu, które znałem tylko ja.

W siedzibie zakonu w Jerozolimie templariusze czekali na moje przybycie. Gdy nadeszła pora wieczornego posiłku, w milczeniu zajęli swoje miejsca, piekarz przyniósł chleb, a kucharz postawił przed każdym talerz z mięsem. Siedząc tak w uroczystym nastroju przy wspólnym stole i spożywając chleb oraz pijąc wino, wszyscy myśleli o tym, jak Syn Człowieczy wyciągał ręce nad chlebem i winem, aby je pobłogosławić.

Po posiłku wstałem i zdałem relację z mojej wędrówki, a potem rzekłem:

— Drodzy przyjaciele, przybyliśmy tutaj, aby zgodnie z życzeniem Jezusa odbudować Jego Świątynię. Jezus nie chciał, by zgasł płomień światła. Opuścił Galileę i przewędrował całą Samarię. Zatrzymał się na górze Garizim, gdzie czekali na niego Samarytanie. Postanowił zostać na pustyni i żyć wśród esseńczyków, naszych poprzedników, którzy uważali, że bliski jest koniec świata, i głosili, iż należy publicznie okazać skruchę. Jezus poznał na pustyni esseńczyka Jana, który chrzcił

ludzi, odpuszczając im grzechy. Esseńczycy oznajmili Jezusowi, iż został przez nich wybrany, że jest wybrańcem spośród wybrańców i że tego, który przynosi nowinę, czeka długa, żmudna droga, by oświecić lud kroczący w ciemnościach.

Ta przepowiednia, drodzy przyjaciele, spełni się w dalekiej przyszłości, kiedy przyjdzie czas i zostanie odbudowana Świątynia. A ja już wiem, jak ma ona wyglądać. Spotkałem na pustyni chłopca, z którego ust usłyszałem opis Świątyni. Jakbym widział ją na własne oczy!

Dziedziniec wewnętrzny będzie miał cztery bramy, skierowane na cztery strony świata; dziedziniec środkowy i dziedziniec zewnętrzny będą miały po dwanaście bram noszących imiona dwunastu synów Jakuba; dziedziniec zewnętrzny będzie podzielony na sześć części z dwunastoma pomieszczeniami, odpowiadającymi dwunastu pokoleniom, oprócz pokolenia Lewiego, od którego pochodzą lewici. Bramy będą ogromne, aby mogli przejść przez nie wszyscy. W perystylu biegnącym wokół wewnętrznego dziedzińca staną krzesła i stoły dla kapłanów. Na samym środku wewnętrznego dziedzińca ustawione zostaną sprzęty ze Świątyni, a między cherubinami umieszczona będzie złota zasłona i kandelabr. Cztery lampy oświetlą część dla kobiet, gdzie aromatyczne olejki i kadzidło będą unosić się obłokiem między widzialnym i niewidzialnym.

Będą tam szerokie, marmurowe baseny do oczyszczających kąpieli. Będą też długie korytarze i wysokie schody, lśniące wspaniałą bielą, prowadzące stopień po stopniu ku Panu.

W samym sercu Świątyni znajdzie się święte miejsce, z którego kapłan będzie przemawiał cichym głosem, gdzie będzie się palić trzynaście wonnych kadzideł, gdzie staną menora i stół z dwunastoma chlebami. A w sercu tego miejsca znajdzie się Święte Świętych, oddzielone zasłoną w czterech kolorach, wyłożone wewnątrz drewnem cedrowym, Święte Świętych, drodzy przyjaciele, gdzie arcykapłan będzie rozmawiał z Bogiem.

Było już późno, gdy opuściłem Dom templariuszy. Moja misja zakończyła się, zamierzałem więc wyruszyć w drogę. Nie chciałem pozostawać w Ziemi Świętej, gdzie nie było dla nas przyszłości, gdzie mogliśmy już tylko walczyć i umierać. Ale za co? Ocaliłem to, co najistotniejsze. Pragnąłem wrócić do mojej ojczyzny. Przed stajnią stał jakiś człowiek ubrany w biało-czerwony strój. Rozpoznałem jednego z refików. Domyśliłem się, że czeka na mnie.

Najwyraźniej postanowiono, bym został zabity. Ponieważ tylko ja znałem miejsce ukrycia skarbu, miałem więc zabrać ten sekret do grobu.

W chwili kiedy szykowałem się na śmierć, usłyszałem huk dwóch wystrzałów.

Stojący przede mną Omar osunął się na ziemię. Nie zabił go jednak mój ojciec, bo nie umiał posługiwać się bronią. Strzelał Shimon Delam, za którym ukazała się Jane.

— Jane — odezwałem się ledwo dosłyszalnym głosem.

— Porwał mnie ten człowiek — wskazała na leżącego na ziemi Omara. — Potem przywiózł tutaj, na Pustynię Judzką, żeby zwabić ciebie.

— To Omar, Starzec z Gór — wyjaśniłem.

— Shimon kazał nas śledzić i dzięki niemu zostałam uwolniona.

— *Wówczas ruchem szybszym niż błyskawica dobyłem mego pięknego miecza i odważnie przystąpiłem do walki z asasynem, który usiłował wbić mi sztylet w serce. Zrobiłem unik i sam wymierzyłem cios. Potoczyłem się po ziemi i znalazłem się za jego plecami. Chwyciwszy miecz w obie dłonie, ciąłem go w samo gardło, z którego trysnęła jasna, czerwona krew. W ostatniej chwili próbował jeszcze wbić sztylet w mój brzuch.*

Tak oto udało mi się wyjść cało z rąk mordercy. W porcie w Jaffie wsiadłem na okręt, którym dopłynąłem po kilku miesiącach do drogiej mi Francji.

Niestety! Wiesz sam, co się dalej działo. Tu, na ojczystej ziemi, doświadczyłem najgorszego. Inkwizycja... Zanim jednak nadejdzie świt, chciałbym ci powiedzieć jeszcze coś bardzo ważnego.

Nie byliśmy w stanie nic mówić, gdy siedzieliśmy z tyłu w samochodzie z przydymionymi szybami, który prowadził Shimon. Mówiły za nas nasze oczy. Moje, pełne bólu i rozczarowania, patrzyły na nią z wyrzutem. Jej, mokre od łez, błagały, bym nadal w nią wierzył. Moje, rozgniewane, odmawiały jej zaufania, którym obdarzyłem ją już dwa lata temu. Jej odpowiadały mi, że nic się nie zmieniło, że nadal mnie kocha. Mój milczący wzrok i tak mnie zdradzał. Ona wzrokiem błagała, bym milczał. Moja wola słabła, a oczy mówiły: moja ukochana, jakże tęsknię za tobą, dla mnie istniejesz tylko ty i nie chcę cię opuszczać, tęsknię do twojej niezrównanej słodyczy, do pocałunków niczym białe i czerwone kwiaty, oazo na mojej pustyni, kwiecie mej duszy, tylko w tobie znajduję ukojenie, nie potrzebuję niczego, gdy jestem u twojego boku, cała reszta to ułuda, marność nad marnościami.

Głos Adhémara był już tylko cichym tchnieniem.

— Mów, synu — powiedziałem wzruszony. — Obiecuję, że zgodzę się na wszystko, o co poprosisz. Cokolwiek powiesz, uczynię to. Poruszyła mnie bowiem twoja historia i moje serce krwawi na widok zbliżającego się świtu.

— Proszę cię, abyś zaraz stąd uciekł. Oni domyślą się, że wszystko ci powiedziałem i będą cię wypytywali. Dlatego, jeśli chcesz mi pomóc, jeśli wzruszyły cię moje dzieje, nie

zostawaj w Cîteaux ani nigdzie we Francji. Udaj się do Ziemi Świętej do Samarytan, którzy mieszkają w górach Garizim, niedaleko od Morza Martwego. Przebywają tam potomkowie skarbników Świątyni z rodu Akkosów. Spiszesz wszystko, co ci opowiedziałem i im to przekażesz.

Drżącą ręką skinął, bym przysunął się bliżej.

— Skarb Świątyni — szepnął — ukryłem w Qumran, w grotach esseńczyków, w miejscu zwanym przez nich skryptorium, w wielkich amforach.

Widząc mój zdziwiony wzrok, dodał z uśmiechem:

— To tam odprowadziłem małego Muppima, który zgubił się na pustyni.

Płacząc, opuściłem tego świętego człowieka. Na Wyspie Żydów, gdzie palono tych, którzy czytają Talmud, zgromadzono już drzewo na stos. Przywiązano nieszczęśnika długimi łańcuchami do belki i ułożono wokół niego stos do wysokości jego kolan. W niebo uniósł się dym...

Wówczas prałaci zapytali go, czy nie ma w sercu nienawiści do Kościoła i czy czci krzyż.

— Nie czczę już chrystusowego krzyża — odrzekł Adhémar — bo nie można czcić ognia, na którym się płonie.

Oczy jego błyszczały od łez...

Spisane na górze Garizim w roku Pańskim 1320 przez Filemona de Saint-Gilles, zakonnika z Cîteaux.

Ze strachem zdałem sobie sprawę, że Jerozolima jest coraz bliżej. Z lękiem wchodziłem na górę Syjon i szeptałem jej imię, wracając do niej jakby za sprawą ostrego miecza, który niespodzianie zwrócił się przeciw nam. Jakże mam wejść do Jerozolimy, skoro w tym niezapomnianym momencie kochałem Jane, skoro odnalazłem tę, której pożąda moje serce?

Tak, powinienem przepisywać w nieskończoność literę א.

Alef — symbol milczenia, jedności, mocy, równowagi ducha. To także ośrodek promieniowania myśli, więź, którą tworzy między światem na górze i światem na dole, między dobrem i złem, światem przeszłości i przyszłości. Litera *alef* ma cudowną moc.

ZWÓJ DZIESIĄTY

Zwój Świątyni

A w dniu upadku Kittim
będzie bój i wielka rzeź wobec Boga Izraela,
gdyż to jest dzień od dawna
przez niego wyznaczony na wojnę,
która ma zniszczyć Synów Ciemności.
Wtedy staną do okrutnej rzezi:
zgromadzenie bogów i zgromadzenie ludzi.
Synowie Światłości oraz obóz ciemności
będą walczyć razem,
aby się okazała moc Boga
wśród zgiełku wielkiego tłumu
i wrzawy bogów i ludzi w tym dniu zagłady.
To będzie czas ucisku dla całego ludu,
wykupionego przez Boga.
A wśród wszystkich cierpień
nie było dotąd im podobnego od początku
aż do końca wybawienia wiecznego.
W dniu ich walki z Kittim
stoczą bój na śmierć i życie.
W wojnie tej trzy razy Synowie Światłości
umocnią się, aby pobić bezbożność...

Zwoje z Qumran
Reguła wojny *

---

* Witold Tyloch, *op.cit.*

Jestem Ary, syn człowieka, który żyje na dyszącej żarem pustyni, gdzie nie ma ani ptaka, ani owada, gdzie słońce pali ziemię ogniem, gdzie nocą panuje lodowaty chłód; na pustyni, która nie zna ani snu, ani wytchnienia, ani czasu; na otoczonej stromymi skałami pustyni, która zmienia się bez przerwy od wielu milionów lat; żyję na tej niezwykłej pustyni, gdzie starożytność staje się bliska, gdzie objawia się podobieństwo dziejów człowieka, gdzie kratery przywołują niepamiętne czasy — całe wieki, miliony lat — kiedy nasza planeta doświadczyła, czym są trzęsienia ziemi, podczas których jedne góry się zapadały, a inne się pojawiały; kiedy ziemię zalało morze, kiedy daleko na północy Afryki powstała szczelina, która powiększyła się z czasem, tworząc Morze Czerwone; ruchy skorupy ziemskiej objęły także tereny dzisiejszego Izraela aż do Zatoki Ejlackiej, dolinę Arawah, dolinę Jordanu, Morze Galilejskie, aż do tej długiej, wąskiej szczeliny, gdzie teraz mieszkam. Jestem Ary, który spędza swoje dni na pustyni, kontemplując tajemnicze okolice Morza Martwego, błagając pustynię, by otworzyła drogę ku naszemu Bogu i ku Jerozolimie.

— No i jesteśmy w Jerozolimie — powiedział Shimon, gdy dotarliśmy do Bramy Jaffy. — Przywiozłem was tutaj, bo to nie koniec naszych kłopotów.

— Co to znaczy? — zdziwiłem się. — Co się dzieje?

— No cóż — odpowiedział ponuro Shimon — myślę, że czas, byś się dowiedział.

Zatrzymał samochód i chwytając mnie za ramię, rozkazał:

— Chodź, musimy wejść na Plac Świątyni.

— Na Plac Świątyni?

— Tak.

Zostawiliśmy Jane i mojego ojca przy samochodzie przed Bramą Jaffy. Z oddali dochodził dźwięk dzwonów Bazyliki Świętego Grobu, Getsemani i opactwa Zaśnięcia Matki Boskiej.

Będę z wami na zawsze, aż do końca świata.
Sprowadzę twój lud ze Wschodu
i połączę cię z ludem z Zachodu.
I zawołam na Północ: idź!
I zawołam na Południe: nie cofaj się!
Spraw, by moi synowie powrócili z odległych krajów,
i córki moje z krańców ziemi.

Z Placu Świątyni można było zobaczyć chasydów, którzy z zamkniętymi oczami tańczyli i śpiewali, przytupując dla podkreślenia rytmu.

— Dzięki planom, które znaleźliśmy u Aarona Rothberga — powiedział Shimon Delam, rozwijając mapę — dowiedzieliśmy się, co profesor Ericson zamierzał zrobić razem z templariuszami. Spójrz...

Podał mi topograficzny szkic Placu Świątyni. Kropkami zaznaczone było położenie Świątyni.

— Bok dziedzińca zewnętrznego ma długość ponad ośmiuset metrów — powiedział. — Według opisu esseńskiego zawartego w Zwoju Świątyni cała powierzchnia Świątyni miała około osiemdziesięciu hektarów, od Bramy Damasceńskiej, od strony zachodniej, aż do Bramy Góry Oliwnej, od wschodu. Uzyskanie takiej płaskiej powierzchni dla realizacji tak gigantycznego projektu wymagałoby ogromnego nakładu pracy. Żeby zniwelować ten teren, należałoby zasypać południową część doliny Cedronu od wschodu i przebić się przez skały od zachodu. Wiązałoby się to z koniecznością usuwania ziemi i skruszonych skał... Przedsięwzięcie niezwykle trudne, ale jednak do wykonania.

— Ależ to niemożliwe! — zawołałem. — Zapominasz o stojącym na Placu Świątyni meczecie Al-Aksa, na wprost przed Kopułą Skały.

— Pamiętam o nim, ale według planu meczet Al-Aksa znalazłby się w obrębie Trzeciej Świątyni. Zresztą esseńczycy uważali, iż meczet należy do nich.

— Jak to? Nie rozumiem.

— Został zbudowany w miejscu, gdzie stał Dom zakonu Świątyni.

Wskazał Kopułę Skały, ośmioboczną budowlę z gigantyczną złoconą kopułą, wznoszącą się majestatycznie przed naszymi oczami.

— Zamierzali postawić Świątynię na wyłożonym płytami dziedzińcu, otaczającym Kopułę Tablic. W ten sposób otoczyliby meczet Al-Aksa.

W tej sekundzie przypomniałem sobie słowa Aarona Rothberga:

„Wszystko zależy od dokładnego określenia miejsca na Placu Świątyni, gdzie stoi teraz niewielki budynek — Kopuła Ducha, zwany też Kopułą Tablic dla upamiętnienia Tablic Prawa. Tradycja żydowska mówi, że tablice, laska Aarona oraz czara z manną, która spadła na pustyni, były przechowywane w Arce Przymierza, stojącej w Świętym Świętych. Niektóre teksty podają, że tablice wyryte były na kamieniu, zwanym Kamieniem Fundamentalnym, stojącym w środku Świętego Świętych. Wszystko to pozwala przypuszczać, iż Święte Świętych nie znajduje się pod meczetem Al-Aksa, jak dotąd sądzono, lecz pod Placem Świątyni".

— To dlatego ich zamordowano — stwierdziłem. — Zabójcy zabili profesora Ericsona i jego rodzinę, bo dowiedzieli się o istnieniu skarbu Świątyni z lektury Zwoju Srebrnego i pragnęli odbudować Świątynię na Placu Meczetów, gdzie znajduje się Święte Świętych... Zabójcy chcieli przeszkodzić w odbudowie Świątyni, bo zamierzali odzyskać skarb, który kiedyś został powierzony ich poprzednikom.

— Najpierw jednak profesor Ericson musiał odkryć groty esseńczyków i tam szukać skarbu.

— To dlatego poprosiłeś mnie, bym zajął się tą sprawą? Miałem służyć za przynętę...

— Przynęta, przynęta — oburzył się Shimon. — Mogę cię zapewnić, że byłeś pod stałym nadzorem, nawet w Tomarze...

Zabójcy, wywodzący się od Al-Hasana Ibn as-Sabbaha i Starca z Gór, uważali, że skarb Świątyni, a także meczet Al-Aksa, należą do nich... Zabili profesora Ericsona niczym zwierzę ofiarne dokładnie w tym miejscu, gdzie on sam chciał zabić w ofierze byka według rytuału opisanego w Zwoju Srebrnym. I zrobili to tak, jak ich przodkowie: zabójstwo dokonane publicznie jest bardziej odstraszające. Zabili także Rothbergów oraz Józefa Koskkę.

— Ciebie i Jane oszczędzili, ponieważ mieli nadzieję, że doprowadzicie ich do esseńczyków, co też zrobiliście.

— To dlatego Jane za twoim pośrednictwem wyznaczyła mi spotkanie w Qumran... Wiedziała, że tam właśnie chcą się dostać.

W tym momencie zobaczyłem, że zbliżają się do nas dwaj

zamaskowani mężczyźni. Podobni byli do tych, którzy chcieli mnie porwać przy Bramie Syjonu dziesięć dni temu.

— To on! — krzyknął jeden z nich. — To Mesjasz esseńczyków. Zabijcie go!

Nie zdążyłem nawet wyciągnąć pistoletu, gdyż w tym samym momencie usłyszeliśmy potworny wybuch. Ziemia zadrżała, jakby miała się rozstąpić pod naszymi nogami. Ujrzeliśmy, jak wali się Złota Brama, zamurowana przez muzułmanów, by przeszkodzić przybyciu Mesjasza.

Dwaj napastnicy zostali powaleni przez Shimona, który wykorzystał chwilę ich nieuwagi.

Shimon pociągnął mnie na ziemię.

— To asasyni — powiedziałem. — Ale kto podłożył bombę?

— Templariusze, żeby otworzyć drzwi przed Mesjaszem — odrzekł Shimon. — To wojna, Ary.

W oddali rozległ się huk wystrzałów. Pirotechnicy wysadzali całe kompleksy budynków. Wokół nas spadały kamienie. Nad nami krążyły helikoptery. Pojawiły się czołgi, które miały bronić mieszkańców. Ich lufy skierowane były tam, skąd dochodziły odgłosy strzelaniny.

— Wojna?

— Sądziłem, że uda się tego uniknąć, ale okazało się to niemożliwe. Wydałem rozkaz, by użyto wszystkich koniecznych środków, łącznie z czołgami i helikopterami.

Zobaczyłem oddziały wojowników, z których każdy miał swojego dowódcę i wyznaczone miejsce w szeregu. Głównodowodzący dał sygnał do ataku, wymachując biało-czarną chorągwią zakonu templariuszy — Baucéantem. Ruszyli z okrzykiem: *Do mnie szlachetni rycerze! Baucéant na pomoc!*

Wśród eksplozji i głośnych wybuchów wzywałem Jego imię jak wówczas, gdy błagałem o ocalenie w Tomarze. Czy nie wydarzył się wtedy cud? Czyż ogień nie przepędził moich wrogów?

Shimon jednak nie dał mi czasu na rozmyślania. Złapawszy mnie za rękę, zmusił, bym biegł za nim do Jane i ojca, których zostawiliśmy na parkingu. Wszędzie wokół templariusze, ubrani w białe płaszcze z czerwonymi krzyżami, walczyli z mężczyznami w zawojach na głowie — asasynami. Żołnierze izraelscy nie wiedzieli, kogo atakować. Rozpętała się bezlitosna rzeź, straszna wojna synów światła przeciw synom ciemności.

Na ogarniętym wojną Placu Świątyni strzały padały ze wszystkich stron, deszcz kamieni sypał się na chasydów, tłoczących się pod Ścianą Płaczu. W straszliwym hałasie i czarnym dymie strzelali w odpowiedzi snajperzy, rozlokowani na dachach okolicznych domów. Pod murem widać było porzucone w pośpiechu modlitewne szale chasydów. Z wyciem syren nadjeżdżały już karetki pogotowia, z których wybiegali sanitariusze. Nagle nad wrzawą uniósł się czyjś głos. Był to głos imama, który wzywał ludzi przez megafon, by przystąpili do świętej wojny.

I wtedy ruszyło się Stare Miasto. W ciągu kilku minut zamknięto wszystkie sklepy, a ich właściciele przyłączyli się do walki, strzelając do samochodów i do wszystkiego, co znajdowało się w polu ich widzenia. Skupieni na okolicznych wzgórzach pielgrzymi, nie wierząc własnym oczom, przyglądali się tej strasznej scenie.

W końcu dotarliśmy z Shimonem na parking, gdzie Jane i mój ojciec skryli się za murem. Podbiegłem do Jane.

— Wszystko będzie dobrze. Jestem tego pewien — powiedziałem.

— Nie, Ary — odrzekła Jane. — Tu trzeba cudów, a cuda już od dawna się nie zdarzają.

— Mylisz się. W Tomarze właśnie cud mnie uratował.

Jane spojrzała na mnie ze smutkiem.

— W Tomarze to ja podłożyłam ogień i rzuciłam granaty dymne, żebyś mógł uciec. Dopiero później dostałam się w ręce asasynów.

— To byłaś ty? — zapytałem z niedowierzaniem.

Jane patrzyła na mnie przepraszająco.

— Tak, ja...

Pojawił się mężczyzna ubrany na biało, esseńczyk, lewita Lewi. Podszedł do mnie. Cofnąłem się. Co chciał mi powiedzieć? Nie widziałem go od czasu ucieczki. Lewi jednak patrzył na mnie spokojnie, z powagą.

— A więc w końcu wróciłeś, Ary — powiedział.

— Tak, wróciłem.

— To wojna, do której przygotowujemy się od dwóch tysięcy lat. Najpierw zabili Melchizedeka.

— Melchizedeka?

— Profesor Ericson, który zdawał sobie sprawę z tego, co się szykuje, w wieczór składania ofiary czekał na ciebie. Był Melchizedekiem, opiekunem sprawiedliwych i władcą na Dzień Sądu.

— Nie — przerwała mu Jane. — On tylko chciał, żebyście w to wierzyli. Wykorzystał tekst esseńczyków i chciał spróbować wcielić się w postać Melchizedeka, ale nim nie był.

— Był arcykapłanem, który sprawuje władzę w ostatnie dni, gdy ludzie staną przed obliczem Boga, był wysłannikiem Aarona, dowódcą niebiańskich wojsk i eschatologicznym sędzią... A przywódca Samarytan — dodał — jest potomkiem z rodu Akkosów.

— Dowiedział się od was, że przybędę... Ale Świątynia jest zniszczona, nie ma już kapłanów, którzy byliby gotowi pełnić w niej służbę, nie ma świętego ognia ani kadzidła — powiedziałem.

— Mamy wszystko, co jest konieczne. A ty jesteś Mesjaszem, jesteś arcykapłanem. Ty jesteś Mesjaszem Aarona, arcykapłanem, który ma prawo wejść do Świętego Świętych. Nadszedł czas spotkania z Bogiem. Ty jeden możesz wymówić Jego imię i tym samym sprawić, by się zjawił.

Podszedł do mnie i dotknął drżącą ręką mojego ramienia.

— Minęło dwa tysiące lat, Ary. Dziś pójdziesz, by Go zobaczyć i mówić z Nim twarzą w twarz...

Wskazał na ludzi, którzy zmierzali w naszym kierunku. Rozpoznałem przywódcę Samarytan i jego ludzi. Razem z nimi szli templariusze, niosąc pogrzebową urnę. Prochy czerwonej jałówki. Nieśli też złocone naczynie z krwią byka, złożonego w ofierze z myślą o dniu Sądu Ostatecznego. Po kilku chwilach nadeszli chasydzi, których widzieliśmy pod Ścianą Płaczu.

— Już czas, Ary — rzekł Lewi. — Mamy prochy czerwonej jałówki, mamy ofiarę przebłagalną i znamy położenie Świątyni.

W zasięgu naszego wzroku templariusze w białych płaszczach, asasyni i izraelscy żołnierze walczyli wśród chrześcijańskich pielgrzymów na Placu Świątyni, gdzie unosiły się dymy pocisków i wybuchały koktajle Mołotowa. Bezlitośnie walczono na przerażonych koniach i w czołgach armii izraelskiej. Krew płynęła strumieniami. Zewsząd wybiegali ludzie, uciekali, kryli się, a na ich miejsce pojawiali się inni.

Chasydzi powiedli nas ku Złotej Bramie, gdzie brał początek tunel, który miał nas doprowadzić do Świętego Świętych.

Shimon dołączył do dowodzących operacją. Jane, ojciec i ja poszliśmy wraz z innymi do Złotej Bramy. Towarzyszył nam świst pocisków i odgłos wybuchów.

Lewi dał nam znak, byśmy szli za nim. Znaleźliśmy się w pomieszczeniu oświetlonym pochodniami, w którym czekali na nas ubrani na biało esseńczycy. Stąd Lewi poprowadził nas podziemnym przejściem. Było tak nisko, że musieliśmy zgiąć się wpół. Na czele szedł Muppim z pochodnią w ręku. W końcu znaleźliśmy się w dużej izbie ze ścianami z białego kamienia.

— To tu — rzekł Lewi. — Jesteśmy pod Placem Świątyni.

Pokazał małe drzwiczki.

— Tam znajduje się Święte Świętych.

Skierował się w kąt izby, gdzie leżało kilkanaście jutowych worków. Otworzył jeden z nich, a potem drugi.

— Oto skarb — powiedział.

O, przyjaciele, jak mam opisać moją radość i wzruszenie? Ujrzałem siedmioramienny świecznik, ten sam, który stał w Świętym Świętych, stół, na którym kładziono dwanaście chlebów, ołtarz na kadzidło, dziesięć innych świeczników, naczynia z brązu i czystego złota, mały przenośny stolik na kadzidło, a wszystkie te przedmioty pokryte były złotem, srebrem, wysadzane drogimi kamieniami. O, przyjaciele, jakże byłem Mu wdzięczny, że podtrzymał mnie swoją mocą, że rozciągnął Swego ducha nade mną, żebym nie chwiał się, że uczynił mnie silnym niczym solidna wieża w obliczu walki z bezbożnością, że pozwolił mi ujrzeć skarb Świątyni! Esseńczycy otwierali po kolei wszystkie worki i wydobywali z nich święte precjoza. Znajdowały się w nich naczynia ze złota, brązu i srebra, sztabki połyskujących metali, przedmioty sakralne, ozdobione najpiękniejszymi kamieniami. Było tak, jakby Świątynia odżyła, odkrywając się przed nami w majestacie tych świętych rzeczy. Jakby Zwój Srebrny udostępnił nam swoje tajemnice nie tylko w literach, ale pod postacią zrodzonych z tych liter przedmiotów. Jakby najdawniejsza przeszłość wróciła teraz wraz z duchem tych wspaniałych relikwii.

Było tu wszystko: skrzynia ze srebra, monety i sztaby złota i srebra, czary z drewna, sakralne naczynia ze złota, żywicy, aloesu i białej sosny. Wszystko to było jakby posłańcem przeszłości.

W jednym z worków znajdowało się wieko Arki Przymierza i cherubiny, wykonane ściśle według wskazówek, jakie Bóg dał Mojżeszowi: *Zrobisz arkę z czystego złota, długości dwóch i pół łokcia i półtora łokcia szerokości.* Lewi wziął dwa złote posążki i ustawił je na wieku Arki Przymierza. Skrzydła cherubinów uniesione były do góry, jakby w geście osłaniającym Arkę. Wzrok miały opuszczony na Arkę Przymierza. *W tym miejscu spotkam się z tobą.*

— Tu, między dwoma cherubinami, pojawi się Bóg — rzekł Lewi.

Jane oglądała w osłupieniu bajeczny skarb. Wszystko to znajdowało się w skryptorium, w zasięgu mojego wzroku, mojej ręki. Worki ukryte były w wielkich amforach, które stały w mojej grocie, a ja ich nie dostrzegałem, nic o nich nie wiedziałem.

Podszedłem do Arki Przymierza. Byli ze mną wszyscy esseńczycy, w liczbie stu. Był mój ojciec, zgodnie ze swoją rangą stojący między nimi w pierwszym rzędzie, obok stał Hanok, który na mnie czekał, Pallu, który pokładał we mnie nadzieję, Hesron, który na mnie spoglądał, Karmi, który mnie obserwował, Jemuel, który mnie wzywał, Jamin, który mnie egzaminował, Ohad, który mi się przypatrywał, Jaki, który patrzył na mnie uważnie, Kohar, który się we mnie wpatrywał, Saul, który mierzył mnie wzrokiem, Gerszon, który się uśmiechał, Qehat, który mnie śledził wzrokiem, Merari, który cierpliwie czekał, Er, który gasł powoli, Onan, który męczył się wyczekiwaniem, Tola, który stał nieruchomo, Puwa, który się kręcił, Jow, który stracił nadzieję, Shimron, który wciąż miał nadzieję, Sered, który utkwił we mnie wzrok, Elon, który marzył, Jahleel, który płakał, Cifion, który się śmiał, Hagwi, który modlił się szeptem, Suni, który mówił do siebie, Esbon, który recytował psalmy, Eri, który umiał się koncentrować, Arodi, który medytował, Areli, który się niecierpliwił, Jimna, który popadał w panikę, Jiszwa, który się niepokoił; był też Jiszwa, zdziwiony, Beria zdumiony, Serah olśniony, Heber zbity z tropu, Bela zasmucony, Beker zadziwiony, Aszbel przestraszony, Gera przerażony, Naaman spłoszony, Ehi skamieniały z wrażenia, Rosz zaskoczony, Muppim oszołomiony, Hupim zachwycony, Ard, który śpiewał, Huszin, który płakał z radości, Jahseel, który marzył, Guni w transie, Jeser zgubiony, Szilem zmęczony, Kore, który tańczył, Nefeg, który tracił przytomność, Zikri, który przytupywał, Uziel, który wznosił ramiona ku niebu, Mihael, który też podnosił ręce ku niebu, Elsafan, który zwracał wzrok na Sitriego, a ten spoglądał na Nadawa, a ten na Awihu, a ten na Elkanę, a ten na Awiazafa, a ten na Amminadawa, a ten na Naszona, a ten na Netanela, a ten na Kuara, a ten na Eliawa, a ten patrzył na Elisura, a ten na Szelumiela, a ten na Kuriszaddaja, a ten na Eliazafa, a ten na Eliszama, a ten z kolei zwracał spojrzenie na Ammihuda, a ten na Gameliela, a ten na Pedahsura, a ten na Awidana, a ten na Gwideona, a ten na Pagwiela, a ten na Ahira, a ten na Liwniego, a ten patrzył na Szimeja, a ten na Jisehara, a ten na Hebrona, a ten na Uziela, a ten na Mahliego, a ten na Kuriela, a ten na Elifasana; był także Qetah, który zwracał wzrok na Szuniego, a ten na Jaszuwa, a ten na Elona, a ten na Jahlela i wreszcie Zerah, który patrzył na mnie.

Czekali.

Chasydzi zaczęli śpiewać przy wtórze harfy, której muzyka uniosła moją duszę ku odległemu wspomnieniu; ujrzałem wizję Ezechiela, tak jak widziałem w Tomarze.

Czy to Jane, czy to ja sam rozpalonym do białości tchnieniem wznieciłem ogień w Tomarze? Jane rzuciła mi spojrzenie, którym błagała mnie, bym został z nią, z innymi...

— Nie idź tam — szepnęła.

Ukaż się na nowo, Jerozolimo; powstań, Jerozolimo, ty, która wypiłaś z ręki Pana kielich szaleństwa, czarę przyprawiającą o zawrót głowy, ty, która piłaś z niej i opróżniłaś ją do dna, ukaż się na nowo w spustoszeniu i na ostrzu miecza; powstań, przywdziej znowu na się potęgę; o Syjonie, wdziej na siebie wspaniałe szaty; o Jerozolimo, święte miasto, otrząśnij się z pyłu, powstań uwięziona Jerozolimo, zrzuć więzy z twego serca, córo Syjonu.

W tej Świątyni będzie dwanaście bram dla dwunastu zgromadzonych w niej plemion, po trzy bramy z każdej strony Placu Świątyni.

Po krętych schodach wchodzi się do wielkiego budynku o potężnych murach, z kwadratowymi słupami, z drzwiami otwartymi na tarasy, z drzwiami z brązu i złota. Bo przejście ze świeckiego terenu do świętej siedziby zagradza cały szereg drzwi, które trzeba przebyć, by stopniowo, w miarę zbliżania się do Świątyni przez kolejne dziedzińce, osiągnąć stan czystości duchowej. Trzeba pokonać stopnie prowadzące do kolejnych dziedzińców z drzwiami, przez które wchodzi się do Świętego, a stamtąd dopiero do Świętego Świętych. Między dwuskrzydłowymi drzwiami z czystego złota wysokie na trzy piętra kolumny tworzą trójpoziomowy perystyl, gdzie znajdują się wielkie komnaty. W centrum perystylu jest ściana z dwunastoma dwuskrzydłowymi drzwiami, wyłożonymi płytkami złota, gdzie wewnętrzny dziedziniec tworzy esplanadę otoczoną pomieszczeniami kapłanów. W jej centrum jest święta siedziba, w sercu której znajduje się Święte z Ołtarzem Całopalenia, basen na rytualne ablucje, Święte Świętych, a w nim Arka Przymierza z dwoma cherubinami, rozpościerającymi skrzydła za złotą zasłoną.

Stoi tam świecznik wykuty z jednego kawałka czystego złota, ozdobiony czterema kielichami z drewna migdałowca, wysadzany drogimi kamieniami, połyskującymi szafirami i rubinami.

Do Świętego Świętych może wejść tylko potomek arcykapłanów, kapłan ubrany w święte szaty.

Przede mną gromadzili się kapłani, szli jeden za drugim, według ustalonego porządku, za nimi kroczyli lewici, potem Samarytanie ze swoim przywódcą, szli setkami, tak, aby można było poznać cały lud Izraela. Każdy zajmował swoje miejsce w tej wspólnocie Boga.

Wreszcie Lewi pokazał małe drzwiczki, przez które przechodziło się do świętego miejsca.

— Chwała Pana wejdzie do Świątyni z kamienia — powiedział cicho — by ją wziąć w posiadanie, jak chcieli tego Dawid i Salomon, jak weszła do sanktuarium na pustyni.

Podszedłem do drzwi i otworzyłem je.

— Co za budzące grozę miejsce! — zawołałem.

Groźniejsze niż sanktuarium ludu koczowniczego na pustyni, niż kamienna Siedziba, zbudowana przez lud osiadły na skale Arauna, gdzie rezydował Bóg.

Było to niewielkie kwadratowe pomieszczenie z białego kamienia. Zwykła komnata bez żadnych ozdób, w której stała Arka Przymierza. Znajdowały się w niej prochy czerwonej jałówki. Zbliżyłem się do Arki. Wziąłem pochodnię, zapaliłem ogień na ołtarzu i rozsypałem nad nim prochy czerwonej jałówki.

I ujrzałem litery, wzlatujące niczym iskry, a w każdej była siła, zdolna wszystko zmieniać. Każda zajmowała swoje miejsce wśród samogłosek, spółgłosek i znaków przestankowych. I wszystkie siły mojej duszy skoncentrowały się, sypiąc iskrami niczym żywy ogień. Serce moje napełniło się radością, a dusza uniosła się jeszcze wyżej. Tak więc pokonałem rozliczne przeszkody, żeby znaleźć się w punkcie absolutnym, gdzie kończy się wszelkie słowo.

Majestatyczne litery były piękne jak ametysty zdobiące diademy skarbu, jak rubiny w koronach, jak diament w pektorale, jak jaspis i jak onyks. Litery te, unosząc się, układały się na kształt marmurowych kolumn, podobne do błyszczących pereł lub do gwiazd, jakby czekały, żebym do nich przemówił...

Przywołałem więc kolejno: literę ע symbolizującą oko, która obnaża fałszywe idee, pozwala przejrzeć na oczy; literę פ, symbolizującą usta, dzięki którym wargi wymawiają słowa; literę ע symbolizującą nos, który czuje zapachy; literę ס, przypominającą, iż Bóg podtrzymuje tych, którzy upadają, i podnosi tych, którzy załamują się; literę ק, symbolizującą ucho igielne, zjednoczenie sił, by przejść przez wąskie drzwi; literę כ, przypominającą, iż przedtem nie było nic, a potem będzie wszystko; literę א, podobną do głowy byka; literę ד, od której pochodzi wieczne potępienie i krew; literę ש, symbolizującą wybór słusznej drogi; literę ט, symbolizującą zmianę stanu; literę ז, symbolizującą siłę; literę ב, od której pochodzi wolność; literę ג, symbolizującą dobroć i litość; literę צ, symbolizującą akceptację próby, dzięki której znajdziemy się na szczycie... literę מ, symbolizującą boską emanację.

Litera י, symbolizująca samotność... Byłem zupełnie sam na pustyni pośród poskręcanych pni tamaryszku, akacji i palm, drzew rosnących na piasku, krzaków o drobnych liściach, prześwietlonych promieniami słońca. Przekroczyłem rzekę Jordan, która spływa z ośnieżonych szczytów Hermonu. Przekroczyłem Jordan, gdzie znajdował się rytualny basen, wykuty w skale, osłonięty sklepieniem w kształcie kołyski, z kilkoma stopniami, pozwalającymi wejść do czystej wody. Przekroczyłem Jordan i zanurzyłem się w nim. Oczyściłem się w jego wodach, by móc zbudować potężną Świątynię. Pragnąłem wznieść siedzibę, w której mógłbym Go widywać, składać Mu ofiary do dnia Sądu Ostatecznego. Jak Dawid, który się obmywał, zanim wszedł do domu Boga, ja także obmyłem się zgodnie ze zwyczajem esseńczyków, którzy kąpali się w czystej wodzie rano i wieczorem, zanim weszli do świętego sanktuarium.

I pisałem w grotach. Tak właśnie się narodziłem — przez tych, którzy dzierżyli prawdziwy klucz pisma. Mieli oni marzenie — odebrać Jerozolimę z rąk bezbożnych kapłanów i zbudować dla przyszłych pokoleń Świątynię, w której służbę bożą będą sprawowali kapłani ich sekty, potomkowie Zadoka i Aarona.

Wiedzieli, że dla ich ludu nastąpią długie lata wygnania. Ale wiedzieli także, że nadejdzie dzień, kiedy ich lud wróci na swą ziemię i że Świątynia będzie miejscem, w którym znowu zgromadzą się rozproszeni. Tak, wiedzieli, iż nadejdzie dzień, gdy trzeba będzie odbudować Świątynię, poczynając od jednego maleńkiego ziarnka piasku.

Litera ח, symbol wonnych olejków i aromatycznego dymu kadzidła, unoszącego się w Świątyni, symbol widzialnego i niewidzialnego dla całego Domu Izraela, przybyłego do odbudowanej Świątyni, by się oczyścić. W sercu Świątyni znajdowało się Święte, gdzie paliło się trzynaście kadzideł o cudownej woni, gdzie królowała menora i stół ofiarny z dwunastoma chlebami, a w samym sercu Świętego znajdowało się Święte Świętych, oddzielone od reszty zasłoną w czterech kolorach.

Bóg był obecny w uroczyste dni pielgrzymek, gdy lud przybywał, by w zapachu cennego drewna cedrowego złożyć w ofierze baranka lub palmy na święto szałasów, był w tchnieniu pieśni tych, którzy szli w procesji od basenu Siole, w którym zaczerpnęli wody dla Świątyni, był obecny wśród tysięcy, tysięcy pielgrzymów. W Świątyni był obecny w ustach esseńczyków, bo zostali wybrańcami z woli Boga, obarczeni obowiązkiem głoszenia na ziemi pokuty i ukarania bezbożnych, byli ostatnim murem, cennym kamieniem węgielnym, na którym nie zachwieją się żadne fundamenty. Tu, wśród skał, znajdowała się najwspanialsza siedziba Świętości, siedziba Aarona, gdzie składano wonne ofiary, gdzie był dom doskonałości i prawdy ludu Izraela, gdzie mogło zaistnieć Przymierze, oparte na przedwiecznych wskazówkach. To oni, Liczni, zostali wyznaczeni, by przechować w sercach płomień Świątyni.

Czekali na przybycie tego, który ruszy do walki z synami ciemności. Powtarzali te słowa:

Wzniesie swój oręż,
uda się do Jerozolimy,
wejdzie Złotą Bramą,
odbuduje Świątynię
taką, jaką widział w swych wizjach.
I Królestwo Niebieskie,
tak długo oczekiwane,
nadejdzie wraz z nim,
Zbawicielem,
którego nazwą
Lwem.

Litera *waw.*

Zwróciłem się twarzą do ołtarza. Wziąłem rozżarzone węgle, napełniłem nimi kadzielnicę, potem wsypałem garść kadzidła. Dym osnuł Arkę Przymierza. Zanurzyłem palec we krwi byka i siedem razy spryskałem jej wieko.

— Chwała Bogu! — powiedział Lewi. — Lud, który błądził w ciemnościach, ujrzy wielkie światło. Tyle czasu trzeba było, by wejść do Królestwa Bożego.

Wszyscy czekali w napięciu, bym wypowiedział Jego imię. Wszyscy oprócz Jane, która nie spuszczała ze mnie wzroku.

I wtedy je wypowiedziałem.

SŁOWNICZEK

[1] esseńczycy — ascetyczna sekta żydowska powstała w I w. p.n.e. w Palestynie; tworzyli zamkniętą grupę społeczno-religijną, opartą na wspólnocie pracy i majątku; byli monoteistami, przestrzegali tajemnicy treści doktryny.

[2] chasydzi — dosłownie „pobożni". Słowo to oznacza ludzi łączących się w żydowskie wspólnoty ortodoksyjne, uznające autorytet jednego nauczyciela lub rabina. Pierwsze wzmianki o nich jako o klasie pojawiły się ok. 200 r. p.n.e.

[3] Jom Kippur — Dzień Pojednania z Bogiem. Hebrajskie słowo *kippur* pochodzi od słowa *kappara* — przebaczenie.

[4] Liczni — tak mówili o sobie esseńczycy.

[5] Samarytanie — grupa etniczno-religijna w Palestynie. Powstała w 721 r. p.n.e. po upadku królestwa Izrael, ze zmieszania resztek ludności izraelskiej z kolonistami asyryjskimi. Od IV w. tworzyli odrębną gminę religijną (uznają tylko Pięcioksiąg). Nieliczna grupa Samarytan przetrwała do dziś w Jordanii i Izraelu.

[6] Tora (Pięcioksiąg) — pięć pierwszych ksiąg Starego Testamentu — Księgi Mojżeszowe.

[7] Hiram z Tyru — budowniczy Świątyni Salomona na górze Syjon (X w. p.n.e.), zajmował się również przetwarzaniem metali, był więc alchemikiem. Odgrywał ważną rolę w rytuałach wolnych mularzy i ich micie założycielskim.

[8] asasyni (zabójcy, znani też pod nazwą nizarytów) — ich nazwa pochodzi od arabskiego *hasziszijjun* — palacze haszyszu. Sekta szyicka założona w 1090 roku przez Al-Hasana Ibn as-Sabbaha, z siedzibą w twierdzy Alamut w Syrii. Przywódca sekty, nazywany Starcem z Gór, posyłał swoich wyznawców, by dokonywali skrytobójczych morderstw. Ostatni przywódca asasynów został zabity w 1256 roku z rozkazu chana mongolskiego Hulagu.

[9] *szofar* — róg barani.

[10] kufia — biało-czarna lub biało-czerwona chusta zwana w Polsce arafatką.

[11] *geniza* — cmentarz, na którym chowano niepotrzebne już święte księgi. Najsławniejszym jest *geniza* w Kairze.

[12] zeloci (gorliwcy) — ruch ten zrodził się prawdopodobnie w Galilei w I w. n.e. Nie byli sektą religijną, w poglądach nie różnili się od faryzeuszy. Przyznawali sobie natomiast prawo do stosowania przemocy wobec Rzymian i kolaborujących z nimi Żydów. Z nich wywodzą się sykariusze, czyli sztyletnicy, którzy byli *de facto* kimś w rodzaju terrorystów.

[13] saduceusze — stronnictwo religijno-polityczne istniejące od II w. p.n.e. do 70 roku n.e. Należeli do nich głównie przedstawiciele arystokracji i wyżsi kapłani. Uznawali tylko słowo pisane (Tora), odrzucali wiarę w nieśmiertelność duszy, zmartwychwstanie i duchy anielskie. Sprzyjali hellenizmowi, ugodowi wobec Rzymu.

[14] *devekut* — najwyższy stopień uniesienia duchowego, mistyczne zjednoczenie z Bogiem (*unio myshica*).

ALFABET HEBRAJSKI

א *alef* (1)
ב *bet* (2)
ג *gimel* (3)
ד *dalet* (4)
ה *he* (5)
ו *waw* (6)
ז *zajin* (7)
ח *chet* (8)
ט *tet* (9)
י *jod* (10)
כ *kaf* (20)

ל *lamed* (30)
מ *mem* (40)
נ *nun* (50)
ס *samech* (60)
ע *ajin* (70)
פ *pe* (80)
צ *sade* (90)
ק *gof* (100)
ר *resz* (200)
ש *szin* (300)
ת *taw* (400)

SPIS TREŚCI